Schiller, Friedrich; Kelln

Dramatische Entwuerfe und Fragmente

Aus dem Nachlass zusammengestellt

Schiller, Friedrich; Kellner, Gustav

Dramatische Entwuerfe und Fragmente

Aus dem Nachlass zusammengestellt

Inktank publishing, 2018

www.inktank-publishing.com

ISBN/EAN: 9783750116962

Schillers

Dramatische Entwürfe und Fragmente.

Aus dem Nachlaß zusammengestellt

von

Gustav Kettner.

Ergänzungsband zu Schillers Werken.

Stuttgart 1899.

Verlag der J. G. Cotta'schen Buchhandlung

Nachfolger.

Inhalt.

Einleitung des Herausgebers.

Am Schluß der ersten Ausgabe von Schillers Werken hatte 1815 Ch. G. Körner neben den ausgearbeiteten Scenen des Deme= trius eine kurze Uebersicht der Handlung dieses Dramas, des Warbeck, der Malteser und der Kinder des Hauses nach Schillers Scenarien veröffentlicht. Seitdem ist der Versuch noch nicht wieder unternommen, den reichen Schatz von dramatischen Ent= würfen und Fragmenten des Dichters seinem Volke zu erschließen, obwohl inzwischen der ganze Nachlaß ans Licht getreten ist und wir einen viel umfassenderen und tieferen Einblick in seine Pläne gewonnen haben. Ich selbst habe in meiner Ausgabe von „Schillers dramatischem Nachlaß" (Weimar, Böhlau 1895, Bd. 1 Demetrius, Bd. 2 Kleinere dramatische Fragmente) ein übersicht= liches und klares Bild des gesamten handschriftlichen Materials zu geben gesucht, indem ich zum erstenmal den Zusammenhang der Papiere zu ermitteln und die Folge der einzelnen Nieder= schriften so weit als möglich festzustellen unternahm. Ich wollte damit eine Grundlage für die weitere Untersuchung der Ent= stehung und Fortbildung der dramatischen Pläne schaffen. Aber wenn es den Forscher immer aufs neue reizen wird, an diesen Dokumenten dichterischen Schaffens den Schaffensprozeß immer schärfer zu erkennen, so wird der Leser nur zu oft von den viel= fach noch unsicher tastenden Versuchen, der Masse abgerissener Notizen, trockener Dispositionen und in flüchtiger Hast skizzierter Entwürfe verwirrt oder von dem wiederholten Durchkomponieren einzelner Scenen ermüdet werden. Und doch darf auch ihm die Werkstatt des Dichters nicht verschlossen bleiben. Denn Schillers Größe als Dramatiker lernt erst der völlig würdigen, der neben den vollendeten Dramen auch die Torsi dieses Michelangelo unter den Dichtern überschaut.

Die vorliegende Ausgabe hat sich das Ziel gesetzt, die dra=

matischen Entwürfe in lesbarer Form zu bieten; sie will dem Leser aus den zerstreuten Bruchstücken die Dramen so wie sie zuletzt vor dem Geiste des Dichters standen, aufbauen helfen. An der Hand der letzten Akt-Schemata waren die Skizzen und Entwürfe der einzelnen Scenen auszuwählen und zusammenzufügen; auch sie waren in ihrer letzten, relativ abgeschlossenen Gestalt heranzuziehen. Wo neben einem jüngeren Entwurf ein früherer wesentliche Züge zur Ausgestaltung der Scene bot, habe ich ihn in einer Anmerkung hinzugefügt*). Bei den wichtigsten Dramen konnte zum Glück für größere Strecken ein ausführliches Scenar im wesentlichen unverändert zu Grunde gelegt werden. Aber auch da, wo der Text aus einer Fülle einzelner Skizzen und Notizen musivisch zusammengesetzt werden mußte, wie z. B. bei den „Kindern des Hauses" und der „Prinzessin von Celle" ist niemals an das Wort des Dichters gerührt worden.

Da eine Anordnung der Dramen nach der Zeit ihrer Entstehung nicht durchzuführen ist, habe ich sie nach Gattungen zusammengestellt. So wird auch der Leser am besten den ganzen Umfang von Schillers dramatischem Schaffen ermessen können.

Auch hier erkennt man, wie seine dramatische Dichtung in dem historischen Charakterdrama ihren Mittelpunkt hat. Ihm gehören die meisten und die am weitesten ausgeführten Entwürfe an.

Im engsten Zusammenhang mit seinen letzten Schöpfungen stehen Demetrius, Warbeck und die Prinzessin von Celle. Schon äußerlich tritt dies hervor: In allen dreien entwickelt sich der persönliche Konflikt auf einem reichen und bedeutenden, zum Teil gewaltigen politischen Hintergrund, alle drei behandeln ein dunkles Ereignis der neueren Geschichte, dessen Rätsel zu lösen, dessen Helden uns menschlich nahe zu bringen der Historiker dem Dichter überlassen hatte.

Demetrius.

Auf die Geschichte des falschen Demetrius († 1606) wurde Schiller durch das Interesse für die russischen Verhältnisse und russische Geschichte geführt, das in Weimar durch die geplante

---

*) Anmerkungen ohne weiteren Zusatz des Herausgebers sind Marginalien Schillers

Vermählung des Erbprinzen Karl Friedrich mit der Großfürstin Maria Paulowna hervorgerufen und im Hause des Dichters um so lebhafter war, da sein Schwager Wilhelm v. Wolzogen seit 1799 die Verhandlungen in Petersburg leitete. Die Histoire de Russie von Levesque (Hamburg und Braunschweig 1800) bestimmte wesentlich seine Auffassung des Helden, daneben benutzte er namentlich Müllers Sammlung russischer Geschichte; auch eine historische Novelle von La Rochelle Czar Demetrius, histoire moscovite (Paris 1714) bot einige Anregungen. Für das Kulturhistorische waren seine Hauptquellen Olearius' Reisebeschreibung und Connors Beschreibung des Königreichs Polen. — „Schon bei der Vollendung des ‚Tell‘, im Februar 1804, trug er den neuen Plan im Sinn,“ am 10. März war (nach einer Notiz in seinem Kalender) sein Entschluß gefaßt. Indessen die schwere und langwierige Krankheit, die ihn im Juli befiel, ließ die Arbeit stocken, und der Genesende schwankte, ob er nicht einem einfacheren Stoff, wie der „Prinzessin von Celle“, den Vorzug geben sollte. Erst nach der Ankunft der Erbprinzessin, die er durch seine „Huldigung der Künste“ gefeiert hatte (12. November), entschied er sich endgültig für den „Demetrius“. Die weitere Geschichte des Dramas zeigt das fast übermenschliche Ringen des schöpferischen Willens mit dem erlahmenden Körper. Bereits im Dezember versagten ihm die Kräfte. Um nicht müßig zu sein, bearbeitet er die „Phädra“ des Racine. Kaum hat er Ende Januar 1805 die Arbeit wieder aufgenommen, als ihn eine neue heftige Erkrankung „bis in die Wurzeln erschüttert“. Noch tief erschöpft, diktiert er, da er selbst die Feder nicht führen kann, seiner Gattin im Februar die Schlußscenen des ursprünglichen ersten Aktes, den Monolog des Demetrius und den Abschied von der Lodoiska. Endlich am Schluß des Monats hat er sich so weit erholt, daß er „nunmehr mit Ernst an sein Drama gehen kann“. Er läßt jetzt den bereits zum großen Teil ausgearbeiteten ersten Akt in Sambor fallen und beschließt, das Stück mit der Reichstagsscene zu eröffnen. Im März und April 1805 hat der Todkranke den ganzen gewaltigen Torso der beiden Akte geschaffen. Als er am 29. April zusammenbrach, lag die Reinschrift von Marfas Monolog auf seinem Schreibtisch. Die beiden folgenden Scenen waren, nicht ganz vollständig, im Konzept ausgeführt. Doch ist der weitere Gang des Dramas in einem sehr sorgfältig durchgearbeiteten Scenar und einzelnen Skizzenblättern zum größten Teil bereits bis ins Einzelne vorgezeichnet. Freilich hätte der Dichter bei der Ausarbeitung wohl die allzu große Fülle der

Handlung mehrfach beschränken und vermutlich den Einzug in
Moskau aus dem dritten an den Anfang des vierten Akts verlegen müssen.

Im „Demetrius" hat Schiller den tragischen Konflikt des
„Wallenstein" vertieft und verschärft. Auch hier verkörperte er
in dem Helden eine dämonische Herrschernatur, die durch die
Verhältnisse auf einen Herrscherplatz gestellt ist. Aber an Stelle
des kalten Realisten, der nur das Recht seiner Persönlichkeit
geltend machen kann, schuf er einen feurigen Jüngling, den der
Glaube an seine Legitimität in den Kampf gegen einen Usurpator
treibt und zum Siege führt, bis er auf dem Höhepunkte seiner
Macht erkennen muß, daß ein Wahn ihn betrogen und er sich
ahnungslos in Schuld verstrickt hat. So gewann Schiller eine
Peripetie von derselben erschütternden Wirkung, wie er sie von
jeher in dem „König Oedipus" des Sophokles bewundert hatte.
Aber wenn auch Demetrius durch jene Erkenntnis im Innersten
gebrochen ist, er kann nun nicht mehr zurück, ohne sich selbst und
die Seinen aufzugeben; er muß nun wollend seine Schuld,
in die ihn das Schicksal verstrickt hat, vollenden und sein Verhängnis erfüllen.

In den persönlichen Konflikt greifen die Gegensätze im Leben
der Völker gewaltiger als in irgend einem anderen historischen
Drama Schillers ein. In Massenscenen von damals unerhörter
Wucht und Größe sollten der nationale Charakter, die Kultur
und die politischen Verhältnisse der Russen und Polen sich darstellen. Und ähnlich wie im „Tell" sollte auch die Natur Rußlands in ihrer wilden Oede wie in ihrer unerschöpflichen Fülle
sich abspiegeln.

Warbeck.

Ein verwandtes dramatisches Problem hatte Schiller schon
in der Geschichte des Perkin Warbeck gefunden, der 1492 von
Margarete von Burgund als angeblicher Sohn Eduards IV.
gegen Heinrich VII. aufgestellt und später von diesem besiegt
und hingerichtet wurde. Er war im August 1799, als er den
zweiten Akt der „Maria Stuart" abschließen wollte, auf den
Stoff gestoßen. Seine Quelle war die Englische Geschichte von
Rapin Thoyras und eine historische Novelle von La Pair de
Lizancour Perkin faux duc d'York, Paris 1732. Anfangs
scheint er eine Tragödie beabsichtigt zu haben, die den Untergang des Prätendenten mit umfaßte. Er entschloß sich aber dann,

nur die Vorgeschichte in freier Erfindung zu einem Schauspiel auszugestalten. Es reizte ihn die äußeren und inneren Konflikte zu verfolgen, in die der Held durch die übernommene Rolle am Hofe der Herzogin verwickelt wird. Die Lösung fand er darin, daß der Betrüger im schwersten Seelenkampfe sich selbst über- winden sollte, indem er seinen Nebenbuhler, den Sohn von Eduards IV. Bruder Clarence, als er in seine Hand gegeben ist, verschonte. Die schließliche Entdeckung, daß er selbst ein natürlicher Sohn Eduards sei, sollte die innere Befreiung voll- enden. Dieser Plan war im stillen gereift, während Schiller die „Maria Stuart" und „Jungfrau von Orleans" schuf. Im Sommer 1801 trat er an die Ausführung heran. Doch erkannte er von vornherein mit voller Klarheit das Mißliche, daß der Held ein bewußter Betrüger war, und „er mochte doch auch nicht den kleinsten Knoten im Moralischen zurücklassen". Die Charakter- skizzen zeigen, mit welchem Ernst sich Schiller in das Problem vertiefte, den Widerspruch zwischen dem Betrug und der inneren Hoheit Warbecks psychologisch zu vermitteln, indem er über die Grenzen der Zurechnungsfähigkeit hinaus in die dunklen Tiefen unbewußten Seelenlebens eindrang und aus einer „Art von Wahnwitz", vor allem aber aus der Stimme des Blutes sein Handeln erklärte. „Aber je schärfer er das Stück ins Gesicht faßte, um so mehr häuften sich die Schwierigkeiten" (an Körner 5. Oktober 1801). So schob er, obwohl er „es unfehlbar mit Succeß auszuführen" hoffte und in den Pausen seiner sonstigen Thätigkeit mitunter zu ihm zurückkehrte, doch die Vollendung immer wieder hinaus. Erst im Februar 1804, noch ehe er den „Tell" abschloß, beschäftigte er sich wieder ernstlicher mit dem „Warbeck". Er erzählte der Frau von Staël, daß er nach alter Gewohnheit „bereits ein anderes Stück angefangen habe", und nannte auf ihr Drängen als Titel Marguerite. Aber gleichzeitig waren, wie wir sahen, seine Gedanken auf den „Demetrius" ge- richtet, und bald wandte er sich entschlossen der neuen Aufgabe zu. Noch einmal, wahrscheinlich im November 1804, als er die Vorstudien zum „Demetrius" abschloß und ein zusammenhängendes Scenar anlegen wollte, erwog er eingehend die Vorzüge und Mängel beider Stoffe (vgl. S. 122--123).

Der Hauptgrund, der ihm den „Warbeck" verleidete, war offenbar die schon oben berührte Schwierigkeit, für den Betrüger die rechte Sympathie sowohl selbst zu gewinnen als in dem Zu- schauer zu erwecken. Es ist bezeichnend, daß Schiller in dem fast vollendeten ersten Akte die Rolle des Helden selbst nur markiert

hat, und daß die Dramatisierung stockte, als es im zweiten Akte
ihn in seiner wahren Gestalt zu zeigen galt! Schon jenem Akte
gebricht es ferner an kräftiger dramatischer Wirkung; die lange
Erzählung der Margarete, die mit dem hinreißenden Selbst-
bekenntnis des Demetrius gar nicht zu vergleichen ist, ist um-
rahmt von breiten Dialogscenen ohne rechtes persönliches Leben.
Ob wohl die weitere Handlung, das Ankämpfen Warbecks gegen
seine erniedrigende Stellung, die doppelte Kontrastierung mit
einem zweiten Betrüger und einem echten York, das aus Shake-
speare entlehnte Schaustück des Zweikampfes mit dem ersteren
und die Verschonung des letzteren, wobei der Held doch wesentlich passiv bleibt, ein stärkeres Interesse zu erwecken geeignet gewesen wären? Vollends der Schluß hat, wie auch Schiller sich
nicht verhehlte, etwas Mattes und Unbefriedigendes. Und das
Verhältnis des Betrügers zur Prinzessin, das er mit sichtlicher
Liebe ausführte und im Sinne der Zeit zu einem Konflikt
zwischen den Rechten des Herzens und dem Zwang der äußeren
Stellung, zwischen schöner Menschlichkeit und Ehrgeiz zu vertiefen
suchte, zieht den Helden, der vor allem durch seine Herrschernatur,
durch die Verwegenheit, ja Wildheit seines Wesens das Niedrige
des Betruges verwischen sollte, auf das Niveau des Rührenden
herab und ruft die Erinnerung an die Novelle des La Pair wach.
Kommt hierdurch ein etwas romanhafter Zug in das historische
Drama, der es dem heroischen Drama der Franzosen mit seiner
noble et belle passion annähert, so wird auch die äußere geschichtliche Grundlage überwuchert durch die freie Erfindung der
Fabel. Willkürlich genug hat Schiller z. B. Lambert Simnel,
der sechs Jahre vor Warbecks Auftreten in England aufgestanden
war, und den Sohn des Clarence, den damals, um die Unecht-
heit jenes zu beweisen, Heinrich VII. aus dem Tower holte, in
die Handlung verflochten. Auch der historische Hintergrund ist
dürftig entwickelt, die Gegensätze der beiden Rosen werden,
zwar am Anfang angeschlagen, gewinnen aber keine tiefere Bedeutung für den dramatischen Konflikt, und das niederländische
Volk erscheint nur als Staffage.

Die Prinzessin von Celle.

Am 12. Juli 1804 notierte Schiller in seinem Kalender:
„Mich zur Prinzessin von Cleve entschlossen" — man sieht: ihm
drängte sich unwillkürlich die Erinnerung an den berühmten
Roman der Madame de Lafayette La princesse de Cleves auf,

der ähnliche Situationen und Konflikte schildert. In einem älteren Dramenverzeichnis lautet der Titel „Der Graf von Königsmark"; offenbar hatte anfangs sein Hauptinteresse die Gestalt des politischen Abenteurers erregt, die er ja auch in den beiden vorhergehenden Dramen gezeichnet hatte und noch in „Monaldeschi", dem Günstlinge der Königin Christine von Schweden, zu behandeln dachte. Aber bald fesselte ihn ausschließlich das tragische Schicksal der unglücklichen Sophia Dorothea, der ersten Gemahlin Georgs I., die nach Königsmarks Ermordung (1. Juli 1694) nach dem einsamen Amtshaus verbannt wurde, wonach sie gewöhnlich „Prinzessin von Ahlden" heißt. Er schloß sich im wesentlichen der ganz romanhaften Histoire secrete de la duchesse d'Hanover, épouse de Georges I, roi de la Grande Bretagne an, die 1732, sechs Jahre nach dem Tode der Fürstin, in London erschienen war, angeblich von dem preußischen Gesandten in Hannover, Baron von Bielefeld verfaßt, und die erst in jüngster Zeit zerstörte historische Legende geschaffen hat.

Kaum hatte Schiller angefangen, den Plan zu entwerfen, als ihn jener furchtbare Krankheitsanfall traf, von dem er sich nie wieder ganz erholt hat. Erst im Oktober „fanden sich zur Thätigkeit wieder Neigung und Kräfte". Gerade damals erhielt er von Cotta einen im Augustheft der Archives littéraires de l'Europe erschienenen Essai sur l'histoire de la princesse d'Ahlen, aus dem er einen genaueren Einblick in die Verhältnisse in Hannover gewann. Er wurde dadurch, wie es scheint, angeregt, den Plan weiter zu durchdenken, obwohl inzwischen der „Demetrius" ihn aufs neue angezogen hatte. Erst im November, nach der Ankunft der Erbprinzessin, wurde die „Prinzessin von Celle" zurückgelegt.

Das Drama zeigt eine enge Verwandtschaft mit der „Maria Stuart". Eine Dulderin auf dem Thron ringt sich in unverdientem Leiden hindurch zur sittlichen Erhabenheit, im Kerker findet sie die wahre Freiheit. Aber ihr Schicksal zeigt die größere Härte der Tragik in Schillers späteren Dramen: sie büßt keine frühere Schuld, sondern durch den Zwang der Verhältnisse, gegen den sie vergebens anzukämpfen sucht, wird sie in den Schein der schwersten Schuld verstrickt; durch ihr unbesonnenes Vertrauen zu Königsmark hat sie ihr Los zwar verschuldet, aber doch ist sie innerlich „rein wie die Unschuld". Durch den wesentlich leidenden Charakter der Fürstin und den entsagungsvollen Schluß wäre der Eindruck wohl mehr rührend als erhebend geworden.

Wie in der „Maria Stuart" ist ferner der Seelenkonflikt umsponnen von einem bunten Intriguenspiel und einem bewegten politischen Leben. Der Intrigant und Liebhaber hat charakteristische Züge von Leicester erhalten.

Von dieser Gruppe von Dramen, die moderne geschichtliche Stoffe mit einem Reichtum von Personen und einer Fülle des Lebens, wie sie Shakespeares Dramen boten, darzustellen unternehmen, heben sich scharf die folgenden ab; sie sind alle drei in der einfachen Technik der klassischen Tragödie gedacht.

Die Malteser

sind aus den Studien zum „Don Carlos" erwachsen. In Watsons Geschichte Philipps II. las Schiller mit Bewunderung von der heldenmütigen Verteidigung St. Elmos durch den Orden. Er machte deshalb Posa zum Johanniterritter und ließ ihn an jenem Kampf um das Kastell teilnehmen (Akt 3, Scene 7). Daher wollte er ihn ursprünglich auch unter den Personen des neuen Dramas wiedererscheinen lassen. Aber auch der tragische Konflikt der „Malteser" führt uns in die Stimmungen zurück, die den Dichter beim Abschluß des „Don Carlos" erfüllten. Die tragische Größe seiner Helden findet er in ihrer sittlichen Größe. Noch drängen sich keine Schicksalsmächte ein; in dem siegreichen Kampf des moralischen Willens mit der sinnlichen Neigung, in der völligen Hingabe an einen höheren sittlichen Zweck sieht er das Ziel der Handlung.

In dem glücklichen Sommer von 1788, den er in Rudolstadt mit den Lengefeldschen Schwestern verlebte, wurde der Plan zu den „Maltesern" entworfen. Als Quelle benutzte Schiller Vertots Histoire des chevaliers hospitaliers de St. Jean de Jerusalem appelez depuis chevaliers de Rhodes et aujourd'hui chevaliers de Malthe, aus der auch Watson geschöpft hatte. Die erste öffentliche Hindeutung auf seine Absicht gab er im dritten Brief über den Don Carlos (im Julihefte des deutschen Merkur von 1788): „Sie wollten neulich in Don Carlos den Beweis gefunden haben, daß leidenschaftliche Freundschaft ein ebenso rührender Gegenstand für die Tragödie sein könne als leidenschaftliche Liebe, und meine Antwort, daß ich mir das Gemälde einer solchen Freundschaft für die Zukunft zurückgelegt hätte, befremdete Sie." In jener Zeit, wo er sich in das Studium der antiken Dichter versenkte, wo er sich „vornahm, in den nächsten zwei Jahren keine modernen Schriftsteller mehr zu lesen, um seinen Geschmack zu reinigen und die wahre Simplizität zu gewinnen", wo er sich in Goethes Jphigenie „von dem Geist des Altertums angeweht fühlte", mußte sich ihm der Gedanke aufdrängen, sein neues Drama in der strengen Form der klassischen Tragödie zu schreiben. „Es ist einer griechischen Manier fähig, und ich werde es auch in keiner anderen ausarbeiten," schreibt er an Körner am 20. August.

Unter dem Drange der Arbeiten, in die ihn seine Jenenser Professur verwickelte, blieb das Drama liegen. Nur die von ihm veranlaßte Bearbeitung Vertots (vgl. Bd. 13, S. 160) verrät, daß er dem Stoffe sein Interesse bewahrte. Aber als er, kaum genesen von der schweren Erkrankung, die seine Gesundheit für immer untergrub, in seiner Heimat die Verbindung mit Cotta anknüpfte, dachte er sofort an seine „Malteser" und bot sie ihm „falls sie zu stande kommen sollten", am 30. Oktober 1793 für 30 Karolin an. Noch als Matthisson ihn im Mai in Jena besuchte, „schien er mit mehr als gewöhnlicher Liebe an ihnen zu hängen, denn wenigstens dreimal kam er in seinen Abendgesprächen darauf zurück".

Aber gleichzeitig hatte auch der Plan zum „Wallenstein" immer festere Umrisse gewonnen. Die nächsten Jahre zeigen ein fortwährendes Schwanken zwischen beiden Stoffen. Es war um so heftiger, da es sich zugleich um den Gegensatz zweier Stilrichtungen handelte. Infolge des bedeutungsvollen vierzehntägigen Besuchs bei Goethe im September 1794, der den Freundschaftsbund beider Dichter besiegelte, neigte sich die Wage zunächst zu Gunsten der „einfachen heroischen Tragödie". Als er ihm „den Plan gesagt hatte, ließ dieser ihm keine Ruhe, daß er ihn bis zum Geburtstag der Herzogin (30. Januar), wo er ihn spielen lassen wollte, doch vollenden möchte". Vielfache Kränklichkeit, die Arbeiten für die Horen und den Musenalmanach, besonders die ästhetischen Abhandlungen verhinderten die Ausführung des Entschlusses. Aber noch im Herbst des nächsten Jahres hielt er an ihm fest, zumal auch W. v. Humboldt ihn darin bestärkte. Erst im Frühjahr 1796 entschied er sich endgültig für den „Wallenstein".

Wenn auch schon während der Vollendung dieses Dramas seine Gedanken wiederholt zu dem verlassenen Plan zurückschweiften, so nahm er ihn doch erst im Oktober 1799, nachdem er inzwischen die „Maria Stuart" begonnen hatte, wieder auf.

Er war „damals der historischen Sujets überdrüssig, weil sie der
Phantasie gar zu sehr die Freiheit nähmen und mit einer un-
ausrottbaren prosaischen Trockenheit behaftet seien". Zugleich
mochte er vielleicht wünschen bei seiner bevorstehenden Ueber-
siedelung nach Weimar mit einer Tragödie hervorzutreten, die
der bekannten Neigung Karl Augusts zu dem französisch-klassi-
schen Drama auf halbem Wege entgegenkam. In der That
brachte das herzogliche Paar dem Plan, von dem es durch Goethe
gehört hatte, ein lebhaftes Interesse entgegen. Dennoch wurde
er weder nach der „Maria Stuart" noch nach der „Jungfrau
von Orleans" ausgeführt. Nach dem letzteren Drama hatte er
zwar „große Lust, sich nunmehr in der einfachen Tragödie nach
der strengsten griechischen Form zu versuchen", aber er zog die
„Braut von Messina" den „Maltesern" vor, weil in ihnen noch
das „punctum saliens" fehlte, d. h. „diejenige dramatische That,
auf welche die Handlung zueilt, und durch die sie gelöst wird;
die übrigen Mittel, der Geist des Ganzen, die Beschäftigung des
Chors, der Grund, auf welchem die Handlung vorgeht, alles war
reiflich ausgedacht und beisammen". Im März 1803 hat er noch
einmal „seine alten Papiere über die Malteser vorgenommen".
„Es steigt eine große Lust in mir auf," schreibt er an Goethe,
„mich gleich an dieses Thema zu machen. Das Eisen ist jetzt
warm und läßt sich schmieden." Aber bald erkaltete dieses Interesse wieder, er wandte sich zum „Tell", und seitdem hören
wir nichts wieder von diesem Plan, der anderthalb Jahrzehnte
lang sein dramatisches Schaffen begleitet hatte.

Es ist begreiflich, daß der Stoff in dieser langen Zeit vielfache Wandlungen durchmachte; zu einem klaren Abschluß ist er
nie gediehen. Der Fehler lag schon in dem ersten Plan; Schiller
hatte darin verschiedene Motive äußerlich zu kombinieren gesucht.
Die Grundlage der Handlung entnahm er Bertot. Sie ist kurz
folgende: Die Besatzung von St. Elmo bittet um Abberufung,
da das Fort unhaltbar sei. Aber der Großmeister lehnt ihr Gesuch ab: von der Dauer der Verteidigung St. Elmos hange die
Rettung der ganzen Insel ab, der einzelne müsse sich der Ge-
samtheit opfern. Als die Besatzung nach neuen Verlusten ihr
Gesuch noch entschiedener wiederholt, läßt er die Schanzen durch
den Griechen Castriot untersuchen, und da dieser nicht nur eine
weitere Verteidigung für möglich hält, sondern zugleich sich er-
bietet, mit einigen Truppen das Fort gegen die Ungläubigen
zu behaupten, so gewährt nun La Valette den Rittern den er-
betenen Abzug. Hierdurch beschämt, flehen sie, bleiben zu dürfen,

und fallen alle nach so mutiger Gegenwehr, daß die Türken den weiteren Kampf aufgeben. — An diesen Kern schlossen sich zwei weitere dramatische Motive, zu denen ebenfalls Vertot die Anregung gab. Dieser erzählt bei einer anderen Gelegenheit, La Valette habe, um den Rittern zu zeigen, daß vor ihm kein Ansehen der Person gelte, seinen eigenen Neffen zu einer verzweifelten Unternehmung mit abgesandt, und dessen Freund, der Ritter Polastron, habe ihn freiwillig begleitet. Schiller macht aus dem Neffen einen natürlichen Sohn, dessen Abkunft aber zunächst noch allen ein Geheimnis ist, und läßt ihn auf St. Elmo kämpfen, während sein Freund gezwungen ist, in der Stadt zurückzubleiben.

Aber sowohl diese „schwärmerische Freundschaft" der zwei Ritter wie das Sohnesopfer des Großmeisters wollten sich mit der Haupthandlung nicht recht zur dramatischen Einheit verschmelzen lassen. Zunächst versuchte Schiller das erstere Motiv zum treibenden zu machen: der zurückgebliebene Freund sollte eine Verschwörung anzetteln, um den anderen auf St. Elmo zu retten, La Valette sollte sie entdecken und den Schuldigen zur Strafe von dem Todeskampfe dort ausschließen. Die Tragödie wäre dadurch, ähnlich wie der „Don Carlos" wesentlich ein Intriguendrama mit persönlichen, wenn auch idealen Motiven geworden. Um dem Konflikt zwischen La Valette und den Rittern eine tiefere, prinzipielle Bedeutung zu geben, nahm er an (Vertot bot dafür keinen Anhalt), daß der Orden gerade damals aufs tiefste gesunken und durch die Strenge seines Großmeisters wieder zu der ursprünglichen Reinheit erhoben sei; dementsprechend stellte er dem letzteren als dem personifizierten Gesetz in dem Führer der Empörung den leidenschaftlichen Vertreter einer freieren, weltlichen Richtung gegenüber. Damit trat das Freundschaftsmotiv ganz zurück.

In dem offenbar mit liebevoller Sorgfalt bis ins einzelne ausgeführten Scenar ist die Handlung mit strenger Konsequenz in diesem Sinne entwickelt. Einzig durch die Macht seiner Persönlichkeit und die Gewalt der von ihm vertretenen Ideen führt La Valette die Wandlung herbei. Die Entdeckung der Verschwörung ist zu einem vorbereitenden Moment herabgedrückt; die Peripetie ist eine innerliche, die beiden Scenen, in denen sie erfolgt, das Auftreten des Großmeisters mit den alten Rittern und sein Gespräch mit Romegas sind mit allen Mitteln der Spannung und Steigerung zum Höhepunkt herausgearbeitet. Dennoch hat Schiller den Entwurf hier abgebrochen. Er konnte

sich seine dramatischen Mängel nicht verhehlen. So weihevoll
jene beiden Scenen schon in der knappen Prosaskizze wirken, es
fehlt doch dem „pivot" des Stückes ebensosehr das volle dramatische Leben, wie der tragische Gehalt: wir sehen nichts von
dem schweren inneren Kampf La Valettes, die Ritter selbst wissen
nicht, welches Opfer er bringt; das ergreifendste Motiv, das
Sohnesopfer, würde erst nachträglich und dramatisch bedeutungs-
los berührt werden. Das tiefere tragische Interesse konnte die
Peripetie nur erhalten, wenn dieses Motiv in den Mittelpunkt
trat. Zugleich wünschte Schiller auch die leidenschaftliche Freundschaft eines Ritters mit La Valettes Sohn wieder mit der Handlung zu verflechten. Da die Rolle des Gegenspielers davon los-
gelöst und an Romegas übergegangen war, so konnte es sich doch
nur um eine Episode handeln. Aber das frauenlose Stück —
die Griechin, die den Streit zu Anfang hervorruft, war nur als
stumme Person gedacht und sollte schon in der ersten Scene
wieder verschwinden — schien dieses Ersatzes für die Liebe zu
bedürfen, neben der noble passion durfte die belle passion
nicht ganz fehlen. Und die Freundschaft, die Schiller hier vorschwebte, war nicht mehr der Seelenbund zwischen Don Carlos
und Posa, er malte sie sich, angeregt durch die Lektüre von
Platons Symposion (eine Uebersetzung hatte seine „Thalia" 1792
gebracht) in sinnlich-geistigen Zügen aus.

In den späteren Bemerkungen zum Scenar, in den daran
sich anschließenden Meditationen und in dem Schema, in dem
er noch einmal den Aufbau des ganzen Dramas skizzierte, haben
wir den Niederschlag dieser Erwägungen vor uns. Völlig befriedigt hat ihn das Resultat offenbar nicht. Der Grund lag
nicht bloß in den Schwierigkeiten der Komposition. Er war den
Stimmungen, aus denen das Drama erwachsen war, allmählich
entfremdet. Ihm selbst drängte sich die Analogie mit v. Gem-
mingens Rührstück „Der deutsche Hausvater" auf, als er die
Idee des Stückes Ifflands Verständnis anschaulich machen wollte:
„La Valette (so schreibt er ihm am 19. November 1800) ist der
Charakter eines Hausvaters im heroischen Sinn ... der Fond
dieses Charakters ist eine liberale Güte, mit hoher Energie
und edler Würde verbunden." Wir sehen aus seinen Studien
zur Charakteristik des Helden, wie er ihn nachträglich menschlicher, leidenschaftlicher auszugestalten suchte.

Das beste Gegengewicht gegen das Nüchtern-Moralische der
Handlung lag in der Form, besonders in der lyrischen Pracht
der Chorlieder. Die Notwendigkeit des Chors stand ihm daher

auch von Anfang an unabänderlich feſt, und wiederholt hebt er, beſonders beim letzten Chor, hervor, daß darin „der erhabenſte Schwung ſein und die moraliſche Geſinnung in ihrer ganzen Glorie erſcheinen müſſe". Sonſt hat Schiller auch in der drama= tiſchen Technik ſehr geſchwankt. Urſprünglich ſchwebte ihm ein Drama in fünf Akten mit zahlreichen Perſonen vor. Dann ver= einfachte er die Handlung immer mehr und beſchränkte ſich auf wenige typiſche Charaktere; das Drama wäre damals etwa in der Art von Racines „Athalie" ausgefallen. Nach der Lektüre von Ariſtoteles' Poetik beſchloß er im Dezember 1797 die Ein= teilung in Akte aufzugeben und die antike Gliederung in Pro= logos, Parodos, Epeiſodia und Staſima einzuführen. Aber im letzten Schema faßte er die Handlung doch wieder in vier akt= artige Abſchnitte zuſammen, ähnlich wie er es mit der „Braut von Meſſina" nachträglich in dem Hamburger Theaterexemplar gethan hatte — eine Einteilung, die in letzter Zeit auch in die Ausgaben dieſes Dramas übergegangen iſt.

Themiſtokles.

Schillers Quelle war wohl der ihm von Jugend auf ver= traute und noch in ſeinen Jenaer Vorleſungen von ihm benutzte Plutarch. Wie „Die Malteſer" iſt auch der „Themiſtokles" eine heroiſche Tragödie, ebenſo wie jene endet er mit der opferwilligen Hingabe des eigenen Lebens. Aber der Held iſt anderer Art. Der ehrgeizige Feldherr und Staatsmann, der dem undankbaren Vaterland, das er gerettet hat, grollt und an den die Verſuchung herantritt, die Feinde zum Siege zu führen, iſt dem Wallenſtein ver= wandt. Hat Schiller vor oder nach Vollendung dieſer Tragödie den Plan gefaßt, ein antikes Seitenſtück zu ihr zu entwerfen, die Tragik eines ſolchens Charakters auf „der Grundlage einer hohen, edlen, energiſchen Menſchheit" zu entwickeln und — in direktem Gegen= ſatz zum „Wallenſtein" — mit der Läuterung und Erhebung des Helden zu ſchließen? Wir wiſſen es nicht, denn es fehlt an jedem Zeugnis über die Entſtehung dieſes Plans. Für eine ſpätere Zeit ſcheint vor allem die Sorgfalt zu ſprechen, mit der Schiller ſchon in dieſem flüchtigen Entwurf den hiſtoriſchen Hintergrund, beſonders den Kulturgegenſatz zwiſchen Barbaren und Hellenen ins Auge faßte. Auch klingen einzelne Erwägungen über die Kompoſition, den Gegenſatz zwiſchen der äußeren und inneren Handlung, auffallend an ähnliche Bemerkungen zum „Warbeck" an.

Agrippina.

Ende Dezember 1804 hatte Schiller, da seine Krankheit die Fortsetzung des „Demetrius" vorläufig unmöglich machte, „um nicht ganz unthätig zu sein und das verstimmte Instrument wieder einzurichten", sich entschlossen, ein Stück von Racine zu übersetzen. Er wählte anfangs den „Britannicus", vertauschte ihn aber schon nach Vollendung der ersten Scene mit der „Phädra", namentlich mit Rücksicht auf die Schauspielerin Becker, der er die Hauptrolle zugedacht hatte. Wie lebhaft ihn der „Britannicus" interessierte, sehen wir auch daraus, daß er — wahrscheinlich bereits früher — den Plan einer Fortsetzung dieser Tragödie entworfen hat. Durch die zweite Vorrede Racines war er auf dessen Quelle, Tacitus' Annalen Buch 12—14, geführt. Durch die Erzählung des römischen Historikers geht ein starker tragischer Zug, und einzelne Scenen sind bereits ganz dramatisch gedacht. Mit scharfem Blick erfaßt Schiller diesen erst in neuerer Zeit gewürdigten Charakter der Darstellung, und mit bewunderungs= würdiger Sicherheit weiß er schon in dieser, offenbar gleich nach der Lektüre rasch hingeworfenen, Skizze alle wesentlichen Momente herauszuheben und klar zu einem einheitlichen Ganzen zusammen= zufassen. Ihn reizte es wohl vor allem, den Gang der Nemesis darzustellen, die Schuld durch Schuld sühnt; der Mord des Gatten und des Stiefsohnes wird an Agrippina durch den Mutter= mord Neros gerächt, und am Ende der Handlung eröffnet sich uns der Ausblick auf die Selbstzerstörung des Frevlers; so faßt dieses Drama den Untergang des ganzen schuldigen Geschlechtes zusammen. Die Auffassung der Charaktere kann den Zusammen= hang mit der Tragödie der Franzosen, aus deren Lektüre der Plan erwuchs, nicht verleugnen. Besonders Agrippina selbst ist ganz in der Art der Heroinen Corneilles und Racines gedacht: sie soll kein weichliches Mitleid aufkommen lassen, nur der Schrecken soll herrschen.

In den beiden folgenden Dramen verschwimmt das Ge= schichtliche in das Sagenhafte oder Phantastisch=Romanhafte.

Elfride.

Hume erzählt in seiner Geschichte von England, die Schillers Quelle bildete, zum Jahre 955 etwa folgendes: Als König Edgar einst hörte, daß man in ganz England die Schönheit der Elfride preise, obwohl sie in völliger Abgeschlossenheit auf dem Lande bei ihrem Vater, dem Grafen von Devonshire lebe, entstand in ihm das Verlangen, sie zu besitzen. Ehe er sich aber ihr erklärt, beauftragt er seinen Günstling Ethelwold, sich von der Wahrheit des Gerüchtes zu überzeugen. Dieser wird bei dem Anblick Elfridens von leidenschaftlicher Liebe ergriffen; er täuscht, um sie zu erlangen, das Vertrauen seines Herrn, indem er ihm erzählt, nur ihr Reichtum und hoher Stand hätten ihr jenen Ruf verschafft, und gewinnt später leicht die Einwilligung des Königs, sich selbst mit ihr zu vermählen, „da sie eine vorteilhafte Partie für ihn sei". Um seinen Betrug zu verbergen, hält er seine junge Gattin unter verschiedenen Vorwänden vom Hofe fern. Aber seine Feinde entdecken das Geschehene und verraten es dem Könige. Edgar will, ehe er ihn bestraft, mit eigenen Augen sehen und läßt sich deshalb bei ihm zu Gaste. Ethelwold eilt ihm voraus, entdeckt der Elfride den ganzen Zusammenhang und bittet sie, durch ihre Kleidung und ihr Benehmen ihre Schönheit, die ihn „zu so vielen Lügen fortgerissen hätte", zu verbergen. „Elfride versprach ihm gefällig zu sein, ob sie gleich an nichts weniger dachte. Sie glaubte, daß sie dem Ethelwold für eine Liebe, welche sie einer Krone beraubt hatte, schlecht verbunden wäre, und da sie die Stärke ihrer eigenen Reizungen kannte, so verzweifelte sie noch nicht . . . Sie erregte in dem König die stärkste Liebe gegen sie und die heftigste Rachbegierde gegen ihren Gemahl." Edgar verbirgt für den Augenblick seinen Zorn, tötet aber dann den Ethelwold auf der Jagd und erhebt Elfriden zur Königin.

Schiller hatte Humes Geschichte von England 1782 in Bauerbach und 1799 in Jena (zur „Maria Stuart") gelesen. Er hatte auch wahrscheinlich bereits in Mannheim neben Klingers „Elfride" Bertuchs Bearbeitung des Masonschen Stückes kennen gelernt. Sein eigener Entwurf, der, so flüchtig er ist, doch bereits in deutlichen Umrissen die Hauptmotive der Personen und das tragische Problem erkennen läßt, zeigt eine ganz selbständige und höchst charakteristische Auffassung besonders des letzteren. Daraus gewinnen wir zugleich einen ungefähren Anhalt, um die Zeit der Entstehung zu bestimmen. Am 2. Oktober 1797 schrieb er an Goethe: „Ich habe mich dieser Tage viel damit beschäftigt, einen Stoff zur Tragödie aufzufinden, der von der Art des Oedipus Rex wäre und dem Dichter die nämlichen Vorteile verschaffte. Diese Vorteile sind unermeßlich, wenn ich auch nur des einzigen erwähne, daß man die zusammengesetzteste Handlung,

welche der tragischen Form ganz widerstrebt, dabei zum Grunde
legen kann, indem diese Handlung ja schon geschehen ist und
mithin ganz jenseits der Tragödie fällt. Dazu kommt, daß das
Geschehene, als unabänderlich, seiner Natur nach viel fürchter-
licher ist, und die Furcht, daß etwas geschehen sein möchte, das
Gemüt ganz anders affiziert als die Furcht, daß etwas geschehen
möchte. Der Oedipus ist gleichsam nur eine tragische Analysis.
Alles ist schon da, und es wird nur herausgewickelt. Das kann
in der einfachsten Handlung und in einem sehr kleinen Zeit-
moment geschehen, wenn die Begebenheiten auch noch so kom-
pliziert und von Umständen abhängig waren. Wie begünstigt
das nicht den Poeten! Aber ich fürchte, der Oedipus ist seine
eigene Gattung, und es gibt keine zweite Spezies davon; am
allerwenigsten würde man aus weniger fabelhaften Zeiten ein
Gegenstück dazu auffinden können." Wir werden noch bei den
„Kindern des Hauses" sehen, wie dieser Gedanke in ihm fort-
wirkte; ja selbst im „Demetrius" fanden wir ja seine Spuren.
So griff Schiller auch den sagenhaften Stoff der Elfride von
diesem Gesichtspunkt aus auf. Wenn ihn auch das psychologische
Problem des Frauencharakters lockt, und er lebendig sich in seine
Entwickelung hineinzufühlen sucht, die Hauptperson ist ihm doch
Ethelwold. Die Schuld, die er auf sich geladen hat, liegt vor
dem Drama; die Schritte, die er thut, um dem Verhängnis zu
entfliehen, beschleunigen nur sein Eintreten. Auffallend ist auch
die spezielle Analogie mit dem „Warbeck": in beiden Dramen
baut sich die ganze Existenz des Helden auf einer Lüge auf.
Vielleicht ist die „Elfride" gleichzeitig, jedenfalls nicht wesentlich
früher als das letztere Drama entstanden, denn in einer den
„Kindern des Hauses", vermutlich im März 1799, beigeschrie-
benen Liste solcher Stoffe, die zu einer analytischen Behandlung
sich eigneten, fehlt die „Elfride" noch.

Die Gräfin von Flandern.

Schiller teilte den Geschmack seiner Zeit für die Romans de
chevalerie. „Gebt mir Märchen und Rittergeschichten, da liegt
doch der Stoff zu allem Schönen und Großen!" sagte der Kranke
noch drei Tage vor seinem Tode zu seiner Schwägerin. „Die
Contes de Tressan hatte er immer geliebt," setzt sie hinzu. Er
hatte sie zuerst im Juli 1795 kennen gelernt und war damals
von ihnen zu dem Plane angeregt worden „eine romantische Er-

zählung in Versen zu machen"; er dachte daran, sie bereits im elften Hefte der Horen zu bringen. Die Vorstudien zur „Jung- frau von Orleans" führten ihn dann wieder in diese „roman- tische" Welt zurück. So sehen wir nach ihrer Vollendung ihn im Juli 1801 „den Plan zur Gräfin von Flandern vornehmen". Ob er ihn schon früher entworfen hatte, ob er aus dem auf- gegebenen Entwurf zu jenem „romantischen Gedicht" erwachsen war, wissen wir nicht. Unmittelbar vorher hatte er den „War- beck" wieder ins Auge gefaßt; wenn er jetzt einige Namen aus diesem Drama in die „Gräfin von Flandern" verpflanzte, so können wir daraus schließen, daß er damals den älteren gegen den jüngeren Plan aufgegeben hatte. Im Dezember schaffte er sich Tressans Oeuvres choisies an, im Januar 1802 versenkte er sich in die darin enthaltene Bearbeitung des „Rasenden Ro- land" und konnte Körner nicht genug rühmen, „wie anziehend und erquickend ihm diese Lektüre war". „Hier ist Leben und Bewegung und Farbe und Fülle; man wird aus sich heraus ins volle Leben und doch wieder von da zurück in sich selbst hinein- geführt; man schwimmt in einem reichen, unendlichen Element und wird seines ewigen unendlichen Ich los und existiert eben deswegen mehr, weil man aus sich selbst gerissen wird. Freilich darf man hier keine Tiefe suchen und keinen Ernst; aber wir brauchen wahrlich auch die Fläche so nötig als die Tiefe, und für den Ernst sorgt die Vernunft und das Schicksal genug, daß die Phantasie sich nicht damit zu bemengen braucht." Aus diesen Stimmungen werden wir die Sorgfalt verstehen, mit der Schiller diesen von dem Mittelpunkt seines dramatischen Schaffens schein- bar so weit abliegenden Entwurf ausgestaltete. Noch im Winter 1803—1804 hat er sich mit ihm beschäftigt.

Schiller scheint nicht direkt aus einem Ritterroman ge- schöpft, sondern in freierer Weise eine Reihe von typischen Ge- stalten und Motiven aus jener phantastischen Welt zu einer nur locker verknüpften, abenteuerlichen Handlung vereinigt zu haben. Im Vordergrunde steht der arme und tugendreiche Edelknappe, der durch seine treue Hingabe für seine Gebieterin und seinen Heldenmut schließlich mit ihrer Hand die Krone erringt. Alle Charaktere haben etwas Maskenhaftes. Der Hintergrund, so un- bestimmt er gehalten ist, zeigt doch an einzelnen Punkten etwas realere Färbung: bei dem Treiben des aufständischen Volkes in den fürstlichen Zimmern werden unwillkürlich historische Reminis- cenzen wach. Mit Rücksicht auf solche Scenen und besonders im Hinblick auf die schwere Prüfung der Gräfin hat Schiller das

Stück trotz seiner starken Lustspieleffekte in einem Verzeichnis seiner Dramen und Entwürfe als S c h a u s p i e l bezeichnet. Auf der Bühne, wo damals das Harnischgerassel und die volkstümelnde Derbheit des deutschen Ritterdramas herrschte, hätte diese zier= liche Nachdichtung phantastischer französischer Ritterromane schwer= lich eine Stätte gefunden.

Das „Sujet des entdeckten Verbrechens", mit dem sich Schiller, wie ich oben bei der „Elfride" erwähnte, schon während der Arbeit am „Wallenstein" beschäftigt hatte, zog ihn nach Voll= endung dieser Tragödie aufs lebhafteste an. Von den Stoffen, die er sich als geeignet für eine analytische Behandlung nach Art des „König Oedipus" ausersehen hatte, kamen jetzt besonders zwei in Betracht, „Die feindlichen Brüder" und

Die Polizei.

Es handelte sich bei der Wahl zwischen beiden, wie einst bei den „Maltesern" und dem „Wallenstein" zugleich um die Entschei= dung zwischen zwei Stilgattungen; ja der Gegensatz spitzte sich hier noch schärfer zu: neben die Tragödie in antik=idealisierender Form trat das realistische b ü r g e r l i c h e T r a u e r s p i e l, in dem „Kabale und Liebe" bisher sein einziger Versuch geblieben war und über das erst 1796 die Xenien in der genialen Homer=Parodie „Shake= speares Schatten" ein Totengericht gehalten hatten. Und er wollte die Gattung gerade in der Form aufnehmen, die er dort am schärfsten verurteilt hatte, weil hier ihre engen Schranken am peinlichsten gefühlt werden, nämlich als K r i m i n a l d r a m a mit „Galgen und Rad" im Hintergrunde.

Aber diese Enge des Stoffes hoffte er bei seinem Drama dadurch zu überwinden, daß er die Handlung auf den Boden von Paris verlegte und die Polizei als eine großartige, das ganze vielgestaltige Leben der Weltstadt durchdringende und be= herrschende Macht darstellte. So konnte er einerseits hoffen, in den Rahmen dieses Dramas ein Bild von „Paris in seiner All= heit" einzuschließen. Und wie das Ritterschauspiel die Feme als wirksame dramatische Maschinerie benutzte, so wurde andererseits die Polizei zu einer Art moderner Feme erhoben, zu einer Ver= körperung der allgegenwärtigen und unentrinnbaren Nemesis. Endlich in dem Leiter dieses komplizierten und doch mit wunder=

barer Genauigkeit arbeitenden Mechanismus, dem Polizeilieutenant
Argenson, fand Schiller die Züge einer Herrschernatur wie Wallen=
stein: mit einem lebendigen Verständnis für den Charakter der
verschiedenen Volksklassen und einer großen Menschenkenntnis
verband er ein seltenes Organisationstalent; rastlos, aber zu=
gleich mit überlegener Ruhe umfaßte er das Größte wie das
Kleinste.

Die Anregung zu dieser Auffassung der Polizei und ihres
Chefs empfing Schiller namentlich durch das Tableau de Paris
von Mercier, der schon 1787 durch seine sehr anerkennende Be=
sprechung der „Räuber" im Journal de Paris und seine Ab=
sicht, Schillers Dramen zu übersetzen, ihm näher getreten war.
Man mag den Wert dieses Buches für den Dichter am besten
daraus ermessen, daß noch Dickens es für seine Tales of two
Cities benutzte. Außer Mercier dienten noch die mündlichen Be=
richte von Reisenden wie W. v. Humboldt, Wolzogen, Bode und
Fr. Schulz, sowie die Reisebeschreibungen des letzteren und Campes
dazu, ihm eine lebendige Anschauung der Pariser Zustände zu
geben. Auf die Erfindung der Handlung aber hatten neben
französischen Sittenromanen besonders Pitavals Causes célèbres.
deren in Jena 1792—1795 erschienene Uebersetzung von Niet=
hammer Schiller selbst mit einer Vorrede eingeführt hatte, be=
stimmenden Einfluß.

Schiller hatte damals, als der Gedanke an ein Gegenstück
zum „Oedipus" auftauchte, gleich erkannt, wie leicht die Fabel,
des mythischen Hintergrundes beraubt und in moderne Verhält=
nisse übertragen, ins Komische umschlagen könne. Daher hatte
er bei der „Polizei", schon als er am 22. März 1799 Goethe
den Plan zum erstenmal vorlegte, neben der tragischen zugleich
eine komische Behandlung bedacht. Er ließ dann den Plan des
Trauerspiels sehr bald fallen. Konnte er sich doch nicht ver=
hehlen, daß gerade hier das Tragische wesentlich von der Größe
abhänge, mit der das Walten der Polizei dargestellt werde, und
daß dabei die Gefahr nahe lag, zu sehr ins Weite getrieben zu
werden und die Einheit und Uebersichtlichkeit der Handlung zu
verlieren. Er zog daher die Dimensionen seines ersten Entwurfs
enger zusammen: von Paris verlegte er das Stück in eine kleinere
Stadt, aus dem allmächtigen Polizeilieutenant wurde ein ein=
facher Kommissär, an Stelle des furchtbaren Verbrechens trat
eine Kette von leichteren Verwickelungen, und bei ihrer Lösung
sollte das neckische Spiel des Zufalls überwiegen. Wenn er im
April 1801 nach Vollendung der „Jungfrau von Orleans" einige

noch „embryonische Stoffe" überblickte und dabei auch an eine Komödie dachte, „wo es mehr auf eine komische Zusammenfügung der Begebenheiten, als auf komische Charaktere und den Humor ankam", so scheint er diesen Plan der Polizeikomödie vor Augen gehabt zu haben. Aber er „fühlte doch, wie fremd ihm dieses Genre war". „Meine Natur," bekennt er Körner am 13. Mai, „ist doch zu ernst gestimmt, und was keine Tiefe hat, kann mich nicht lange anziehen." Unwillkürlich hatten sich schon in den Schluß des Entwurfes wieder tragische Motive eingedrängt. Er bezeichnete das Stück deshalb später in dem Verzeichnis seiner dramatischen Entwürfe als Schauspiel.

Die Kinder des Hauses.

Aus einem Hinweis auf das Trauerspiel „Die Polizei" am Rande eines der ältesten Entwürfe dieses Dramas sehen wir, daß es aus jenem erwachsen ist. Schiller ging von demselben Grundgedanken aus, dem unaufhaltsam durch die irdische Gerechtigkeit sich vollziehenden Walten der Nemesis, aber er sah hier nicht bloß von dem weiteren kulturhistorischen Hintergrund, sondern auch von der Verknüpfung einer Reihe von Verwickelungen, die durch die Polizei entwirrt werden, ab und schuf eine fest in sich geschlossene, auf den Kreis eines Hauses beschränkte Handlung.

Die zahlreichen Entwürfe, die für dieses Drama vorliegen, lassen zwei scharf voneinander unterschiedene Pläne erkennen. In dem ersten kombiniert die Phantasie des Dichters ganz äußerlich stoffliche Motive, die zum Teil Reminiscenzen aus den „Räubern", dem „Geisterseher" u. s. w. sind. Erst der zweite Plan, der sehr langsam reifte, bildet die Idee des Dramas und die Charaktere klarer heraus. Die Durcharbeitung wurde, wie Notizen über die Besetzung der Rollen zeigen, in der Zeit vom Februar 1799 bis März 1800 begonnen. Ihren vorläufigen Abschluß fand sie nicht vor dem Oktober 1804, wahrscheinlich sogar erst nach der Vollendung der Phädra-Uebersetzung; noch am 28. Januar 1805 dachte Schiller daran, die Arbeit wieder aufzunehmen, gab aber die Absicht rasch auf. Anfangs nannte er das Drama „Narbonne", erst in den letzten Skizzen taufte er es um in „Die Kinder des Hauses".

Wenn Schiller einmal Crabb Robinson gegenüber äußerte, es sei a play founded on the story of „George Barnwell",

so sollte dieser Hinweis auf Lillo, wenn anders er richtig wieder-
gegeben ist, dem amerikanischen Besucher wohl nur die Gattung
des neuen Dramas veranschaulichen; engere Beziehungen lassen
sich kaum nachweisen. Aber andererseits läßt sich nicht leugnen,
daß die oben bei Besprechung der „Polizei" berührten ästhetischen
Bedenken, die oft gegen jenes Urbild des bürgerlichen Kriminal-
dramas erhoben sind, auch Schillers Entwurf treffen. Ihm
schwebte eine Erhebung dieser Gattung in die Sphäre der Oedipodie vor. Aber es ist doch wesentlich nur die Komposition der
griechischen Tragödie, die wir hier nachgebildet sehen. In völlige
Sicherheit eingewiegt, beschwört der Held durch seine Nachforschung in einer ihm scheinbar nicht näher berührenden Angelegenheit das Schicksal herauf. Nun schließt sich unaufhaltsam Glied
an Glied zur unzerreißbaren Kette, der lange verschwundene
Zeuge einer halbvergessenen That wird zur rechten Zeit herbei-
geführt, um die Enthüllung zu vollenden, und mit dem Schuldigen zugleich wird der Sohn des Hauses entdeckt. Aber der
Schillersche Held ist nichts weniger als eine Oedipusgestalt, er
ist ein gemeiner Verbrecher, der nur durch die Kühnheit, Kalt-
blütigkeit und Sicherheit seines Auftretens eine gewisse Teil-
nahme weckt, und sein Schicksal hat nichts von erschütternder
Größe. Um ein Gegengewicht zu haben, führte Schiller die rührende Gruppe der „Kinder des Hauses" ein; sie wurde immer
mehr zum Mittelpunkt des Interesses — daher auch die Aenderung des Titels. Zunächst bildete er den Sohn zu einer voll-
ständigen Kontrastfigur aus. Im Gegensatz zum ersten Entwurf
umgibt ihn ein noch dunkleres Geheimnis als den Haupthelden;
er ist sich selbst und anderen rätselhaft. Und wenn jener äußerlich streng gesetzlich auftritt und die höchste Achtung genießt, so
ist er eine harmlose und gutmütige, aber leichtsinnige und durch
die abenteuerliche Kindheit etwas verwilderte Natur, die sich
deshalb stets Blößen gibt. Wie an jenem das Schicksal sich als
Nemesis erweist, so sollte es diesen als Schutzgeist durch alle
äußeren und inneren Gefahren führen. Danach scheint Schiller
auch vorübergehend an den Titel „Der Genius" oder „Das
Kind" gedacht zu haben. Die Verwickelung sollte dann ursprünglich dadurch gesteigert werden, daß der Jüngling eine Tochter
oder Nichte des Mannes, der ihm die Eltern ermordet und sein
Erbe geraubt hat, liebt. Dafür trat bald die Liebe beider zu
der Tochter des Bailli ein, und neben dem Sohn wurde noch
die ebenfalls sich und allen anderen unbekannte Tochter des
Hauses eingeführt.

Die Braut in Trauer oder Zweiter Teil der Räuber.

Unter den Dramenstoffen, die „das Sujet des entdeckten Verbrechens" behandeln, hatte Schiller bei Beginn der Arbeit an den „Kindern des Hauses" — also wahrscheinlich im Jahre 1799 — auch diesen Titel notiert. Bald nachher hat er auch wohl den Entwurf niedergeschrieben, denn die Exposition klingt stark an den Anfang jenes Stückes an. Ueber den weiteren Fortgang des Dramas fehlt jede bestimmte Andeutung. Doch scheint es, daß Schiller eine große Sühnetragödie vorschwebte: durch den Untergang des ganzen Geschlechtes wird die schwere Schuld des Vaters gebüßt. Und diese letzte Katastrophe wird durch neue Schuld begründet: sündige Liebe des Sohnes zur Braut des Vaters oder zur eigenen Schwester, Sohnes- oder Vatermord werden kurz als Motive berührt. Man sieht: es sind wieder Elemente der Oedipodie, die hier selbständig weitergebildet werden sollten. Zugleich erkennt man in der Idee des Ganzen, sowie in der Vererbung des Frevelmuts vom Vater auf den Sohn und in der Einführung der schuldloseren Schwester Vordeutungen auf die „Braut von Messina". Wurde schon durch dies alles das Drama aus der niederen Sphäre der beiden vorhergehenden zu einer furchtbaren Familientragödie im Sinne der Antike erhoben, so sollte auch noch das direkte Eingreifen der Geisterwelt ihm die Schauer der späteren Schicksalstragödie — man denkt unwillkürlich an Grillparzers „Ahnfrau" — verleihen.

Schiller nahm mit jenem Entwurf einen älteren Gedanken wieder auf. Schon im Januar 1783 scheint er durch die Absicht seines Freundes L. v. Wurmb, eine Fortsetzung zu den „Räubern" zu dichten, selbst dazu angeregt zu sein. Am 24. August 1784 meldet er Dalberg: „Nach dem Karlos gehe ich an den zweiten Teil der Räuber, welcher eine völlige Apologie des Verfassers über den ersten Teil sein soll, und worin alle Immoralität in die erhabenste Moral sich auflösen muß. Auch dieses ist unermeßliches Feld für mich." Im Juli 1785, während des Aufenthaltes in Gohlis „ist er gesonnen, zu den Räubern einen Nachtrag in einem Akt ‚Räuber Moors letztes Schicksal' herauszugeben, wodurch das Stück neuerdings in Schwung kommen soll". Im August 1786 hoffte er, bald damit fertig zu werden; hatte er doch seinem Freunde, dem Lustspieldichter J. F. Jünger „schon zugemutet, die Revision davon zu unternehmen". Aber im Oktober muß er sich bei Goeschen entschuldigen, „daß ‚Räuber Moors letztes Schicksal' noch nicht unter der Presse ist; es hat

einen notwendigen Aufschub erlitten". Ob dieser ältere Plan
bereits die Grundzüge des erhaltenen Entwurfes trug? Man
wäre nach der Aeußerung gegen Dalberg eher geneigt, an einen
versöhnenden Ausgang zu denken. Und daß Schiller auch in
späterer Zeit über die Behandlung des Stoffes noch schwankte
und sie wiederholt mit Goethe besprach, geht aus der Bemerkung
des letzteren im Brief von 1. August 1800, in dem er ihn auf
das Marionettenstück „Rosamunde" verweist, hervor: „Wir haben
lange auf eine ‚Braut in Trauer' gesonnen." Der hier citierte
neue Titel war wohl von J. E. Schlegels unvollendeter Bearbeitung von Congreves The Mourning Bride entlehnt. --
Noch im Jahre 1803, während der Arbeit am „Tell" „gedachte
er (nach der Erzählung seiner Schwägerin, Karoline v. Wolzogen)
auch seines früheren Planes, einen zweiten Teil der Räuber zu
geben". Und auch damals geschah dies wieder im Zusammenhang
mit einem verwandten dramatischen Plan, „eine tragische Familie
zu erfinden, ähnlich der des Atreus und Laius, durch die sich
eine Verkettung von Unglück fortzöge".

Als Goethe in Tiecks Poetischem Journal (Kritische Schriften
Bd. I, S. 162 ff.) die Inhaltsangabe des alten Marionetten-
stücks „Die Höllenbraut", das er selbst in seiner Jugend gesehen,
las, schrieb er am 1. August 1800 an Schiller: „Sollte hier
nicht die Idee zur ‚Braut in Trauer' zu finden sein, wenigstens
in der Gegend?" Schiller fand „den Gedanken nicht übel und
wollte ihn sich gesagt sein lassen". So hängt der Entwurf

Rosamund oder Die Braut der Hölle

eng mit dem vorigen zusammen; vielleicht hat er auch insofern
auf ihn zurückgewirkt, daß er die Einführung der Geistererschei-
nungen veranlaßte. Sonst aber berührt er sich mit ihm weder
im Inhalt noch in der Form. Schiller hat sich den Stoff, in
freiem Anschluß an Tiecks Erzählung zunächst für eine Ballade,
dann aber auch, besonders in den Marginalien, für eine Oper
zurechtgelegt; er hat für den letzteren Zweck einzelne Motive
aus dem „Don Juan" aufgenommen, daneben finden sich An-
klänge an die „Turandot", die zwar erst ein Jahr später begonnen wurde, aber schon „ein alter Vorsatz" war. Wiederholt

war er schon früher um einen Operntert gebeten; erst im Februar 1800 hatte Zumsteeg die schon oft ausgesprochene Bitte
erneuert, und nach dem Zeugnis von Schubarts Sohn hatte
Schiller seinem Jugendfreunde versprochen, sie zu erfüllen. Zumsteeg hatte einen „heroisch-komischen Stoff" gewünscht, was ungefähr auf die „Rosamund" passen würde. Auch nach dessen
frühem Tode († 1802) gab Schiller den Gedanken nicht auf;
sowohl dem Berliner Kapellmeister Weber, der die Musik zur
„Jungfrau" und zum „Tell" geschrieben hatte, wie Iffland gegenüber erklärte er sich 1804 bereit, ein Tertbuch zu einer „großen
Oper" zu liefern. Wie hoch er von der Gattung dachte, zeigt
seine Aeußerung gegen Goethe (29. Dezember 1797): „In der
Oper erläßt man wirklich jene servile Naturnachahmung, und
obgleich nur unter dem Namen von Indulgenz könnte sich auf
diesem Wege das Ideale auf das Theater stehlen. Die Oper
stimmt durch die Macht der Musik und durch eine freiere har-
monische Reizung der Sinnlichkeit das Gemüt zu einer schöneren
Empfängnis; hier ist wirklich auch im Pathos selbst ein freieres
Spiel, weil die Musik es begleitet, und das Wunderbare, welches
hier einmal geduldet wird, müßte notwendig gegen den Stoff
gleichgültiger machen."

Am fremdartigsten berührt uns Schillers zuerst im Januar
1798 auftauchende Absicht, ein Drama zu schreiben, dessen Handlung auf einer außereuropäischen Insel oder auf einem Schiffe
spielen sollte. Indessen ist nicht zu vergessen, daß gerade in
diesem Jahrzehnt Kotzebue erotische Figuren und Scenen mit
großem Erfolg auf die Bühne gebracht hatte. Schiller selbst
hatte von jeher mit besonderer Vorliebe Reisebeschreibungen zu
seiner Erholung gelesen; bestellte sie sich doch z. B. der Flüchtling, der kaum in Bauerbach Ruhe gefunden hatte, sogleich bei
dem Bibliothekar Reinwald! Namentlich in dem letzten Winter
hatte er oft zu ihnen gegriffen, um sich über die Zeiten hinweg-
zuhelfen, wo ihm seine Krankheit das Arbeiten unmöglich machte;
er selbst nennt die Reisen von Niebuhr nach Arabien, von Volney
nach Syrien und Aegypten, von Le Vaillant nach Afrika und
Cooks Weltumsegelung. Er „hatte sich nicht enthalten können,
zu versuchen, welchen Gebrauch der Poet von einem solchen Stoffe
wohl möchte machen können". Daß hier die fruchtbarsten Motive
zu einem Epos gegeben seien, schien ihm zweifellos. „Wenn ich

mir aber" (schreibt er an Goethe am 23. Februar 1798) „eben
diesen Stoff zu einem Drama bestimmt denke, so erkenne ich auf
einmal die große Differenz beider Dichtungsarten. Da inkom=
modiert mich die sinnliche Breite ebensosehr als sie mich dort
anzog; das Physische erscheint nun bloß als ein Mittel, um das
Moralische herbeizuführen; es wird lästig durch seine Bedeutung
und den Anspruch, den es macht, und kurz, der ganze reiche Stoff
dient nun bloß zu einem Veranlassungsmittel gewisser Situa=
tionen, die den inneren Menschen ins Spiel setzen." Solche
Motive hatte er namentlich in dem Verhältnis zwischen der
europäischen Kulturmenschheit und „jenen ungeheuren Völker=
massen, die für die menschliche Perfektibilität ganz und gar nicht
zählen", gefunden — im Gegensatz zu der, auch durch Kotzebue
in seinen exotischen Stücken vertretenen, rousseauschen Richtung
der Zeit. Goethe hatte seine Bedenken, zunächst im Hinblick auf die
epische Behandlung nicht verhehlt. Er hatte unter anderem her=
vorgehoben, daß die Odyssee „die interessantesten Motive schon
vorweggenommen habe. Die Rührung eines weiblichen Gemütes
durch die Ankunft eines Fremden, als das schönste Motiv, sei
nach der Nausikaa gar nicht mehr zu unternehmen; die Marine
des Le Vaillant oder etwas Aehnliches werde immer nur Parodie
jener herrlichen Gestalten bleiben." Trotzdem hat Schiller in
dem Fragment

Das Schiff

den Versuch unternommen, eine dramatische Handlung zu erfinden,
in der die fruchtbarsten Motive der Seereisen gleichsam in einem
Mittelpunkt konzentriert würden, und dabei auch jene Situation
der Nausikaa gestreift. Zwei Entwürfe liegen vor; der Name
des Helden Jenny ist in dem zweiten auf seine Geliebte über=
gegangen. Die Erfindung kam nicht zum Abschluß. Die Lektüre
eines Werkes über

Die Flibustier

gab dann diesen Ideen eine neue Richtung. Schiller besaß den
1803 erschienenen Band II der Historischen Schriften von Archen=
holz, der die Geschichte dieser Seeräuber enthält, als Geschenk
des Verfassers; aber auch ihre Schilderung in Raynals damals
vielgelesener und vielgerühmter Histoire philosophique et poli=

tique des établissements et du commerce des Européens dans les deux Indes (die auch Archenholz benutzt hatte), wird ihm sicher nicht unbekannt gewesen sein. Hierdurch eröffnete sich ihm der Ausblick in eine leidenschaftliche dramatische Handlung, hier wurden ihm Charaktere und Situationen wieder lebendig, die ihn in seiner Frühzeit auf tiefste ergriffen hatten. Aber die Er- findung ist in diesem Entwurf noch früher erlahmt, als in dem vorigen; im wesentlichen bietet er nur flüchtige beim Lesen hin- geworfene Notizen mit einzelnen noch ganz unbestimmten An- sätzen zur Dramatisierung.

Das Seestück.

Noch einmal — vielleicht nachdem er im Januar 1804 „die Memoiren von einem tüchtigen Seemann gelesen, die ihn im Mittelländischen und Indischen Meere herumgeführt haben" — ver- suchte er den Plan weiter zu bilden. Er ließ die Beziehung auf die Flibustier fallen, hielt aber an dem Gedanken fest, ein Kor- sarenschiff und seine Anführer in den Mittelpunkt der Handlung zu stellen und das Drama zum großen Teil an Bord auf offener See spielen zu lassen. Dann griff er wieder auf den ersten Ent- wurf zurück; aus ihm übernahm er die Scenen im Hafen mit typischen Figuren, die Doppelhandlung auf dem Lande und auf dem Schiffe, die Meuterei.

Lustspiel im Geschmack von Goethes Bürgergeneral.

Goethes 1793 verfaßtes Lustspiel hatte, wie der Dichter Eckermann erzählte, „trefflich besetzt und so vortrefflich einstudiert, daß der Dialog Schlag auf Schlag ging, manchen heiteren Abend gemacht". Auch Schiller hatte seine Freude daran. Als es im Januar 1805 wieder aufgeführt war, schrieb er Goethe: „Das kleine Stück verdient, daß man es in der Gunst erhalte, die ihm widerfährt und gebührt, und es wird sich recht gut thun lassen, ihm einen rascheren Gang zu geben." Vor allem riet er „die moralischen Stellen, besonders aus der Rolle des Edelmanns, wegzulassen, soweit es möglich sei, denn da das Interesse des Zeitmoments aufgehört habe, so lägen sie

gleichsam außerhalb des Stücks". Goethe erwiderte: „Den Bürger-
general will ich ehestens vornehmen. Ich dachte schon die dog-
matische Figur des Edelmanns ganz herauszuwerfen; allein da
müßte man einen glücklichen Einfall haben, am Schluß die wider-
wärtigen Elemente durch eine Schnurre zu vereinigen, damit
man den Deus ex machina nicht nötig hätte." Damals hat
Schiller offenbar versucht, eine solche „Schnurre" rasch zu skizzieren.
Er teilte sie Goethe mit, unter dessen Papieren sie gefunden ist.
Da das Schema wahrscheinlich als Grundlage für eine münd-
liche Besprechung dienen sollte, ist es ganz aphoristisch entworfen
und bietet manche Rätsel. Man wird in dieser Skizze, so flüchtig
sie ist, doch die geistige Freiheit und Heiterkeit bewundern, die
der Dichter damals im Ringen mit dem gewaltigen Stoff des
„Demetrius" und unter dem Drucke der schweren Krankheit sich
bewahrt hatte. Daß er auch die Kraft besessen hätte, den Entwurf mit guter Laune auszuführen, beweist neben dem starken
komischen Element, das seine ersten Dramen durchzieht und noch
zuletzt wieder in der Piastenscene des „Demetrius" so überraschend
zum Durchbruch kommt, am besten ein kleiner dramatischer Scherz
aus seiner Dresdener Zeit:

Körners Vormittag.

Alles, was die Posse verlangt: rasche Scenenführung, ein
lebendiger, rasch sich entwickelnder Dialog, eine derbe, mit einzelnen äußeren Zügen arbeitende und besonders Lieblingswen-
dungen geschickt aufgreifende Charakteristik — alle diese Mittel
finden wir in dieser harmlosen Improvisation gleichsam spielend
verwendet.

Schiller entwarf diesen Scherz zur Aufführung im häuslichen
Kreise an Körners Geburtstag, Montag, 2. Juli 1787. — „Du
kennst meine Trödelei," klagte dieser noch später dem Freunde,
als wieder ein versprochener Aufsatz nicht fertig werden wollte.
Diese Schwäche, die durch den regen geselligen Verkehr in dem
gastlichen Hause noch gesteigert wurde, hat Schiller hier glücklich
karikiert. Um den Hausherrn gruppieren sich seine Gattin
Minna, seine Schwägerin Dora Stock mit ihrem Verlobten Huber
und einige Freunde des Hauses: der Professor an der Ritter-
akademie in Dresden Becker, der Bankier Bassenge, der Graf
Schönburg und der Herausgeber des Leipziger Musenalmanachs
Sekretär Hase. Am Schluß spielen auch noch die ferneren Be-

kannten und Verwandten mit hinein: der Kaufmann Kunze (in dessen Hause auch Schiller viel verkehrt hatte) und der „Onkel Weber" aus Leipzig, sowie der „Vetter aus Weimar", dessen Umgang Körner noch 1789 bei einem geplanten Besuch Schillers fürchtete. Schiller selbst wollte die fremden Rollen übernehmen, während die Hausgenossen offenbar sich selbst spielen sollten.

Ueber die Entstehung der im Anhang mitgeteilten Uebersetzung der ersten Scene von

Racines Britannicus

ist bereits oben S. 18 in der Einleitung zu Schillers Entwurf einer „Agrippina" das Erforderliche angegeben.

Schulpforta.

Gustav Kettner.

Demetrius

oder

Die Bluthochzeit zu Moskau.

Erster Aufzug.

Der Reichstag zu Krakau.

Wenn der Vorhang aufgeht, sieht man die polnische Reichsversammlung in dem großen Senatssaale sitzen. Die hinterste Tiefe des Theaters ist eine drei Stufen hohe Estrade, mit rotem Teppich belegt, worauf der königliche Thron mit einem Himmel bedeckt, zu beiden Seiten hängen die Wappen von Polen und Litauen. Der König sitzt auf dem Thron, zu seiner Rechten und Linken auf der Estrade stehen die zehn Kronbeamten. Unter der Estrade zu beiden Seiten des Theaters sitzen die Bischöfe, Palatinen und Kastellanen mit bedecktem Haupt; hinter diesen stehen mit unbedecktem Haupt die Landboten in zwei Reihen, alle bewaffnet. Der Erzbischof von Gnesen, als der Primas des Reichs, sitzt dem Proscenium am nächsten, hinter ihm hält sein Kaplan ein goldenes Kreuz.

Erzbischof von Gnesen.

So ist denn dieser stürmevolle Reichstag
Zum guten Ende glücklich eingeleitet;
König und Stände scheiden wohlgesinnt,
Der Adel willigt ein, sich zu entwaffnen,
Der widerspenst'ge Rokosz*), sich zu lösen,
Der König aber gibt sein heilig Wort,
Abhilf' zu leisten den gerechten Klagen,
Nichts — — — — — — —
Wie's die pacta conventa mit sich bringen.
    Und nun im Innern Fried' ist, können wir
Die Augen auf das Ausland richten.
Ist es der Wille der erlauchten Stände,
Daß Prinz Demetrius, der Rußlands Krone
In Anspruch nimmt als Iwans echter Sohn,

---

*) Bund des Adels. (A. d. H.)

Schillers Dram. Entwürfe u. Fragmente.

3

Sich in den Schranken stelle, um sein Recht
Vor diesem Seym Walny *) zu erweisen?

Kastellan von Krakau.

Die Ehre fordert's und die Billigkeit,
Unziemlich wär's, ihm dies Gesuch zu weigern.

Bischof von Wermeland.

Die Dokumente seines Rechtsanspruches
Sind eingesehen und bewährt gefunden.
Man kann ihn hören.

Mehrere Landboten.

Hören muß man ihn.

Leo Sapieha.

Ihn hören heißt ihn anerkennen.

Odowalsky.

Ihn
Nicht hören heißt ihn ungehört verwerfen.

Erzbischof von Gnesen.

Ist's euch genehm, daß er vernommen werde?
Ich frag' zum zweiten- und zum drittenmal.

Krongroßkanzler.

Er stelle sich vor unsern Thron!

Senatoren.

Er rede!

Landboten.

Wir wollen ihn hören.

(Krongroßmarschall gibt dem Thürhüter ein Zeichen mit seinem Stabe, dieser geht
hinaus, um zu öffnen.)

Leo Sapieha.

Schreibet nieder, Kanzler:
Ich mache Einspruch gegen dies Verfahren
Und gegen alles, was draus folgt, zuwider
Dem Frieden Polens mit der Kron' zu Moskau.

---

*) Großer Reichstag. (A. d. H.)

Demetrius tritt ein, geht einige Schritte auf den Thron zu und macht mit bedecktem
Haupt drei Verbeugungen, eine gegen den König, darauf gegen die Senatoren,
endlich gegen die Landboten; ihm wird von jedem Teile, dem es galt, mit einer
Neigung des Hauptes geantwortet. Alsdann stellt er sich so, daß er einen großen
Teil der Versammlung und des Publikums, von welchem angenommen wird, daß
es im Reichstag mitsitze, im Auge behält und dem königlichen Thron nur nicht den
Rücken wendet.

Erzbischof von Gnesen.

Prinz Dmitri, Iwans Sohn! Wenn dich der Glanz
Der königlichen Reichsversammlung schreckt,
Des Anblicks Majestät die Zung' dir bindet,
So magst du, dir vergönnt es der Senat,
Dir nach Gefallen einen Anwalt wählen
Und eines fremden Mundes dich bedienen.

Demetrius.

Herr Erzbischof, ich stehe hier, ein Reich
Zu fordern und ein königliches Scepter.
Schlecht stünde mir's, vor einem edeln Volk
Und seinem König und Senat zu zittern.
Ich sah noch nie solch einen hehren Kreis.
Doch dieser Anblick macht das Herz mir groß
Und schreckt mich nicht. Je würdigere Zeugen,
Um so willkommner sind sie mir, ich kann
Vor keiner glänzendern Versammlung reden.

Erzbischof von Gnesen.

Prinz Dmitri! Die erlauchte Republik
Ist wohl geneigt, Euch anzuhören. Redet!

Demetrius.

Großmächt'ger König! Würd'ge, mächtige
Bischöf' und Palatinen, gnäd'ge Herrn
Landboten der erlauchten Republik!
Verwundert, mit nachdenklichem Erstaunen,
Erblick' ich mich, des Zaren Iwans Sohn,
Auf diesem Reichstag vor dem Volk der Polen.
Der Haß entzweite blutig beide Reiche,
Und Friede wurde nicht, solang' er lebte.
Doch hat es jetzt der Himmel so gewendet,
Daß ich, sein Blut, der mit der Milch der Amme
Den alten Erbhaß in sich sog, als Flehender
Vor euch erscheinen und in Polens Mitte
Mein Recht mir suchen muß. Drum, eh ich rede,

Vergesset edelmütig, was geschehn,
Und daß der Zar, des Sohn ich mich bekenne,
Den Krieg in eure Grenzen hat gewälzt.
Ich stehe vor euch ein beraubter Fürst,
Ich suche Schutz: der Unterdrückte hat
Ein heilig Recht an jede edle Brust.
Wer aber soll gerecht sein auf der Erde,
Wenn es ein großes, tapfres Volk nicht ist,
Das frei in höchster Machtvollkommenheit
Nur sich allein braucht Rechenschaft zu geben,
Und unbeschränkt von — — — — — —
Der schönen Menschlichkeit gehorchen kann?

Erzbischof von Gnesen.

Ihr gebt Euch für des Zaren Iwans Sohn;
Nicht wahrlich Euer Anstand widerspricht
Noch Eure Rede diesem stolzen Anspruch.
Doch überzeuget uns, daß Ihr der seid,

— — — — — — — — — — —

Dann hoffet alles von dem Edelmut
Der Republik — Sie hat den Russen nie
Im Feld gefürchtet; beides liebt sie gleich,
Ein edler Feind und ein gefäll'ger Freund zu sein.

Demetrius.

Iwan Wasilowitsch, der große Zar
Von Moskau, hatte fünf Gemahlinnen
Gefreit in seines Reiches langer Dauer.
Die erste, aus dem heldenreichen Stamm
Der Romanow, gab ihm den Feodor,
Der nach ihm herrschte. Einen einz'gen Sohn,
Dmitri, die späte Blüte seiner Kraft,
Gebar ihm Marfa, aus dem Stamm Nagoi,
Ein zartes Kind noch, da der Vater starb.
Zar Feodor, ein Jüngling schwacher Kraft
Und blöden Geists, ließ seinen obersten
Stallmeister walten, Boris Godunow,
Der mit verschlagner Hofkunst ihn beherrschte.
Födor war kinderlos, und keinen Erben
Versprach der Zarin unfruchtbarer Schoß.
Als nun der listige Bojar die Gunst
Des Volks mit Schmeichelkünsten sich erschlichen,

Erhub er seine Wünsche bis zum Thron;
Ein junger Prinz nur stand noch zwischen ihm
Und seiner stolzen Hoffnung, Prinz Dimitri
Iwanowitsch, der unterm Aug' der Mutter
Zu Uglitsch, ihrem Witwensitz, heranwuchs.
Als nun sein schwarzer Anschlag zur Vollziehung
Gereift, sandt' er nach Uglitsch Mörder aus,
Den Zarowitsch zu töten und die Schuld
Der That auf einen Zufall — — zu wälzen.
Ein Feu'r ergriff in tiefer Mitternacht
Des Schlosses Flügel, wo der junge Fürst
Mit seinem Wärter abgesondert wohnte.
Ein Raub gewalt'ger Flammen war das Haus,
Der Prinz verschwunden aus dem Aug' der Menschen
Und blieb's; als tot beweint ihn alle Welt.
Bekannte Dinge meld' ich, die ganz Moskau kennt.

Erzbischof von Gnesen.

Was Ihr berichtet, ist uns allen kund.
Erschollen ist der Ruf durch alle Welt,
Daß Prinz Dimitri bei der Feuersbrunst
Zu Uglitsch seinen Untergang gefunden.
Und weil sein Tod dem Zar, der jetzo herrscht,
Zum Glück ausschlug, so trug man kein Bedenken,
Ihn anzuklagen dieses schweren Mords.
Doch nicht von seinem Tod ist jetzt die Rede!
Er lebt ja, dieser Prinz! Er leb' in Euch,
Behauptet Ihr. Davon gebt uns Beweise!
Wodurch beglaubigt Ihr, daß Ihr der seid?
An welchen Zeichen soll man Euch erkennen?
Wie blieb — — —
Und tretet jetzt, nach sechzehnjähriger Stille,
Nicht mehr erwartet an das Licht der Welt?

Demetrius.

Kein Jahr ist's noch, daß ich mich selbst gefunden,
Denn bis dahin lebt' ich mir selbst verborgen,
Nicht ahnend meine fürstliche Geburt.
Mönch unter Mönchen fand ich mich, als ich
Anfing, zum Selbstbewußtsein zu erwachen,
Und mich umgab der strenge Klosterzwang.
Der engen Pfaffenweise widerstand

Der mut'ge Geist, und dunkelmächtig in den Adern
Empörte sich das ritterliche Blut.
Das Mönchgewand warf ich entschlossen ab
Und floh nach Polen, wo der edle Fürst
Von Sendomir, der holde Freund der Menschen,
Mich gastlich aufnahm in sein Fürstenhaus
Und zu der Waffen edelm Dienst erzog.

Erzbischof von Gnesen.

— — — Wie? Ihr kanntet Euch noch nicht,
Und doch erfüllte damals schon der Ruf
Die Welt, daß Prinz Demetrius noch lebe?
Zar Boris zitterte auf seinem Thron
Und stellte seine Sastafs *) an die Grenzen,
Um scharf auf jeden Wanderer zu achten.
Wie? Diese Sage ging nicht aus von Euch?
Ihr hättet Euch nicht für Demetrius
Gegeben?

Demetrius.

Ich erzähle, was ich weiß.
Ging ein Gerücht umher von meinem Dasein,
So hat geschäftig es ein Gott verbreitet.
Ich kannt' mich nicht. Im Haus des Palatins
Und unter seiner Dienerschar verloren,
Lebt' ich der Jugend fröhlich dunkle Zeit.
Mir selbst noch fremd, mit stiller Huldigung
Verehrt' ich seine reizgeschmückte Tochter,
Doch damals von der Kühnheit weit entfernt
Den Wunsch zu solchem Glück empor zu wagen.
Den Kastellan von Lemberg, ihren Freier,
Beleidigt meine Leidenschaft. Er setzt
Mich stolz zur Rede, und in blinder Wut
Vergißt er sich so weit, nach mir zu schlagen.
So schwer gereizet, greif' ich zum Gewehr;
Er, sinnlos wütend, stürzt in meinen Degen
Und fällt durch meine willenlose Hand.

Mnischek.

Ja, so verhält sich — — — — —

_____

*) Nach Treuer: „Eine gewisse Art von Gardes, die nur zu Pestzeiten zur
Verwahrung der Pässe gesetzt werden." (A. d. H.)

Demetrius.

Mein Unglück war das höchste! Ohne Namen,
Ein Ruſſ' und Frembling, hatt' ich einen Großen
Des Reichs getötet, hatte Mord verübt
Im Hauſe meines gaſtlichen Beſchützers,
Ihm ſeinen Eidam, ſeinen Freund getötet.
Nichts half mir meine Unſchuld; nicht das Mitleid
Des ganzen Hofgeſindes, nicht die Gunſt
Des edeln Palatinus kann mich retten,
Denn das Geſetz, das nur den Polen gnädig,
Doch ſtreng iſt allen Fremblingen, verdammt mich.
Mein Urteil ward gefällt, ich ſollte ſterben;
Schon kniet' ich nieder an dem Block des Todes,
Entblößte meinen Hals dem Schwert.
(Er hält inne und   — — —)
   In dieſem Augenblicke ward ein Kreuz
Von Gold mit koſtbar'n Edelſteinen ſichtbar,
Das in der Tauf' mir umgehangen ward.
Ich hatte, wie es Sitte iſt bei uns,
Das heil'ge Pfand der chriſtlichen Erlöſung
Verborgen ſtets an meinem Hals getragen
Von Kindesbeinen an, und eben jetzt,
Wo ich vom ſüßen Leben ſcheiden ſollte,
Ergriff ich es als meinen letzten Troſt
Und drückt' es an den Mund mit frommer Andacht.
   Das Kleinod wird bemerkt, ſein Glanz und Wert
Erregt Erſtaunen, weckt die Neugier auf.
Ich werde losgebunden und befragt,
Doch weiß ich keiner Zeit mich zu beſinnen,
Wo ich das Kleinod nicht an mir getragen.
Nun fügte ſich's, daß drei Bajorenkinder,
Die der Verfolgung ihres Zars entflohn,
Bei meinem Herrn zu Sambor eingeſprochen.
Sie ſahn das Kleinod und erkannten es
An neun Smaragden, die mit Amethyſten
Durchſchlungen waren, für daſſelbige,
Was Knäs Mſtislawskoy dem jüngſten Sohn
Des Zaren bei der Taufe umgehangen.
Sie ſehn mich näher an und ſehn erſtaunt
Ein ſeltſam Spielwerk der Natur, daß ich
Am rechten Arme kürzer bin geboren.
Als ſie mich nun mit Fragen ängſtigten,

Besann ich mich auf einen kleinen Psalter,
Den ich auf meiner Flucht mit mir geführt.
In diesem Psalter standen griechische Worte,
Vom Igumen *) mit eigner Hand hinein
Geschrieben. Selbst hatt' ich sie nie gelesen,
Weil ich der Sprach' nicht kundig bin. Der Psalter
Wird jetzt herbeigeholt, die Schrift gelesen;
Ihr Inhalt ist: daß Bruder Philaret
(Dies war mein Klostername), des Buchs Besitzer,
Prinz Dmitri sei, des Iwan jüngster Sohn,
Den Andrei, ein redlicher Diak **),
In jener Mordnacht heimlich weggeflüchtet;
Urkunden dessen lägen aufbewahrt
In zweien Klöstern, die bezeichnet waren.
Hier stürzten die Bojaren mir zu Füßen,
Besiegt von dieser Zeugnisse Gewalt,
Und grüßten mich als ihres Zaren Sohn.
Und also jählings aus des Unglücks Tiefen
Riß mich das Schicksal auf des Glückes Höhn.

Erzbischof von Guesen.

Seltsam! höchst außerordentlich und seltsam!
Doch wunderbarlich sind der Vorsicht Wege!

Demetrius.

Und jetzt fiel's auch wie Schuppen mir vom Auge!
Erinn'rungen belebten sich auf einmal
Im fernsten Hintergrund vergangner Zeit;
Und wie die letzten Türme aus der Ferne
Erglänzen in der Sonne Gold, so wurden
Mir in der Seele zwei Gestalten hell,
Die höchsten Sonnengipfel des Bewußtseins.
Ich sah mich fliehn in einer dunkeln Nacht,
Und eine lohe Flamme sah ich steigen
In schwarzem Nachtgraun, als ich rückwärts sah.
Ein uralt frühes Denken mußt' es sein,
Denn, was vorherging, was darauf gefolgt,
War ausgelöscht in langer Zeitenferne;
Nur abgerissen, einsam leuchtend, stand
Dies Schreckensbild mir im Gedächtnis da.
Doch wohl besann ich mich aus spätern Jahren,

---

*) Prior. (A. d. H.)
**) Geheimschreiber. (A. d. H.)

Wie der Gefährten einer mich im Zorn
Den Sohn des Zars genannt. Ich hielt's für Spott
Und rächte mich dafür mit einem Schlage.
Dies alles traf jetzt blitzschnell meinen Geist,
Und vor mir stand's mit leuchtender Gewißheit,
Ich sei des Zaren totgeglaubter Sohn.
Es lösten sich mit diesem einz'gen Wort
Die Rätsel alle meines dunkeln Wesens.
Nicht bloß an Zeichen, die betrüglich sind,
In tiefster Brust, an meines Herzens Schlägen,
Fühlt' ich — — — — —
Und eher will ich's tropfenweis verspritzen,
Als — — — — —

Erzbischof von Gnesen.

Und sollen wir auf eine Schrift vertraun,
Die sich durch Zufall bei Euch finden mochte?
Dem Zeugnis ein'ger Flüchtlinge vertraun?
Verzeihet, edler Jüngling! Euer Ton
Und Anstand ist gewiß nicht eines Lügners;
Doch könntet Ihr selbst der Betrogne sein;
Es ist dem Menschenherzen zu verzeihen,
In solchem großen Spiel sich zu betrügen.
Was stellt Ihr uns für Bürgen Eures Worts?

Demetrius.

Ich stelle fünfzig Eideshelfer auf,
Piasten alle, freigeborne Polen
Untabeliges Rufs, die jegliches
Erhärten sollen, was ich hier behauptet.
Dort sitzt der edle Fürst von Sendomir,
Der Kastellan von Lublin ihm zur Seite,
Die zeugen mir's, ob ich Wahrheit geredet.

Erzbischof von Gnesen.

Was nun bedünket den erlauchten Ständen?
So vieler Zeugnisse vereinter Kraft
Muß sich der Zweifel überwunden geben.
Ein schleichendes Gerücht durchläuft schon längst
Die Welt, daß Dmitri, Iwans Sohn, noch lebe,
Zar Boris selbst bestärkt's durch seine Furcht.
— Ein Jüngling zeigt sich hier, an Alter, Bildung,

Bis auf die Zufallsspiele der Natur,
Ganz dem verschwundnen ähnlich, den man sucht.
Durch es — — — des großen Anspruchs wert.
Aus Klostermauern ging er wunderbar,
Geheimnisvoll hervor, mit Rittertugend
Begabt, der nur der Mönche Zögling war;
Ein Kleinod zeigt er, das der Zarowitsch
Einst an sich trug, von dem er nie sich trennte,
Ein schriftlich Zeugnis noch von frommen Händen
Beglaubigt seine fürstliche Geburt,
Und kräft'ger noch aus seiner schlichten Rede
Und reinen Stirn spricht uns die Wahrheit an.
Nicht solche Züge borgt sich der Betrug;
Der hüllt sich täuschend ein in große Worte
Und in der Sprache rednerischen Schmuck.
Nicht länger denn versag' ich ihm den Namen,
Den er mit Fug und Recht in Anspruch nimmt,
Und meines alten Vorrechts mich bedienend,
Geb' ich als Primas ihm die erste Stimme.

Erzbischof von Lemberg.

Ich stimme wie der Primas.

Mehrere Bischöfe.

Wie der Primas.

Mehrere Palatinen.

Auch ich!

Odowalsky.

Und ich!

Landboten (rasch auseinander).

Wir alle!

Sapieha.

Gnäd'ge Herren,
Bedenkt es wohl! Man übereile nichts!
Ein edler Reichstag lasse sich nicht rasch
Hinreißen zu — — —

Odowalsky.

Hier ist
Nichts zu bedenken; alles ist bedacht.
Unwiderleglich sprechen die Beweise.

Hier ift nicht Moskau. Nicht Despotenfurcht
Schnürt hier die freie Seele zu. Hier darf
Die Wahrheit wandeln mit erhabnem Haupt.
Ich will's nicht hoffen, eble Herrn, daß hier
Zu Krakau, auf dem Reichstag selbst der Polen
Der Zar von Moskau feile Sklaven habe.

Demetrius.

O, habet Dank, erlauchte — — — —
Daß ihr der Wahrheit Zeichen anerkennt.
Und wenn ich auch nun der wahrhaftig bin,
Den ich mich nenne, o, so duldet nicht,
Daß sich ein frecher Räuber meines Erbs
Anmaße und den Zepter länger schände,
Der mir, dem echten Zarowitsch gebührt!
— — — — — — —
Daß ich den Thron erobre meiner Väter.
Die Gerechtigkeit hab' ich, ihr habt die Macht;
Es ist die große Sache aller Staaten
Und Thronen, daß gescheh', was Rechtens ist,
Und jedem auf der Welt das Seine werde;
Denn da, wo die Gerechtigkeit regiert,
Da freut sich jeder sicher seines Erbs,
Und über jedem Hause, jedem Thron
Schwebt der Vertrag wie eine Cherubswache.
Doch wo — — — — — —
Sich straflos festsetzt in dem fremden Erbe,
Da wankt der Staaten fester Felsengrund.
— — — — — — — Gerechtigkeit
Heißt der kunstreiche Bau des Weltgewölbes,
Wo alles eines, eines alles hält,
Wo mit dem Einen alles stürzt und fällt.
— — — — — — — —

— — — — — — — —

Demetrius.

O, sieh mich an, ruhmreicher Sigismund!
Großmächt'ger König! Greif' in deine Brust
Und sieh dein eignes Schicksal in dem meinen!
Auch du erfuhrst die Schläge des Geschicks,
In einem Kerker kamest du zur Welt,
Dein erster Blick fiel auf Gefängnismauern.

Du brauchtest einen Retter und Befreier,
Der aus dem Kerker auf den Thron dich hob.
Du fandest ihn, Großmut hast du erfahren,
O, übe Großmut auch an mir! in mir

——— ——— ———

Und ihr, erhabne Männer des Senats,
Ehrwürd'ge Bischöfe, der Kirche Säulen,
Ruhmreiche Palatinen und Kastellanen,
Hier ist der Augenblick. ——— ———
Zwei lang entzweite Völker zu versöhnen.
Erwerbet euch den Ruhm, daß Polens Kraft
Den Moskowitern ihren Zar gegeben,
Und in dem Nachbar, der euch feindlich drängte,
Erwerbt euch einen dankbar'n Freund. Und ihr
Landboten, ——— ——— ———
Zäumt eure schnellen Rosse, sitzet auf,
Euch öffnen sich des Glückes goldne Thore;
Mit euch will ich den Raub des Feindes teilen.
Moskau ist reich an Gütern, unermeßlich
An Gold und edeln Steinen ist der Schatz
Des Zars; ich kann die Freunde königlich
Belohnen, und ich will's. Wenn ich als Zar
Einziehe auf dem Kremel, dann, ich schwör's,
Soll sich der Aermste unter euch, der mir
Dahin gefolgt, in Samt und Zobel kleiden,
Mit reichen Perlen sein Geschirr bedecken,
Und Silber sei das schlechteste Metall,
Um seiner Pferde Hufe zu beschlagen.

(Es entsteht eine große Bewegung unter den Landboten.)

Korela.

——— ——— ———

Odowalsky.

Soll der Kosak uns Ruhm und Beute rauben?
Wir haben Friede mit dem Tartarfürst
Und Türken, nichts zu fürchten von dem Schweden.
Schon lang verzehrt sich unser tapfrer Mut
Im ——— ——— Frieden, die müß'gen Schwerter rosten.
Auf, laßt uns fallen in das Land des Zars
Und einen dankbar'n Bundesfreund gewinnen,
Indem wir Polens Macht und Größe mehren.

Viele Landboten.

Krieg! Krieg mit Moskau!

Andre.

Man beschließe es!
Gleich sammle man die Stimmen!

Sapieha (steht auf).

Krongroßmarschall!
Gebietet Stille, ich verlang' das Wort.

Eine Menge von Stimmen.

Krieg, Krieg mit Moskau!

Sapieha.

Ich verlang' das Wort,
Marschall! Thut Euer Amt.

(Großes Getöse in dem Saal und außerhalb desselben.)

Krongroßmarschall.

Ihr seht, es ist
Vergebens.

Sapieha.

Was? Der Marschall auch bestochen?
Ist keine Freiheit auf dem Reichstag mehr?
Werft Euren Stab hin und gebietet Schweigen!
Ich fordr' es, ich begehr's und will's.

(Krongroßmarschall wirft seinen Stab in die Mitte des Saals, der Tumult legt sich.)

Was denkt ihr? Was beschließt ihr? Stehn wir nicht
In tiefem Frieden mit dem Zar zu Moskau?
Ich selbst als euer königlicher Bote
Errichtete den zwanzigjähr'gen Bund.
Ich habe meine rechte Hand erhoben
Zum feierlichen Eidschwur auf dem Kreml,
Und redlich hat der Zar uns Wort gehalten.
Was ist beschworne Treu'? Was sind Verträge,
Wenn ein solenner Reichstag sie zerbrechen darf?

Demetrius.

Fürst Leo Sapieha! Ihr habt Frieden
Geschlossen, sagt Ihr, mit dem Zar zu Moskau?
Das habt ihr nicht, denn ich bin dieser Zar.
In mir ist Moskaus Majestät, ich bin

Der Sohn des Iwan und sein rechter Erbe.
Wenn Polen Frieden schließen will mit Rußland,
Mit mir muß es geschehen! Euer Vertrag
Ist nichtig, mit dem Nichtigen errichtet.

Odowalsky.

Was kümmert Eu'r Vertrag uns! Damals haben
Wir so gewollt, und heute wollen wir anders!
Sind wir — — — — — — — —

Sapieha.

Ist es dahin gekommen? Will sich niemand
Erheben für das Recht, nun so will ich's.
Zerreißen will ich dies Geweb' der Arglist,
Aufdecken will ich alles, was ich weiß.
— Ehrwürd'ger Primas! Wie? Bist du im Ernst
Gutmütig, oder kannst dich so verstellen?
Seid ihr so gläubig, Senatoren? König,
Bist du so schwach? Ihr wißt nicht, wollt nicht wissen,
Daß ihr ein Spielwerk seid des list'gen Woiwoda
Von Sendomir, der diesen Zar aufstellte,
Des ungemeßner Ehrgeiz in Gedanken
Das güterreiche Moskau schon verschlingt?
Muß ich's euch sagen, daß bereits der Bund
Geknüpft ist und beschworen zwischen beiden,
Daß er die jüngste Tochter ihm verlobte?
Und soll die edle Republik sich blind
In die Gefahren eines Krieges stürzen,
Um den Woiwoden groß, um seine Tochter
Zur Zarin und zur Königin zu machen?
Bestochen hat er alles und erkauft,
Den Reichstag, weiß ich wohl, will er beherrschen;
Ich sehe seine Faktion gewaltig
In diesem Saal, und nicht genug, daß er
Den Seym Walny durch die Mehrheit leitet,
Bezogen hat er mit dreitausend Pferden
Den Reichstag und ganz Krakau überschwemmt
Mit seinen Lehensleuten. Eben jetzt
Erfüllen sie die Hallen dieses Hauses,
Man will die Freiheit unsrer Stimmen zwingen.
Doch keine Furcht bewegt mein tapfres Herz;
Solang' noch Blut in meinen Adern rinnt,

Will ich die Freiheit meines Worts behaupten.
Wer wohl gesinnt ist, tritt zu mir herüber.
Solang' ich Leben habe, soll kein Schluß
Durchgehn, der wider Recht ist und Vernunft;
Ich hab' mit Moskau Frieden abgeschlossen,
Und ich bin Mann dafür, daß man ihn halte.

Odowalsky.

Man höre nicht auf ihn! Sammelt die Stimmen!

(Bischöfe von Krakau und Wilna stehen auf und gehen jeder an seiner Seite hinab,
um die Stimmen zu sammeln.)

Viele.

Krieg! Krieg mit Moskau!

Erzbischof von Gnesen (zu Sapieha).

Gebt Euch, edler Herr!
Ihr seht, daß Euch die Mehrheit widerstrebt,
Treibt's nicht zu einer unglücksel'gen Spaltung.

Krongroßkanzler
(kommt von dem Thron herab, zu Sapieha).

Der König läßt Euch bitten, nachzugeben,
Herr Woiwod', und den Reichstag nicht zu spalten.

Thürhüter (heimlich zu Odowalsky).

Ihr sollt Euch tapfer halten, meldet Euch
Die vor der Thür. Ganz Krakau steh' zu Euch.

Krongroßmarschall (zu Sapieha).

Es sind so gute Schlüsse durchgegangen.
O gebt Euch! Um des andern Guten willen,
Was man beschlossen, fügt Euch in die Mehrheit!

Bischof von Krakau
(hat auf seiner Seite die Stimmen gesammelt).

Auf dieser rechten Bank ist alles einig.

Sapieha.

Laßt alles einig sein — Ich sage nein.
Ich sage Veto, ich zerreiße den Reichstag.
— Man schreite nicht weiter! Aufgehoben, null
Ist alles, was beschlossen ward.

(Allgemeiner Aufstand; der König steigt vom Thron, die Schranken werden ein-
gestürzt, es entsteht ein tumultuarisches Getöse. Landboten greifen zu den Säbeln
und zücken sie links und rechts auf Sapieha. Bischöfe treten auf beiden Seiten
dazwischen und verteidigen ihn mit ihren Stolen.)

Die Mehrheit?

Was ist die Mehrheit? Mehrheit ist der Unsinn;
Verstand ist stets bei wen'gen nur gewesen.
Bekümmert sich ums Ganze, wer nichts hat?
Hat der Bettler eine Freiheit, eine Wahl?
Er muß dem Mächtigen, der ihn bezahlt,
Um Brot und Stiefel seine Stimm' verkaufen.
Man soll die Stimmen wägen und nicht zählen,
Der Staat muß untergehn, früh oder spät,
Wo Mehrheit siegt und Unverstand entscheidet.

Odowalsky.

Hört den Verräter!

Landboten.

Nieder mit ihm! Haut ihn in Stücken!

Erzbischof von Gnesen

(reißt seinem Kaplan das Kreuz aus der Hand und tritt dazwischen).

Friede!

Soll Blut der Bürger auf dem Reichstag fließen?
Fürst Sapieha, mäßigt Euch!

(Zu den Bischöfen.)

Bringt ihn

Hinweg! Macht eure Brust zu seinem Schilde!
Durch jene Seitenthür entfernt ihn still,
Daß ihn die Menge nicht in Stücken reiße.

(Sapieha, noch immer mit den Blicken drohend, wird von den Bischöfen m Gewalt fortgezogen, indem der Erzbischof von Gnesen und von Lemberg die auf-
dringenden Landboten von ihm abwehren. Unter heftigem Tumult und Säbelgeklirr
leert sich der Saal aus, daß nur Demetrius, Mnischek, Odowalsky und der Kosakenhetman zurückbleiben.)

Odowalsky.

Das schlug uns fehl — — — — —
Doch darum soll Euch Hilfe nicht entstehen!
Hält auch die Republik mit Moskau Frieden,
Wir führen's aus mit unsern eignen Kräften.

Horela.

Wer hätt' auch das gedacht, daß er allein
Dem ganzen Reichstag würde Spitze bieten!

Mnischek.

Der König kommt.

König Sigismundus, begleitet von dem Krongroßkanzler, Krongroßmarschall und einigen Bischöfen.

König (zu Demetrius.)

Mein Prinz, laßt Euch umarmen!
Die hohe Republik erzeigt Euch endlich
Gerechtigkeit, mein Herz hat es schon längst.
Tief rührt mich Euer Schicksal. Wohl muß es
Die Herzen aller Könige bewegen.

Demetrius.

Vergessen hab' ich alles, was ich litt;
An Eurer Brust fühl' ich mich neugeboren.

König.

Viel Worte lieb' ich nicht; doch, was ein König
Vermag, der über reichere Vasallen
Gebietet, als er selbst, biet' ich Euch an.
Ihr habt ein — — — Schauspiel angesehn;
Denkt drum nicht schlimmer von der Polen Reich,
Weil wilder Sturm das Schiff des Staats bewegt.

Mnischek.

In Sturmes Brausen lenkt der Steuermann
Das Fahrzeug still und führt's zum sichern Hafen.

König.

Der Reichstag ist zerrissen.
Ich darf den Frieden mit dem Zar nicht brechen.
Doch Ihr habt mächt'ge Freunde. Will mein Adel
Auf eigene Gefahr sich für Euch waffnen,
Will der Kosak des Krieges Glücksspiel wagen,
Er ist ein freier Mann, ich kann's nicht wehren.

Mnischek.

Der ganze Rokosz steht noch unter Waffen.
Gefällt dir's, Herr, so kann der wilde Strom,
Der gegen deine Hoheit sich empört,
Unschädlich über Moskau sich ergießen.

König.

Die besten Waffen wird dir Rußland geben;
Dein bester Schirm ist deines Volkes Herz.
Rußland wird nur durch Rußland überwunden.

Schillers Dram. Entwürfe u. Fragmente. 4

So wie du heute vor dem Reichstag sprachst,
So rede dort in Moskau zu den Bürgern;
Ihr Herz erobre dir, und du wirst herrschen.
Durch fremde Waffen gründet sich kein Thron:
Noch keinem Volk, das sich zu ehren wußte,
Drang man den Herrscher wider Willen auf.
Ich bin der Schweden geborener König,
Ich habe den Thron friedlich bestiegen,
Ich habe — — — — — —
Und doch hab' ich den väterlichen Erbthron verloren,
Weil mir die Volksgesinnung widerstrebt.

Marina.

— — — — — — — — —

Mnischek.

Erhabne Hoheit, hier zu deinen Füßen
Wirft sich Marina, meine jüngste Tochter,
Der Prinz von Moskau — — — —
Du bist der hohe Schirmvogt unsres Hauses,
Von deiner königlichen Hand allein
Geziemt es ihr, den Gatten zu empfangen.

(Marina kniet vor dem König.)

König.

Wohl, Vetter! Ist's Euch wohl genehm, will ich
Des Vaters Stelle bei dem Zar vertreten.

(Zu Demetrius, dem er die Hand der Marina übergibt.)

So führ' ich Euch in diesem schönen Pfande
Des Glückes heitre Göttin zu. — Und mög' es
Mein Aug' erleben, dieses holde Paar
Sitzen zu sehen auf dem Thron zu Moskau!

Marina.

Herr — — — — — — — —
Und deine Sklavin bleib' ich, wo ich bin.

König.

Steht auf, Zariza! Dieser Platz ist nicht
Für Euch, nicht für die zarische Verlobte,
Nicht für die Tochter meines ersten Woiwods.
Ihr seid die jüngste unter Euren Schwestern,

51

Doch Euer Geist fliegt ihrem Glücke vor,
Und nach dem Höchsten strebt Ihr hochgesinnt.

Demetrius.

Sei Zeuge, großer König, meines Schwurs;
Ich leg' als Fürst ihn in des Fürsten Hand.
Die Hand des edeln Fräuleins nehm' ich an
Als ein kostbares Pfand des Glücks. Ich schwöre,
Sobald ich meiner Väter Thron bestiegen,
Als meine Braut sie festlich heimzuführen,
Wie's einer großen Königin geziemt.
Zur Morgengabe schenk' ich meiner Braut
Die Fürstentümer Pleskow und Großneugart
Mit allen Städten, Dörfern und Bewohnern,
Mit allen Hoheitsrechten und Gewalten
Zum freien Eigentum auf ew'ge Zeit.
Und diese Schenkung will ich ihr als Zar
Bestätigen in meiner Hauptstadt Moskau.
Dem edeln Woiwod zahl' ich zum Ersatz
Für seine Rüstung eine Million
Dukaten polnischen Geprägs.
So helf' mir Gott und seine Heiligen,
Als ich dies treulich schwur und halten werde.

König.

Ihr werdet es, ihr werdet nie — — —
Was ihr dem edeln Woiwod schuldig seid,
Der sein gewisses Glück an Eure Hoffnung,
Ein teures Kind an Eure Hoffnung wagt.
So seltner Freund ist köstlich zu bewahren!
Drum, wenn Ihr glücklich seid, vergesset nie,
Auf welchen Sprossen Ihr zum Thron gestiegen,
Und mit dem Kleide wechselt nicht das Herz!
Denkt, daß Ihr Euch in Polen selbst gefunden,
Liebt dieses Land, das Euch zum zweitenmal geboren.

Demetrius.

Nicht ohne — — — — — — —
Gelang — — — — — — —
Ich bin erwachsen in der Niedrigkeit,
Das schöne Band hab' ich verehren lernen,
Das Mensch an Mensch mit Wechselneigung bindet.

König.

Ihr tretet aber in ein Reich jetzt ein,
Wo andre Sitten und — — — —
Hier in der Polen Land regiert die Freiheit:
Der König selbst, wiewohl am Glanz der Höchste,
Muß oft des — — — — Diener sein.
Dort herrscht des Vaters heilige Gewalt,
Der Sklave dient mit leidendem Gehorsam,
Der Herr gebietet ohne Rechenschaft.

Demetrius.

Die schöne Freiheit, die ich — — —
Will ich verpflanzen — — — —
Ich will aus Sklaven — — — Menschen machen.
Ich will nicht herrschen über Sklavenseelen.

König.

Thut's nicht zu rasch und lernt der Zeit gehorchen!
Hört, Prinz, — — — —
Ich will Euch, Prinz, drei Lehren — — —
Befolgt sie treu, wenn Ihr zum Reich gelangt.
Ein König gibt sie Euch, ein Greis, der viel
Erfuhr, und Eure Jugend kann sie nutzen.

Demetrius.

O, lehrt mich Eure Weisheit, großer König!
Ihr seid geehrt von einem stolzen Volk,
Wie mach' ich's, um dasselbe zu erreichen?

König.

Ihr kommt vom Ausland, — — —
Euch führen fremde Feindeswaffen ein;
Dies erste Unrecht habt Ihr gut zu machen.
Drum zeiget Euch als Moskaus wahrer Sohn,
Indem ihr Achtung tragt vor seinen Sitten.
Dem Polen haltet Wort und — — — —
Denn Freunde braucht Ihr auf dem neuen Thron,
Der Arm, der Euch einführte, kann Euch stürzen.
Doch haltet ihn, doch ahmet ihm nicht nach.
Nicht fremder Brauch gedeiht in einem Lande
Iwans Wasilowitsch'. Kein Volk wird groß:
Es kann mit Lappen fremder Felle sich zwar behängen,
Doch lebendig muß — — — — —

Um Eures Landes — — — — — —
Doch was Ihr auch beginnt, ehrt Eure Mutter!
Ihr findet eine Mutter!

Demetrius.

O, mein König!

König.

Wohl habt Ihr Ursach', kindlich sie zu ehren.
Verehrt sie! Zwischen Euch und Eurem Volk
Steht sie, ein menschlich teures Band. Frei ist
Die Zargewalt von menschlichen Gesetzen,
Den Herrscher — — beschränkt kein Reichsvertrag.
Dort ist nichts Furchtbares, als die Natur;
Kein beßres Pfand für Eure Menschlichkeit
Hat Euer Volk, als Eure Kindesliebe.
Ich sage nichts mehr. Manches muß geschehn,
Eh' Ihr das goldne Widderfell erobert.
Erwartet keinen leichten Sieg.
Zar Boris herrscht mit Ansehn und mit Kraft,
Mit keinem Weichling geht Ihr in den Streit.
Wer durch Verdienst sich auf den Thron geschwungen,
Den stürzt der Wind der Meinung nicht so schnell,
— — — — — — — — —
Doch seine Thaten sind ihm statt der Ahnen.
— Lebt wohl und — — — — —
Ich überlaß Euch Eurem guten Glück,
Es hat Euch gerettet aus der Hand des Mords,
Es hat Euch zum zweitenmal vom Tod gerettet,
Und durch ein Wunder Euch — — — — —
Es wird sein Werk vollenden und Euch krönen.

Marina. Odowalsky.

Odowalsky.

Nun, Fräulein, hab' ich meinen Auftrag wohl
Erfüllt, und wirst du meinen Eifer loben?

Marina.

Recht gut, daß wir allein sind, Odowalsky.
Wir haben wicht'ge Dinge zu besprechen,
Davon der Prinz nichts wissen soll. Mag er
Der Götterstimme folgen, die ihn treibt!
Er glaub' an sich, so glaubt ihm auch die Welt.

Laß ihn nur jene Dunkelheit bewahren,
Die eine Mutter großer Thaten ist —
Wir aber müssen hell sehn, müssen handeln.
Er gibt den Namen, die Begeisterung,
Wir müssen die Besinnung für ihn haben.
Und haben wir uns des Erfolgs versichert
Mit kluger Kunst, so wähn' er immerhin,
Daß es aus Himmelshöhn ihm zugefallen.

Odowalsky.

Gebiete, Fräulein! Deinem Dienste leb' ich,
Dir weih' ich mich mit Gut und Blut. Ist es
Des Moskowiters Sache, die mich kümmert?
Du bist es, deine Größ' und Herrlichkeit,
An die ich Blut und Leben setzen will.
Ich hab' dich nicht besitzen können,
Ein güterloser — — — Vasall
Durft' ich die Wünsche nicht zu dir erheben;
Verdienen aber will ich deine Gunst;
Dich groß zu machen, sei mein einzig Trachten.
Mag immer dann ein andrer dich besitzen:
Mein bist du doch, wenn du mein Werk nur bist.

Marina.

Drum leg' ich auch mein ganzes Herz auf dich.
Du bist ein Mann der Ausführung — — —
Der König meint es falsch. Ich schau' ihn durch.
Ein abgeredet Spiel mit Sapieha
— — — — Zwar ist's ihm wohl gelegen,
Daß sich mein Vater, dessen Macht er fürchtet,
In dieser Unternehmung schwächt, daß sich
Der Bund des Adels, der ihm furchtbar war,
In diesem fremden Kriegeszug entladet.
Doch will er selbst neutral im Kampfe bleiben.
Des Kampfes Glück — — — Siegen wir,
So denkt er — — — das geschwächte Moskau;
Sind wir besiegt, so leichter hofft er uns
Sein Herrscherjoch in Polen aufzulegen.
Wir stehn allein, — — — —
Sorgt er für sich, wir sorgen für das Unsre.
Du führst die Truppen nach Kiew. Dort lässest
Du sie dem Prinzen Treue schwören und mir,
Mir, hörst du? Es ist eine nötige Vorsicht.

Odowalsky.

Dir! Es ist deine Sache, für die wir kämpfen.
In deine Pflichten werd' ich sie nehmen.

Marina.

Nicht deinen Arm bloß will ich, auch dein Auge.

Odowalsky.

Sprich, Königin.

Marina.

       Du führst den Zarowitsch.
Bewach' ihn gut, weich' nie von seiner Seite!
Von jedem Schritt gibst du mir Rechenschaft,
Wer zu ihm naht, — — — — —
Ja, sein geheimstes Denken laß mich wissen.

Odowalsky.

Vertrau' auf mich.

Marina.

       Laß ihn nicht aus den Augen.
Sei sein Beschützer, doch sein Hüter auch.
Mach' ihn zum Sieger, — — — doch so,
Daß er uns immer brauche. Du verstehst mich.

Odowalsky.

Vertrau' auf mich, er soll uns nie entbehren.

Marina.

Kein Mensch ist dankbar. Fühlt er sich als Zar,
Schnell wird er unsre Fessel von sich werfen.
Erzeigte Wohlthat wird zum schweren Unrecht,
Wenn man sie wiedererstatten soll.
Der Russe haßt den Polen, muß ihn hassen,
Da ist kein festes Herzensband zu knüpfen.
— — — — — — — Was vorgeht,
Glück oder Unglück, laß mich's schleunig haben.
Ich will in Kiew deiner Boten harren.
Wie Meilenzeiger stelle deine Boten,
Fertige sie aus in jeder Tageszeit.
Und wenn du mir das Heer entvölkern solltest!

Es kommen viele Edelleute.

Edelleute.

Haben wir uns hören lassen, Patronin? Haben wir's
recht gemacht? Wen sollen wir totschlagen? Gebiete über
unsere Arme und Säbel!

Marina.

Wer will für mich zu Felde ziehn?

Edelleute.

Wir alle! alle!

Marina.

In Kiew ist der Musterplatz. Dort wird
Mein Vater aufziehn mit dreitausend Pferden.
Mein Schwager gibt zweitausend. Von dem Don
Erwarten wir ein Hilfsheer von Kosaken,
Die unterhalb der Wasserfälle wohnen.

Edelleute.

Schaff' Geld, Patronin, wir haben uns aufgezehrt auf
dem langen Reichstag; erst lös' uns aus, wir haben uns
festgegessen.

Andre.

Schaff' Geld, Patronin, und wir ziehen mit,
Wir machen dich zu Rußlands Königin.

Marina.

Der Bischof von Kaminiek und von Kulm
Schießt Geld auf Pfandschaft vor von Land und Leuten.
Verkauft, verpfändet eure Bauernhöfe,
Versilbert alles, steckt's in Pferd' und Rüstung.
Der beste Landwirt ist der Krieg; er macht
Aus Eisen Gold. Was ihr in Polen jetzt verliert,
Wird sich in Moskau zehnfach wiederfinden.

Rokol.

Es sitzen noch zweihundert in der Trinkstub'.
Wenn du dich zeigst und einen Becher leerst
Auf ihre Gesundheit, sind sie alle dein.

Marina.

Erwarte mich, du sollst mich hin geleiten.

Alle.

Du sollst Zarin werden, oder wir wollen nicht das Leben haben!

Andre.

Du hast uns neu gestiefelt und gekleidet,
Wir dienen dir mit unserm Herzensblut.

Opalinsky, Ossolinsky, Zamosky und viele andere Edelleute kommen.

Opalinsky.

Wir ziehen auch mit. Wir! Wir bleiben nicht
Allein zurück!

Zamosky.

Wir ziehen mit. Wir wollen
Teilnehmen an der moskowitischen Beute.

Ossolinsky.

Patronin, nimm uns mit. Wir wollen dich
Zu Rußlands Zarin machen.

Marina.

Wer sind denn die? Es ist gemein Gesindel.

Ossolinsky.

Stallknechte sind wir beim Starost von — — —

Zamosky.

Ich bin der Koch beim Kastellan von Wilna.

Opalinsky.

Und ich der Kutscher.

Bielsky.

Ich der Bratenwender!

Marina.

Fi, Odowalsky, die sind doch zu schlecht!

Stallknechte.

Piasten sind wir, freigeborne Polen!
Vermeng' uns nicht mit schlechtem Bauerngesindel.
Wir sind von Stand. Wir haben unsre Rechte!

Odowalsky.

Ja, auf dem Teppich werden sie geprügelt.

Zamosky.

Veracht' uns nicht, wir haben edle Herzen.

Odowalsky.

Nimm sie in Sold, gib ihnen Pferd' und Stiefel,
Sie schlagen drein gleich wie der beste Mann.

Marina.

               Geht!
Und zeigt euch wieder, wenn ihr menschlich ausseht.
Mein Haushofmeister soll euch Kleider geben.

Edelleute.

Sorgst du auch dafür? Nein, dir entgeht nichts.
Gewiß, du bist zur Königin geboren!

Marina.

Ich weiß, so ist's; drum muß ich's werden.

Ossolinsky.

Führ' uns selbst an! Sei unser Feldherr, unsre Fahne!
Besteig' den weißen Zelter, waffne dich,
Und, eine zweite Banda, führe du
Zum sichern Siege deine mut'gen Scharen!

Marina.

Mein Geist führt euch; der Krieg ist nicht für Weiber.
Schwört ihr mir Treue?

Alle.

        Jurämus! Wir schwören!
(Ziehen die Säbel.)

Einige.

Vivat Marina!

Andre.

Russiae regina!

Mnischek. Marina.

Marina.

Warum so ernst, mein Vater, da das Glück
Uns lacht — — — — — — — —
Und alle Arme sich für uns bewaffnen?

Mnischek.

Das eben meine Tochter. Alles, alles
Steht auf dem Spiel; in dieser Kriegsrüstung
Erschöpft sich deines Vaters ganze Kraft.
Wohl hab' ich Grund, es ernstlich zu bedenken;
Das Glück ist falsch, ich zittre vor den Folgen.

Marina.

Warum — — — — — —

Mnischek.

Gefährlich Mädchen, wozu hast du mich
Gebracht! Was bin ich für ein schwacher Vater,
Daß ich nicht deinem Dringen widerstand.
Ich bin der reichste Woiwoda des Reichs,
Der erste nach dem König. — Hätten wir
Uns damit nicht bescheiden, unsres Glücks
Genießen können mit vergnügter Seele?
Du strebtest höher — nicht das mäß'ge Los
Genügte dir der — — — — — —
Erreichen wolltest du das höchste Ziel
Der Sterblichen und eine Krone tragen.
Ich allzu schwacher Vater möchte gern
Auf dich, mein Liebstes, alles Höchste häufen;
Ich lasse mich bethören durch dein Flehn,
Und an den Zufall wag' ich das Gewisse!

Marina.

Und wie, mein Vater? reut dich deine Güte?
Wer kann mit dem Geringern sich bescheiden,
Wer, dem das Höchste überm Haupte schwebte?

Mnischek.

Doch tragen deine Schwestern keine Kronen,
Doch sind sie hochbeglückt.

Marina.

Was für ein Glück ist das, wenn ich vom Hause
Des Woiwods, meines Vaters, in das Haus
Des Palatinus, meines Gatten, ziehe?
Was wächst mir Neues zu aus diesem Tausch?
Und kann ich mich des nächsten Tages freuen,
Wenn er mir mehr nicht, als der heut'ge, bringt?

O unschmackhafte Wiederkehr des Alten,
O traurig leere Dasselbigkeit des Daseins!
Lohnt sich's der Müh', zu hoffen und zu streben?
Die Liebe oder Größe muß es sein,
Sonst alles andre ist mir gleich gemein.

Mnischek.

— — — — — — —

Marina.

Erheitre deine Stirn, mein — — — — —
Was soll — — — — — — —
Wenn wir zuerst, wir selbst an uns verzagen?
Laß uns der Flut vertrauen, die uns trägt!
Nicht an die Opfer denke, die du bringst,
Denk' an den Preis, an das erreichte Ziel —
Wenn du dein Mädchen sitzen sehen wirst
Im Schmuck der Zarin auf dem Thron zu Moskau,
Wenn deine Enkel diese Welt beherrschen!

Mnischek.

Ich denke nichts, ich sehe nichts als dich,
Mein Mädchen, dich im Glanz der Königskrone!
Ich bin besiegt, all meine Zweifel schwinden;
Du forderst es, ich kann dir nichts versagen.

Marina.

Noch eine Bitte, lieber, süßer Vater,
Gewähre mir!

Mnischek.

       Was wünschest du, mein Kind?

Marina.

Soll ich zu Sambor eingeschlossen bleiben
Mit der unbänd'gen Sehnsucht in der Brust?
Jenseits des Dniepers wird mein Los geworfen —
Endlose Räume trennen mich davon —
Kann ich das tragen? O, der ungeduld'ge Geist
Wird auf der Folter der Erwartung liegen
Und dieses Raumes ungeheure Länge
Mit Angst ausmessen und mit Herzensschlägen.

Mnischek.

Was willst du? Was verlangst du?

Marina.

Laß mich in Kiew des Erfolges harren;
Dort schöpf' ich jedes Neue an der Quelle.
Dort an der Grenzmark beider Reiche
Dringt jedes neugebor — — — — —
Schnell bis zu mir, dort kann ich seine Post
Dem Wind ablauschen — dort kann ich die Wellen
Des Dniepers sehn, die aus Smolensko fließen,
Dort — — — — — — — —

Mnischek.

Dein Geist strebt furchtbar.   Mäß'ge dich, mein Kind.

Marina.

Ja, du vergönnst mir's, ja du führst mich hin.

Mnischek.

Du führst mich hin!   Muß ich nicht, was du willst?

Marina.

Herzvater, wenn ich Zarin bin zu Moskau,
Sieh, dann muß Kiew unsre Grenze sein.
Kiew muß mein sein, und du sollst's regieren.
Laß mich nur erst in Moskau Zarin sein,
Und große Anschläge sollen reifen.

Mnischek.

Mädchen, du träumst!   Schon ist das große Moskau
Zu eng für deinen Geist, du willst schon Land
Auf Kosten deines Vaterlands abreißen.

Marina.

Dort herrschten der Waräger alte Fürsten
— Ich hab' die alten Chroniken wohl inne —
Vom Reich der Russen ist es abgerissen,
Zur alten Krone bring' ich es zurück!

Mnischek.

Still! still!   Das darf der Woiwoda nicht hören!
                    (Man hört Trompeten.)
Sie brechen auf.

————————

Zweiter Aufzug.

Erste Scene.

Ansicht eines griechischen Klosters in einer öden Wintergegend am See Belosero*).

Ein Zug von Nonnen in schwarzen Kleidern und Schleiern geht hinten über die Bühne; Marfa in einem weißen Schleier steht von den übrigen abgesondert, an einen Grabstein gelehnt. Olga tritt aus dem Zuge heraus, bleibt einen Augenblick stehen, sie zu betrachten, und tritt alsdann näher.

Olga.

Treibt dich das Herz nicht auch heraus mit uns
Ins Freie der erwachenden Natur?
Die Sonne kommt, es weicht die lange Nacht,
Das Eis der Ströme bricht, der Schlitten wird
Zum Nachen, und die Wandervögel ziehn.
Geöffnet ist die Welt, uns alle lockt
Die neue Lust aus enger Klosterzelle
Ins offne Heitre der verjüngten Flur.
Nur du willst, ewig deinem Gram zum Raub,
Die allgemeine Fröhlichkeit nicht teilen?**)

Marfa.

Laß mich allein und folge deinen Schwestern.
Ergehe sich in Lust, wer hoffen kann.
Mir kann das Jahr, das alle Welt verjüngt,
Nichts bringen; mir ist alles ein Vergangnes,
Liegt alles als gewesen hinter mir.

---

*) Ursprünglich: am Ufer des Meeres.
**) Hier folgte in der ursprünglichen Fassung:

(Ihr näher tretend)
Beweinst du ewig deinen Sohn und trauerst
Um die verlorne Herrlichkeit? Die Zeit,
Die Balsam gießt in jede Herzenswunde,
Verliert sie ihre Macht an dir allein?
Ist doch nichts ewig dauernd unterm Monde!
Die lange Winternacht muß endlich selbst
Den alten Thron der goldnen Sonne räumen,
Es taut des Meeres Eisespanzer auf,
Die muntern Ströme brechen ihre Fesseln,
Erwarmen siehst du die erstarrte Welt:
Dich aber seh' ich ewig unverändert,
Ein Bild des Grabs, wenn alles um dich lebt;
Du gleichst der unbeweglichen Gestalt,
Wie sie der Bildner in den Altar prägt,
Um ewig fort dasselbe zu bedeuten.

Olga *).

Beweinst du ewig deinen Sohn und trauerst
Um die verlorne Herrlichkeit? Die Zeit,

---

*) Die Rede Olgas und die Gegenrede Marfas lauteten ursprünglich:

Olga.

Ach, ich begreif's, daß man sich schwer entwöhnt,
Wenn man die Herrlichkeit der Welt gesehn!
Doch, weil du nicht das Größte mehr besitzest,
Willst du dir auch das Kleinste noch versagen,
Dir strenger sein als selbst dein hartes Los?
Du warst die Zarin dieses großen Reichs,
Warst Mutter eines blüh'nden Sohns, er wurde dir
Geraubt durch ein entsetzliches Geschick,
Ins öde Kloster sahst du dich verstoßen —

Marfa (heftig einfallend).

Dies laß mit ewig unverwandtem Blick
Mich anschaun. Unter Gräbern laß mich leben
Und unter Leichenmalen selbst versteinen.
Ich will mich nicht beruhigen, will nicht
Vergessen! Das ist eine feige Seele,
Die eine Heilung annimmt von der Zeit,
Ersatz fürs Unersetzliche! Mir soll
Nichts meinen Schmerz ablaufen, ihn allein
Hab' ich von allen Gütern mir gerettet.
So halt' ich das Entflohene mir fest,
Indem ich ewig — — — darum traure.
Mein Gatte war Iwan der Schreckliche,
Aus hundert edeln Jungfrauen erkor
Der Herrscher mich zu seiner Eh'genossin,
Die Zarenkrone setzt' er mir aufs Haupt,
Ein zitternd Leben lebt' ich ihm zur Seite,
Mit — — — — teilt' ich sein Lager,
Die erste Sklavin seines Reichs. Da schenkte mir
Der Himmel einen Sohn, den alten Vater
Erfreut' die späte Blüte seiner Kraft,
Und unter allen Müttern war ich herrlich.
Es starb der Zar, ihm folgt' der ältre Sohn,
Fedor Iwanowitsch, mir aber ward
Uglitsch zu meinem Witwensitz gegeben,
Wo ich, vom — — — Weltgeräusche fern,
Die zarte Kindheit meines Dmitri pflegte.
Des Thrones Hoffnungen erzog ich ihn,
Denn keinen Erben hoffte Feodor.
O wer kann einer Mutter Angst ermessen,
Womit sie für ihr Liebstes wacht! —
Umsonst! Nicht wenden konnte meine Sorge
Das furchtbar Unvermeidliche! Ermordet
Wird mir der Sohn in schwarzer Schreckensnacht
Von ausgesandten Mördern Godunows,
Die ganze Burg den Flammen übergeben,
Selbst sein Gebein, den letzten traur'gen Trost,
Versagt mir das entsetzliche Geschick!
Hierbei stand der Feind meines Hauses nicht still,
Der Heuchler, um seinen Mord zu bemänteln,
Klagte mich der Unachtsamkeit an,
Gewütet wurde gegen alle meines Stammes,
Das ganze Haus der Romanows verfolgt,

Die Balsam gießt in jede Herzenswunde,
Verliert sie ihre Macht an dir allein?
Du warst die Zarin dieses großen Reichs,
Warst Mutter eines blüh'nden Sohns, er wurde
Durch ein entsetzlich Schicksal dir geraubt,
Ins öde Kloster fahst du dich verstoßen,
Hier an den Grenzen der belebten Welt.
Doch sechzehnmal seit jenem Schreckenstage
Hat sich das Angesicht der Welt verjüngt.
Nur deines seh' ich ewig unverändert,
Ein Bild des Grabs, wenn alles um dich lebt.
Du gleichst der unbeweglichen Gestalt,
Wie sie der Künstler in den Stein geprägt,
Um ewig fort dasselbe zu bedeuten.

Marfa.

Ja, hingestellt hat mich die Zeit
Zum Denkmal eines schrecklichen Geschicks!
Ich will mich nicht beruhigen, will nicht
Vergessen. Das ist eine feige Seele,
Die eine Heilung annimmt von der Zeit,
Ersatz fürs Unersetzliche! Mir soll
Nichts meinen Gram abkaufen — Wie des Himmels
Gewölbe ewig mit dem Wandrer geht,
Ihn immer unermeßlich, ganz, umfängt,
Wohin er fliehend auch die Schritte wende,
So geht mein Schmerz mit mir, wohin ich wandle,
Er schließt mich ein wie ein unendlich Meer,
Nie ausgeschöpft hat ihn mein ewig Weinen.

Olga.

O sieh doch, was der Fischerknabe bringt,
Um den die Schwestern sich begierig drängen!
Er kommt von fern her, von bewohnten Grenzen,
Er bringt uns Botschaft aus der Menschen Land;

Ich selbst mit allen frischen Kräften meiner Jugend,
Mit allen warmen Trieben meiner Brust.
Hinabgestürzt in dies lebend'ge Grab
(Indes der blut'ge Würger meines Hauses
Auf dem geraubten Throne triumphiert),
Wo ich an meinem ew'gen Schmerz und Haß
Die Tage zähle und meines Lebens schwache Flamme nähre,
Hinlebe in ein langes, ödes Einerlei
Und rückwärts sehe in ein glänzend Leben.

Der See ist auf, die Straßen wieder frei —
Reizt keine Neugier dich, ihn zu vernehmen?
Denn sind wir gleich gestorben für die Welt,
So hören wir doch gern von ihren Wechseln,
Und an dem Ufer ruhig mögen wir
Den Brand der Wellen mit Verwundrung schauen.

(Nonnen kommen zurück mit einem Fischerknaben.)

Xenia.

Sag' an, erzähle, was du Neues bringst!

Alexia.

Was draußen lebt im Säkulum, erzähle!

Fischer.

Laßt mich zu Worte kommen, heil'ge Frauen.

Xenia.

Ist's Krieg?   Ist's Friede?

Alexia.

                        Wer regiert die Welt?

Fischer.

Ein Schiff ist zu Archangel angekommen,
Herab vom Eispol, wo die Welt erstarrt.

Olga.

Wie kam ein Fahrzeug in dies wilde Meer?

Fischer.

Es ist ein engelländisch Handelsschiff,
Den neuen Weg hat es zu uns gefunden.

Alexia.

Was doch der Mensch nicht wagt für den Gewinn!

Xenia.

So ist die Welt doch nirgends zu verschlossen!

Fischer.

Das ist noch die geringste Neuigkeit.
Ganz anderes Geschick bewegt die Erde.

Alexia.

O sprich, erzähle!

Schillers Dram. Entwürfe u. Fragmente.   5

Olga.

Sage, was geschehn!

Fischer.

Erstaunliches erlebt man in der Welt,
Die Toten stehen auf, Verstorbne leben.

Olga.

Erklär' dich, sprich!

Fischer.

Prinz Dmitri, Iwans Sohn,
Den wir als tot beweinen sechzehn Jahr',
Er lebt, er ist in Polen aufgestanden.

Olga.

Prinz Dmitri lebt!

Marfa (auffahrend).

Mein Sohn!

Olga.

Faß' dich! O halte,
Halte dein Herz, bis wir ihn ganz vernommen.

Alexia.

Wie kann er leben, der ermordet ward
Zu Uglitsch und im Feuer umgekommen?

Fischer.

Er ist entkommen aus der Feuersnot,
In einem Kloster hat er Schutz gefunden,
Dort wuchs er auf in der Verborgenheit,
Bis seine Zeit kam, sich zu offenbaren.

Olga (zur Marfa).

Du zitterst, Fürstin, du erbleichst?

Marfa.

Ich weiß,
Daß es ein Wahn ist — doch so wenig noch
Bin ich verhärtet gegen Furcht und Hoffnung,
Daß mir das Herz in meinem Busen wankt.

Olga.

Warum wär' es ein Wahn? o hör' ihn! hör' ihn!
Wie könnte solch Gerücht sich ohne Grund
Verbreiten?

Fischer.

Ohne Grund? Zu 'n Waffen greift
Das ganze Volk der Litauer, der Polen.
Der große Fürst erhebt in seiner Hauptstadt!
(Marfa, an allen Gliedern zitternd, muß sich an Olga und Alexia lehnen.)

Xenia.

O, das wird ernsthaft! Rede, sage alles!

Alexia.

Sag' an, wo du das Neue aufgerafft?

Fischer.

Ich aufgerafft? Ein Brief ist ausgegangen
Vom Zar in alle Lande seiner Herrschaft,
Den hat uns der Posadnik *) unfrer Stadt
Verlesen in versammelter Gemeinde.
Darinnen steht, daß man uns täuschen will,
Und daß wir dem Betrug nicht sollen glauben!
Drum eben glauben wir's: denn wär's nicht wahr,
Der große Fürst verachtete die Lüge.

Marfa.

Ist dies die Fassung, die ich mir errang?
Gehört mein Herz so sehr der Zeit noch an,
Daß mich ein leeres Wort im Innersten erschüttert?
Schon sechzehn Jahr bewein' ich meinen Sohn
Und glaubte nun auf einmal, daß er lebe!

Olga.

Du hast ihn sechzehn Jahr als tot beweint,
Doch seine Asche hast du nie gesehn!
Nichts widerlegt die Wahrheit des Gerüchts.
Wacht doch die Vorsicht über dem Geschick
Der Völker und der Fürsten Haupt. O öffne
Dein Herz der Hoffnung — Unerforschlich sind

— — — wer kann der Allmacht Grenzen setzen?

Marfa.

Soll ich den Blick zurück ins Leben wenden,
Von dem ich endlich abgeschieden war?
— — — — — — — nicht im Grab?

---

*) Richter, Schultheiß. (A. d. H.)

Nicht bei den Toten wohnte meine Hoffnung?
O sagt mir nichts mehr! Laßt mein Herz sich nicht
An dieses Trugbild hängen! Laßt mich nicht
Den teuren Sohn zum zweitenmal verlieren!
O, meine Ruh' ist hin, hin ist mein Friede!
Ich kann dies Wort nicht glauben, ach! und kann's
Nun ewig nicht mehr aus der Seele löschen!
Weh mir! erst jetzt verlier' ich meinen Sohn;
Jetzt weiß ich nicht mehr, ob ich bei den Toten,
Ob bei den Lebenden ihn suchen soll,
Endlosem Zweifel bin ich hingegeben!

(Man hört eine Glocke. Schwester Pförtnerin.)

Olga.

Was ruft die Glocke, Schwester Pförtnerin?

Schwester Pförtnerin kommt.

Pförtnerin.

Der Archijerei *) steht vor den Pforten,
Er kommt vom großen Zar und will Gehör.

Olga.

Der Archijerei vor unsern Pforten!
Was führt ihn Außerordentliches her?
Den weiten — — — — — —

Xenia.

Kommt alle, ihn nach Würden zu empfangen!

(Sie gehen nach der Pforte, indem tritt der Archijerei ein, sie lassen sich alle vor
ihm auf ein Knie nieder, er macht das griechische Kreuz über sie.)

Hiob.

Den Kuß des Friedens bring' ich euch im Namen
Des Vaters und des Sohnes und des Geists,
Der ausgeht von dem Vater!

Olga.

　　　　　　　　Herr, wir küssen
In Demut deine väterliche Hand!
Was — — — Gebiete deinen Töchtern!

Hiob.

An Schwester Marfa lautet meine Sendung.

---

*) Patriarch. (A. d. H.)

Olga.

Hier steht sie und erwartet dein Gebot.

Hiob und Marfa.

Hiob.

Der große Fürst ist's, der mich an dich sendet,
— — — — — — — denkt er dein,
Denn wie die Sonn' mit ihrem Flammenaug'
Die Welt durch — — und Fülle rings verbreitet,
So ist das Aug' des Herrschers überall;
Bis an die fernsten Enden seines Reichs
Wacht seine Sorge, späht sein Blick umher.

Marfa.

Wie weit sein Arm trifft, hab' ich wohl erfahren.

Hiob.

Er kennt den hohen Geist, der dich beseelt,
Drum teilt er zürnend die Beleidigung,
Die ein Verwegner dir zu bieten wagt.

Marfa.

— — — — — — —

Hiob.

Ein frecher Trugner in der Polen Land,
Ein Renegat und Rostriga*), der, sein
Gelübd' abschwörend, seinen Gott verleugnet,
Mißbraucht den edeln Namen deines Sohns,
Den dir der Tod geraubt im Kindesalter.
Der dreiste Gaukler rühmt sich deines Bluts
Und gibt sich für des Zaren Iwans Sohn.

Den Afterkönig, den er selbst erschaffen,
Mit Heereskraft in unsre Grenzen ein;
Das treue Herz der Reußen führt er irre
Und reizt sie auf zu Abfall und Verrat.

Der Zar zu dir in väterlicher Meinung.
Du ehrst die Manen deines Sohns, du wirst

*) Entlaufener Mönch. (A. d. H.)

Nicht dulden, daß ein frecher Abenteurer
Ihm aus dem Grabe seinen Namen stiehlt,
Und sich verwegen drängt in seine Rechte.
Erklären wirst du laut vor aller Welt,
Daß du den — — — — — —
Du wirst nicht fremdes Bastardblut ernähren
An deinem Herzen, das so edel schlägt,
Du wirst, der Zar erwartet es von dir,
Der schändlichen Erfindung widersprechen
Mit dem gerechten Zorn, den sie verdient.

Marfa
(hat während dieser Rede die heftigsten Bewegungen bekämpft).

Was hör' ich, Archijerei? o, sagt an!
Durch welcher Zeichen und Beweise Kraft
Beglaubigt sich der kecke Abenteurer
Als Iwans Sohn, den wir als tot beweinen?

Hiob.

Durch eine flücht'ge Aehnlichkeit mit Iwan,
Durch — — — — — — —
Und durch ein köstlich Kleinod, das er zeigt,
Täuscht er die Menge, die sich gern betrügt.

Marfa.

Was für ein Kleinod? O, das sagt mir an!

Hiob.

Ein goldnes Kreuz, belegt mit neun Smaragden,
Das ihm der Knäs Iwan Mstislawskoy,
So sagt er, in der Taufe umgehangen.

Marfa.

Was sagt Ihr? Dieses Kleinod weist er auf?
(Mit gezwungener Fassung.)
— Und wie, behauptet er, daß er entkommen?

Hiob.

Ein treuer Diener und Diak hab' ihn
Dem Mord entrissen und dem Feuersbrand,
Und nach Smolensko heimlich weggeführt.

Marfa.

Wo aber hielt er sich — wo gibt er vor,
Daß er bis diese Stunde sich verborgen?

Hiob.

Im Kloster Tschudow sei er aufgewachsen,
Sich selber unbekannt, von dort hab' er
Noch Litauen und Polen sich geflüchtet,
Wo er dem Fürst von Sendomir gedient,
Bis ihm ein Zufall seinen Stand entdeckt!

Marfa.

Mit solcher Fabel kann er Freunde finden,
Die Blut und Leben wagen an sein Glück?

Hiob.

O Zarin! Falsches Herzens ist der Pole,
Und neidisch sieht er unsers Landes Flor.
———————————————
Den Krieg in unsern Grenzen anzuzünden!

Marfa.

Doch gäb' es selbst in Moskau gläub'ge Seelen,
Die dieses — — — — berückt?

Hiob.

Der Völker Herz ist wankelmütig, Fürstin!
Sie lieben die Veränderung, sie glauben
Durch eine neue Herrschaft zu gewinnen.
Der Lüge kecke Zuversicht reißt hin,
Das Wunderbare findet Gunst und Glauben.
Drum wünscht der Zar, daß du den Wahn des Volks
Zerstreust, durch eine — — — —
Dich — — — — — —
Der sich verwegen lügt zu deinem Sohn.
Mich freut's, dich so bewegt zu sehen; dich
Empört, ich seh's, das freche Gaukelspiel,
Und deine Wangen färbt der edle Zorn.

Marfa.

Und wo — das sagt mir noch! — verweilt er jetzt,
Der sich für unsern Sohn zu geben wagt?

Hiob.

Schon rückt er gegen Tschernigow heran;
Von Kiew, hört man, sei er aufgebrochen,
Ihm folgt der Polen leichtberittne Schar,
Samt einem Heerzug donischer Kosaken.

Marfa.

O höchste Allmacht, habe Dank! Dank! Dank!
Daß du mir endlich Rettung, Rache sendest!

Hiob.

Was ist dir, Marfa? Wie versteh' ich das?

Marfa.

O Himmelsmächte, führt ihn glücklich her!
Ihr Engel alle, schwebt um seine Fahnen!

Hiob.

Ist's möglich? Wie? Dich könnte der Betrüger —

Marfa.

Er ist mein Sohn. An diesen Zeichen allen
Erkenn' ich ihn. An deines Zaren Furcht
Erkenn' ich ihn. Er ist's. Er lebt. Er naht.
Herab von deinem Thron, Tyrann! Erzittre!
Es lebt ein Sprößling noch von Nuriks Stamm,
Der wahre Zar, der rechte Erbe kommt,
Er kommt und fordert Rechnung von dem Seinen!

Hiob.

Wahnsinnige, bedenkst du, was du sagst?

Marfa.

Erschienen endlich ist der Tag der Rache,
Der Wiederherstellung. Der Himmel zieht
Aus Grabesnacht die Unschuld an das Licht,
——— ——— ——— mein Todfeind muß,
Zu meinen Füßen kriechend, Gnade flehn.
O, meine heißen Wünsche sind erfüllt!

Hiob.

Kann dich der Haß zu solchem Grad verblenden?

Marfa.

Kann deinen Zar der Schrecken so verblenden,
Daß er Errettung hofft von mir — von mir! —
Der unermeßlich schwer Beleidigten?
Daß er dich an mich sendet, ——— ———
——— ——— ——— abzulisten.
Ich soll den Sohn verleugnen, den der Himmel

Mir durch ein Wunder aus dem Grabe ruft?
Ihm, meines Hauses Mörder, zu Gefallen,
Der über mich unsäglich Weh gehäuft,
— — — — — — — — — — — — soll ich
Die Rettung von mir stoßen, die mir Gott
In meinem tiefen Jammer endlich sendet?

Job.

— — — — — — — — — —

Marfa.

Nein, du entrinnst mir nicht.
Ich habe dich, ich lasse dich nicht los.
O, endlich kann ich meine Brust entladen,
Ausströmen endlich kann ich meinen Schmerz,
Der tiefsten Seele lang verhaltnen Groll,
Ins Antlitz meines Feinds! — Wer war's, der mich
In diese Gruft der Lebenden verstieß,
Mit allen frischen Kräften meiner Jugend,
Mit allen warmen Trieben meiner Brust?
Wer riß den teuren Sohn mir von der Seite
Und sandte Mörder aus, ihn zu durchbohren?
O! keine Zunge nennt, was ich gelitten,
Wenn ich die langen, hellgestirnten Nächte
Mit ungestillter Sehnsucht durchgewacht*),
Der Stunden Lauf an meinen Thränen zählte!
Der Tag der Rettung und der Rache kommt,
Ich seh' den Mächtigen in meiner Macht.

Job.

Du glaubst — — — — —

Marfa.

Er ist
In meiner Macht — ein Wort aus meinem Mund,
Ein einziges, kann sein Geschick entscheiden!

---

*) Hier folgte in einer älteren Fassung:
Und wie der Schiffer, der auf öder Insel
Gestrandet mit zerbrochnem Kahn, auf immer
Vom Umgang der Lebendigen getrennt,
Trostlos hinausblickt in die ewige Leere
Des Meeres, das vereiset um ihn starrt,
Der Stunden Lauf an meinen Thränen zählte.
Und mit ohnmächtig — — —
In meine Kette knirschte.

Das ist's, warum dein Herrscher mich beschickte!
Das ganze Volk der Reußen und der Polen
Sieht jetzt auf mich.   Wenn ich den Zarewitsch
Für meinen Sohn und Iwans anerkenne,

Verleugn' ich ihn, so ist er ganz verloren.
Denn wer wird glauben, daß die wahre Mutter,
Die Mutter, die wie ich beleidigt war,
Verleugnen könnte ihres Herzens Sohn,
Mit ihres Hauses Mörder einverstanden?
Ein Wort nur kostet mich's, und alle Welt
Verläßt ihn als Betrüger. — Ist's nicht so?
Dies Wort will man von mir — den großen Dienst,
Gesteh's, kann ich dem Godunow erzeigen!

Hiob.

Dem ganzen Vaterland erzeigst du ihn,
Aus schwerer Kriegsnot rettest du das Reich,
Wenn du der Wahrheit Ehre gibst.   Du selbst,
Du zweifelst nicht an deines Sohnes Tod,
Und könntest zeugen wider dein Gewissen?

Marfa.

Ich hab' um ihn getrauert sechzehn Jahr,
Doch seine Asche sah ich nie.   Ich glaubte
Der allgemeinen Stimme seinen Tod
Und meinem Schmerz.   Der allgemeinen Stimme
Und meiner Hoffnung glaub' ich jetzt sein Leben.
Es wäre ruchlos, mit verwegnem Zweifel
Der höchsten Allmacht Grenzen setzen wollen.
Doch wär' er auch nicht meines Herzens Sohn,
Er soll der Sohn doch meiner Rache sein:
Ich nehm' ihn an und auf an Kindesstatt,
Den mir der Himmel rächend hat geboren!

Hiob.

Unglückliche! dem Starken trotzest du?
Vor seinem Arme bist du nicht geborgen
Auch in des Klosters heil'ger Sicherheit.

Marfa.

Er kann mich töten, meine Stimme kann er
Im Grab ersticken oder Kerkersnacht,

Daß sie nicht mächtig durch die Welt erschalle,
Das kann er; doch mich reden lassen, was
Ich nicht will, das vermag er nicht, dazu
Bringt er mich nicht durch*) — — —
— — — — — den Zweck hat er verloren!

Hiob.

Ist dies dein letztes Wort? Besinn' dich wohl!
Bring' ich dem Zar nicht besseren Bescheid?

Marfa.

Er hoffe auf den Himmel, wenn er darf,
Auf seines Volkes Liebe, wenn er kann!

Hiob.

Unglückliche, du willst entschlossen dein Verderben.
Du hältst dich an ein schwaches Rohr, das bricht;
Du wirst mit ihm zu Grunde gehen.

Marfa (allein).

Es ist mein Sohn, ich will nicht daran zweifeln.
Die wilden Stämme selbst der freien Wüste
Bewaffnen sich für ihn; der stolze Pole,
Der Palatinus, wagt die edle Tochter
An seiner guten Sache reines Gold —
Und ich allein verwärf' ihn, seine Mutter?
Und mich allein durchschauerte der Sturm
Der Freude nicht, der schwindelnd alle Herzen
Ergreift und in Erschütterung bringt die Erde?
Er ist mein Sohn; ich glaub' an ihn, ich will's.
Ich fasse mit lebendigem Vertrauen
Die Rettung an, die mir der Himmel sendet!
    Er ist's, er zieht mit Heereskraft heran,
Mich zu befreien, meine Schmach zu rächen!
Hört seine Trommeln, seine Kriegstrompeten!
Ihr Völker kommt von Morgen und Mittag,
Aus euren Steppen, euren ew'gen Wäldern,
In allen Zungen, allen Trachten kommt!
Zäumet das Roß, das Renntier, das Kamel!

_____

*) Aeltere Fassung:
    Bringt er mich nicht mit seinen Foltern allen.
    Und böt er seine Krone selbst mir an
    Für dieses Wort, — — — —
    Ich spreche dieses Wort nicht, das er fordert!

Wie Meereswogen strömet zahllos her,
Und dränget euch zu eures Königs Fahnen!*)
O, warum bin ich hier geengt, gebunden,
Beschränkt mit dem unendlichen Gefühl!
Du ew'ge Sonne, die den Erdenball
Umkreist, sei du die Botin meiner Wünsche!
Du allverbreitet ungehemmte Luft,
Die schnell die weitste Wanderung vollendet,
O, trag ihm meine glüh'nde Sehnsucht zu!
Ich habe nichts als mein Gebet und Flehn;
Das schöpf' ich flammend aus der tiefsten Seele**),
Beflügelt send' ich's in des Himmels Höhn,
Wie eine Heerschar send' ich dir's entgegen!

Zweite Scene.

Eine Anhöhe mit Bäumen umgeben. Eine weite und lachende Ferne eröffnet sich, man sieht einen schönen Strom durch die Landschaft ausgegossen, die von dem jungen Grün der Saaten belebt ist. Näher und ferner sieht man die Turmspitzen einiger Städte leuchten. — Trommeln und Kriegsmusik hinter der Scene.

Odowalsky und andere Offiziere treten auf. Gleich darauf Demetrius.

Odowalsky.

Laßt die Armee am Wald hinunter ziehn,
Indes wir uns hier umschaun auf der Höhe.

(Einige gehen, Demetrius tritt auf.)

Demetrius (zurückfahrend).

Ha, welch ein Anblick!

Odowalsky.

       Herr, du siehst dein Reich
Vor dir geöffnet — das ist russisch Land.

---

*) Aeltere Fassung:
  O, dränget euch um seine Fahnen her,
  Zahllos, unendlich, wie des Meeres Wogen,
  Wie Flocken Schnees, die der Arktur ergießet!

**) Aeltere Fassung:
  Das schöpf' ich flammend aus der tiefen Brust,
  Das send' ich gläubig in des Himmels Höhen,
  Der Mutter Thränen und der Mutter Segen
  — — — — — — — — und wie gewaffnete
  Heerscharen send' ich's mächtig dir entgegen!

Rasin.

Hier diese Säule trägt schon Moskaus Wappen,
Hier hört der Polen Herrschgebiete auf.

Demetrius.

Ist das der Dnieper, der den stillen Strom
Durch diese Auen gießt?

Odowalsky.

Dort fließt der Dnieper hinter Tschernigow,
Das ist die Desna, Herr, die — — — —
Und was du siehst, ist deines Reiches Boden.

Rasin.

Was dort am fernen Himmel glänzt, das sind
Die Kuppeln von Sewerisch Nowgorod.

Demetrius.

Welch heitrer Anblick! Welche schönen Auen!

Odowalsky.

Der Lenz hat sie mit seinem Schmuck bedeckt,
Denn Fülle Korns erzeugt der üpp'ge Boden.

Demetrius.

Der Blick schweift hin im Unermeßlichen.

Odowalsky.

Doch ist's ein kleiner Anfang nur, o Herr,
Des großen Russenreichs, denn unabsehbar
Streckt es der Morgensonne sich entgegen.
Und keine Grenzen hat es nach dem Nord,
Als die lebend'ge Zeugungskraft der Erde *).

Rasin.

Sieh, unser Zar ist ganz nachdenkend worden.

Demetrius.

Auf diesen schönen Au'n wohnt noch der Friede,

---

*) Beschreibung der Größe und Lage Rußlands nach Maßgabe und Anlaß
des sinnlich Gegebenen. Der Beschreiber folgt dem Horizont, dem Strom und
einer kleinen Gebirgskette. — Der Strom fließt aus Nordost gegen Südwesten, er
nimmt andre Ströme auf.

„Aber du hast einen weiten Weg zurückzulegen, bis du im Kremlin zu
Moskau dich zu Bette legen kannst.“

(Aus dem Entwurf der Scene.)

Und mit des Krieges furchtbarem Gerät
Erschein' ich jetzt, sie feindlich zu verheeren!

Odowalsky.

Dergleichen, Herr, bedenkt man hinterdrein.

Demetrius.

Du fühlst als Pole, ich bin Moskaus Sohn;
Es ist das Land, das mir das Leben gab!
Vergib mir, teurer Boden, heimische Erde,
Du heiliger Grenzpfeiler, den ich fasse,
Auf den mein Vater seinen Adler grub,
Daß ich, dein Sohn, mit fremden Feindeswaffen
In deines Friedens ruhigen Tempel falle.
Mein Erb' zurückzufordern, komm' ich her,
Und den geraubten edeln Vaternamen.
Hier herrschten' die Waräger, meine Ahnherrn,
In langer Reih', seit dreißig Menschenaltern;
Ich bin der letzte ihres Stamms, dem Mord
Entrissen durch ein göttliches Verhängnis *).

Dritte Scene.

Ein russisches Dorf. Freier Platz vor der Kirche. Man hört
die Sturmglocke.

Gleb, Illa und Timoska eilen, mit Aexten bewaffnet, auf die Scene.

Gleb (aus dem Hause kommend).

Was rennt das Volk?

---

*) Demetrius hält sich an dem Pfeiler und sieht gegen die Landschaft ge-
wendet. „Noch kann ich umkehren! Kin Schwert ist noch aus der Scheide! Kein
Blut ist geflossen! Der Friede wohnt noch in diesen Fluren, die ich mit Waffen
jetzt überdecken will? König der Könige, lenke du mein Herz, in deine Hände geb'
ich's!" — (Er fordert den Himmel auf, ihn nur nach der Gerechtigkeit seiner Sache
zu begünstigen. (Oder kann dieses letzte Motiv auch etwas später kommen?)
Nichts Sentimentales darf aber hier statthaben; das Sentiment muß immer
naiv bleiben. Er glaubt an sich selbst, in diesem Glauben handelt er, und daraus
entspringt das Tragische. Gerade diese Sicherheit, womit er an sich selbst glaubt,
ist das Furchtbare, und indem es ihn interessant macht, erwedt es Rührung.
Alles in dieser kurzen Scene muß sich sinnlich darstellen, und wenn Demetrius abgegangen, muß ein Zug über die Scene beginnen, während welchem verwandelt wird; Marich begleitet ihn.
Soll diese Scene nicht auch zu irgend einer Handlung benutzt werden können?
Es muß so viel geschehen, es ist so viel zu zeigen.
Aussenden von Manifesten und Agenten in die Plätze. — Zustand der
russischen Grenzen. Man erfährt diesen durch die Zurückkunft eines solchen
Emissärs. — Gesandtschaft der Kosaken, wann fällt sie vor? — Das gute Omen. —
Disposition des Feldzugs. — Man geht über die Desna. — Ein Teil des Heers
trennt sich von dem andern. (Aus dem Entwurf der Scene.)

Ilia (aus einem andern Haus).

Wer zog die Feuerglocke?

Timoska.

Nachbarn, heraus! Kommt alle, kommt zu Rat!

Oleg und Igor mit vielen andern Landleuten, Weibern und Kindern, welche Gepäcke tragen.

Oleg.

Flieht, flieht, — — rette sich, wer kann!

Gleb.

Was gibt's?

Wo kommt ihr her mit Weibern und mit Kindern?

Igor.

Flieht! flieht! der Pole ist ins Land gefallen
Bei Moromesk und mordet, was er findet.

Oleg.

Flieht, flieht ins innre Land, in feste Städte!
Wir haben unsre Hütten angezündet,
Uns aufgemacht, ein ganzes Dorf, und fliehn
Landeinwärts zu dem Heer des Zaren.

Timoska.

Da kommt ein neuer Trupp von Flüchtigen.

Iwanske und Petruschke mit bewaffneten Landleuten treten an der entgegengesetzten Seite auf.

Iwanske.

Es leb' der Zar, der große Fürst Dimitri!

Petruschke.

Wer — — — — — — — kommt mit!

Gleb.

Wie? Was ist das?

Ilia.

Wo eilt ihr hin?

Timoska.

Wer seid ihr?

Iwanske.

Timoska.

Was ist denn das? Da flieht ein ganzes Dorf
Landeinwärts — — —
Und ihr wollt hin, wo diese hergeflohn?
Wollt übergehen zu dem Feind des Landes?

Petruschke.

Was, Feind? Es ist kein Feind, der kommt, es ist
Ein Freund des Volks, der rechte Erb' des Landes.

Da kommt der Posadnik!

Posadnik (mit einer Rolle tritt auf).

Das ist ein böser Handel, Nachbarn und Ratsgenossen.
Gott helf' uns aus der Verworrenheit! Gott erleucht' uns!

Landleute.

Was gibt's, Posadnik?

Posadnik.

Da ist ein Schreiben angelangt vom Zarewitsch,
Der bei dem Polenheere sich befindet,
Worin man uns — — — —
Was sollen wir thun?

Landleute.

Leset das Schreiben! Lasset hören!

Andre.

Das Schreiben! leset!

Posadnik.

Nun, so höret denn!
Wir Dimitri Iwanowitsch, von Gottes Gnaden Zarewitsch von ganz Rußland, Fürst von Uglitsch, Dmitrow und
andern Fürstentümern, nach meiner Geburt Herr und Erbe
aller russischen Reiche, an alle unsern königlichen Gruß!

Gleb.

Das ist der ganze Titel unsrer Zaren.

Posadnik.

Zar Iwan Wasilowitsch glorwürdigen Gedenkens — —

---

seinen Kindern treu und hold zu sein.

Nun sind wir aber der wahre, leibliche Sohn dieses
Zaren, dem Boris Godunow nach dem Leben getrachtet,
der aber durch ein göttliches Geschick erhalten ward. Wir
kommen jetzo, unsern Erbthron einzunehmen, in der einen
Hand das Schwert und den Oelzweig in der andern, Gnade
den Treuen, Verderben den Widerspenstigen. Darum erinnern
wir uns eures Eids, ermahnen euch, die Partei des Boris
Godunow zu verlassen und uns als eurem erblichen Beherrscher und wahren Zar zu huldigen. Werdet ihr das thun,
so werden wir euch gnädig regieren; wo nicht, so falle das
vergossene Blut auf euer Haupt, denn eher stecken wir das
Schwert nicht in die Scheide, bis wir den Thron unsrer
Väter bestiegen.

Timoska.

Gleb.

Wie können wir dem Sohne unsers Herrn
Die Treu' versagen und das Land verschließen?

Ilia.

Timoska.

Wie? Seid nicht so einfältig! Seid doch klug!
Wie könn' er so was lügnerisch erfinden!
Wenn er's nicht wäre, würd' er's sagen und behaupten?

Gleb.

Das denk' ich auch! Würde der Pole für einen Betrüger
ins Feld ziehen?

Timoska.

Und ist er's wirklich, Nachbarn, wie's nicht anders,
Sagt: können wir dem Sohne unsers Herrn
Die Treu' versagen und das Land verschließen?

Ilia.

Doch haben wir dem Boris Godunow
Als unserm Zar gehuldigt und geschworen.

Schillers Dram. Entwürfe u. Fragmente.   6

(Aus den Entwürfen zur Fortsetzung.)

Es sind anfangs bloß Männer, und das Uebergewicht scheint auf der Seite des Boris. Katinka kommt an der Spitze von vielen Frauen, welche alle Kinder an der Hand führen. Weiber haben gehört, daß man beschlossen, das Dorf anzustecken und ins innere Land zu fliehen. Die Frage ist, welche Partei der Herr des Dorfes nehme. Sie suchen Waffen zu bekommen, sie wollen die Gegenpartei zwingen.

Es geschehen viele Fortschritte in dieser Scene, und während noch verhandelt wird, ist an andern Orten schon gehandelt; fürchterliche Bewegung im Lande.

Die Absicht dieser Scene ist, darzustellen, wie schnell das Abenteuerliche bei dem gemeinen Volk Eingang findet, und durch welche Wege es wirkt. Wie hier, so ist es im ganzen Rußland, und so ist diese Scene gleichsam ein Pfand des Successes für den Demetrius.

Der Eindruck des Manifests muß aber gleich zur That werden, es muß etwas für ihn und gegen seine Feinde ge- schehen und Folgen haben.

Es ist eine Menge Volks beisammen, und die Anordnung darf ins Komische fallen.

Es wirken viele konträre Kräfte zusammen, der Erbhaß der Russen gegen die Polen.

Auf der andern Seite findet man, daß lauter Unglück unter Boris Regierung war; die große Hungersnot.

Diese Dorfscene muß eine gewisse Totalität von Motiven vereinigen und auf eine prägnante Art das Getrennte koexi- stent machen. Ein Dorf ist auf der Flucht, um vor den Polen sich zu der russischen Armee zu retten, ein andres Dorf kommt eben in Alarm, ein drittes weiß nicht, wozu sich's entschließen soll — Neutralität kann nicht stattfinden.

Es könnte ein heftiges Schisma entstehen, wobei die Frauen auf seiten des Betrügers wären und die Männer zwängen, sich gleichfalls für ihn zu erklären. Warum das Märchen so vorzüglich auf die Frauen wirkt? Macht des fanatischen Parteigeistes auf rohe Menschen.

Zu vermeiden ist, daß in dieser Scene kein Motiv wiederholt wird, welches schon auf dem Reichstag vorge- kommen.

Alles muß sogleich dramatisch klar sein.

Nähe des polnischen Heers. Agenten des Demetrius.

Manifest. Parteien. Gründe pro. Gründe contra. Mit=
leid mit dem Demetrius. Hoffnungen. Unzufriedenheit mit
Boris. Furcht vor Demetrius' Waffen. Auf der andern
Seite: Haß der Polen, Furcht vor Boris, Gewissensskrupel.
Russische Nationalzüge sind sichtbar in dieser Scene.
Sprichwörter: Reich zertrennt, nimmt bald ein End'.
— Der Flüchtige hat einen Weg: wer ihm nachsetzt, hun=
dert. — Bruderliebe besser, als steinerne Mauern. — Nacken
der Gemeinde ist stark. — Mußt nicht alles auffangen, was
auf dem Wasser schwimmt. — Der Hund ist rauch, drum
friert ihn nicht. — Gewinn und Verlust wohnen in einem
Hause. — Die alten Propheten sind tot, neue sagen nicht
wahr. — Morgen ist klüger als Abend. — Verstand beim
Jüngling, Eis in Frühling. — Auf dem Eis gesotten ist
wunderbar.
    Timoska. Jlia. Nikita. Petruske. Jwanske. Katinka.
— Butterwoche. Wasserweihe. — Kabak: die Schenke. — Die
Stummen. — Bei stiller Trommel. — Akten in Rollen. —
Brot und Salz, Gnad' und Liebe. — Muntere Brüder oder
Jünglinge. — Das weiß Gott und der große Fürst. —
St. Anton auf einem Mühlstein*).

    Lager der Borisowischen Armee. Ist es frei
unter Zelten? Ist's eine Festung? Wer sind die Anführer?
Zuski, Soltikow, Dolgoruki, Basmanow.
    Was für Motive bieten sich hier an? 1. Mißtrauen,
2. Rivalität der Anführer und Nationalhaß, 3. Landsmann=
schaften (Kosaken nämlich fechten auf beiden Seiten, und
auf der des Demetrius fechten sie aus eigener Wahl), 4. Be=
stechung, 5. Begünstigung des Feindes und bonne foi und
Gewissensskrupel, 6. der Geist russischer Soldaten,
7. Russen sind in Festungen gut.
    Die Armee ist zum Teil, ja größtenteils, unzuverlässig,
obgleich mächtig. Sie fühlt ihre Macht, und daß sie das
Schicksal des Zars in ihrer Gewalt hat. Noch bis diesen
Moment steht sie da als ein unzerstörbares Bollwerk.

---

*) Nach Clearius: Butterwoche: acht Tage vor Fasten. Wasserweihe: im
Januar und August. Die Stummen: die Ausländer. Bei stiller Trommel: in
aller Stille. Die Akten werden in Rollen geschrieben, die oft 50 Ellen Länge
haben. St. Anton ist nach einer Legende auf einem Mühlstein von Rom nach
Nowgorod geschwommen und hat dort, wo er landete, ein Kloster gegründet.
                                           (A. d. H.)

Es ist ein böser Fehler, daß Boris abwesend ist, und einer der Anführer spricht es aus, ja er kann einen Eilenden abschicken. Man fühlt es bei der Armee, was ein Zar bedeutet, und daß Boris wirklich gefürchtet wird, aber die Liebe fehlt ihm. 1. Der Anführer fürchtet, daß die Kosaken zum Feind möchten übergehen, wo ihre Landsleute fechten und sie anzulocken suchen. 2. Einer von den Anführern will nicht unter dem andern stehen. 3. Einer von den Anführern, Soltikow, neigt sich aus Glauben auf Demetrius' Seite. 4. Man fürchtet die Strenge des Boris. 5. Man fürchtet den Abfall der Städte und des Landvolks zum Demetrius. 6. Erlogene Sagen, die sich herumtragen, erwecken entweder Furcht vor dem Demetrius oder Glauben an ihn.

Die Armee des Boris besetzt einen wichtigen Posten, den Demetrius nicht hinter sich lassen darf. Er muß sie angreifen, auch unter den nachteiligsten Umständen.

Zusky		— ehrsüchtig, aber dem Boris ergeben,
Soltikow	Generale des Boris	— gewissenhaft, aber dem Demetrius zugethan,
Dolgoruki		— ehrlich, aber schwach,
Basmanow		— verräterisch,
Kosakenhetman Mazeppa		— unzuverlässig.

Demetrius geschlagen. Die Borisowische Armee siegt gewissermaßen w i d e r ihren Willen, und ihr Sieg würde vollkommen sein, wenn es ihr ein rechter Ernst gewesen, aber man läßt den Demetrius, den man schon in der Gewalt hat, entwischen. Er kann schon wirklich gefangen sein oder sich für unrettbar verloren halten. Demetrius, da er keine Rettung sieht, will sich töten; Korela und Odowalsky haben Mühe, ihn zu verhindern. Sein Unfall raubt ihm das Vertrauen auf seine Sache.

Er kann sich schon in der Macht der Feinde befinden, aber sie herumbringen, daß sie ihm huldigen. Ist er auf der Flucht mit wenigen? Hat er sich in einen unhaltbaren Ort geworfen? Haben ihn seine Truppen im Stich gelassen? Hat er bloß das Unglück gehabt, von einem Angriff auf das Borisowische Lager zurückgeschlagen zu werden? Seine Lage muß verzweiflungsvoll sein und seine Seele in die höchste Spannung versetzen. Ein solcher unerwarteter Erfolg gleich am Anfang beunruhigt im höchsten Grad.

Aus diesem extremen Zustand der höchsten Hoffnungslosigkeit geht er in einen glücklichen über. Soltikow erklärt sich für ihn, rein aus Gewissenspflicht, er verspricht zu ihm überzugehen, wenn er sich bis zu ihm durchschlagen könne. Durch diesen großen Dienst erwirbt sich Soltikow ein Recht auf ihn, und dieses bringt nachher den Polen ombrage. Zuletzt, wenn dem Soltikow die Augen aufgehen, gerät er in eine große Verzweiflung.

Soltikows Uebergang zum Demetrius gibt seinem Glück den Schwung und bereitet den Abfall der ganzen Armee vor.

Ein hoffnungsreicher Erfolg beschließt diesen Akt auf eine theatralische Art.

Glück und Sieg des Demetrius.

(Dritter Aufzug.)

Boris in Moskau*). Ehe der Zar selbst erscheint, ist er auf jede Weise schon angekündigt worden. Er tritt ein mit Heftigkeit, die bösen Nachrichten haben ihn erbittert. Zu beobachten ist sogleich die knechtische Unterwürfigkeit und die zarische Vatergewalt. Boris muß sich notwendig erst als absoluter Herrscher zeigen, eh' er untergeht. Rynda**) bedient ihn. Ein Diak.

Boris würde Moskau gern verlassen und zur Armee gehen, aber er fürchtet, daß Moskau sich sogleich, wenn er fort, für den Demetrius erklären möchte. Auch schämt er sich, als Zar, gegen den Betrüger in Person zu fechten. Sein nordischer Stolz.

Der Patriarch Hiob kann um den Zar sein.

Es kommen auch mitunter glückliche Nachrichten, die sich aber schnell wieder verschlimmern.

---

*) Scenentafel: Vor Boris. — Boris. — Bote. — Bote. — Axinia. Boris. — Boris. Hiob. — Bote. — Ohne Boris. — Boris. — Axinia.
**) Edelknabe. (A. d. H.)

Boris ist aber schon töblich verletzt, wenn er auftritt, und die Zarögröße, die ihn noch umgibt, ist nur noch Schein und Schatten. Er sieht die Meinung des Volks umgewendet, die Armee treulos, die Großen verräterisch, die Glücksgöttin falsch, das Schicksal feindselig; sein Geist ist gesunken.

Das Abenteuerliche und Monströse des Falls, welches er anfangs verachtet hat, und das nun so fürchterlich wächst, vermehrt seinen Verdruß und seine Verzweiflung. Es ist etwas Inkalkulables, Göttliches, woran sein Mut und seine Klugheitsmittel erliegen. (Talbots Situation in der Johanna.)

Daß gerade der Prinz, den er ermorden ließ, dem Betrüger die Existenz geben muß, ist ein eigenes Verhängnis. Er gesteht dem Patriarchen den Mord ein und ergreift ihn mit einer gewissen Heftigkeit, wenn er sagt: „Muß ich durch dieses Gaukelspiel untergehen, muß ich wirklich? — Patriarch, es bringt mich von Sinnen.

„Wahr ist's, ich habe das Reich nicht ganz unschuldig erworben, aber ich hab' es gut verwaltet. Wie? Kann ein wohlthätiges Leben ein Verbrechen nicht gut machen? Kann der gute Gebrauch nicht die verwerflichen Mittel entschuldigen?"

Scene mit Hiob. Scene mit Axinia. Scene mit dem Rynda — mit den Boten — mit dem Diak.

Gradation der Unfälle: 1. Abfall des Landvolks und der Provinzialstädte, 2. Unthätigkeit der Armee, 3. Abfall eines Teils der Armee, 4. Moskaus Bewegungen, 5. Demetrius' Vordringen, 6. Romanows drohende Ankunft, 7. Flucht der Bojaren in Demetrius' Lager, 8. Abfall der Armee, 9. Insulten der Aufrührer. Man hört gleichsam den Demetrius immer näher und näher herandringen, das Soulèvement der Völker immer wachsen und steigen, so daß man in dieser Scene, obgleich mit Boris beschäftigt, den Haupthelden nie aus den Augen verliert.

Boris wird rührend als Vater, er schließt seiner Tochter seinen Kummer, sein innerstes Gewissen auf. Sein Tod ist königlich, er will seine Macht nicht überleben, er will nichts Erniedrigendes erdulden. Er affrontiert den Tod mit Klarheit und Entschlossenheit, er trinkt mit fester Hand den Giftbecher, doch hat er da schon Mönchskleidung an. Seine Tochter soll ins Kloster sich verstecken. Sie liebt. Romanow kommt noch an, ehe Boris tot ist, aber nachdem er den

Giftbecher schon getrunken. Boris kann ihn zu seinem Nachfolger ernennen, oder wenn Boris einen Sohn hat, diesen
seiner Treue empfehlen.

Die Ereignisse, welche den Boris nach und nach zur
Verzweiflung treiben, dürfen nicht bloß aus schlimmen Botschaften bestehen, es müssen Thatsachen darunter sein,
welche ins Auge fallen, gegenwärtige Kränkungen, Untreue und Insolenz der Moskowiter, Verräterei der Bojaren,
Desertion der Strelzi*). Doch darf das Unglück des Boris
nicht bis zu wirklichen Verspottungen gehen, er darf keinen
Augenblick verächtlich werden. Weil er aber von dem reiz-
barsten Stolz ist, so kann er die bloße Möglichkeit einer
zu erwartenden Beschimpfung nicht ertragen. Dieser Stolz
allein vergrößert in seinen Augen sein Unglück zu der Höhe,
worin es sein muß, um ihn zur Verzweiflung zu bringen —
sein Stolz und seine Vorhersehung. Er sieht, weil er die
Welt kennt, klar vorher, was gewiß kommen wird; und, weil
er zu stolz ist, das Unwürdige zu ertragen, so erwartet er
nicht, bis es wirklich eintritt. Er ist also noch der Zar, wenn
er stirbt, er ist noch nicht erniedrigt.

Boris hat, indem er sich per nefas zum Herrscher machte,
alle Pflichten des Herrschers übernommen und geleistet;
dem Land gegenüber ist er ein schätzbarer Fürst und ein
wahrer Vater des Volks. Nur in Angelegenheiten seiner
Person gegen einzelne Personen ist er argwöhnisch, rachsüchtig
und grausam (Dmitri, die Romanows). Seine Fürsorge
und königliche Milde bei der großen Hungersnot, seine Ge-
rechtigkeitspflege, seine Wachsamkeit und Klugheit in Be-
wahrung des Friedens und Verteidigung des Reichs, seine
Einsicht und Eifer in Beförderung des Volkswohls ꝛc.
Boris ist durch seinen Geist sowie durch seinen Rang über
alles, was ihn umgibt, erhoben; der lange Besitz der höchsten
Gewalt, die gewohnte Beherrschung der Menschen und die
despotische Form der Regierung haben seinen Stolz genährt,
daß es ihm unmöglich ist, die Größe zu überleben. Er hat
so hohe Begriffe von seiner Würde als Zar, daß er mit
reizbarer Eifersucht darüber hält; dieser Stolz und diese
Eifersucht über seine Herrscherwürde sind die Quelle aller
seiner Fehler und seiner Unfälle.

Boris ist wie ein verwundeter Tiger, dem man nicht

*) Leibwache des Zaren. (A. d. H.)

zu nahen wagt. Es sind schlimme Botschaften gekommen,
die man noch nicht das Herz gehabt, ihm mitzuteilen,
weil er schon einen solchen unglücklichen Boten vom Turm
hat herabstürzen lassen. Es warten also die unglück=
lichsten Nachrichten auf ihn, er muß sie wissen, und niemand
wagt's, ihn zu benachrichtigen. Man fleht den Patriarchen
um seine Vermittelung an.

Boris hat sich indessen wieder gesammelt und schämt
sich seiner Heftigkeit, er ist also viel sanfter, wenn er
wirklich kommt, als wie man ihn beschrieben hat, und läßt
sich das Schlimmste erzählen, ja er beschenkt den Erzähler
kaiserlich. Es ist schon etwas Unstetes in seinem Be=
tragen, er denkt schon früher als nötig auf Selbstmord.
Scene mit seinem Arzt, er versieht sich mit Gift; er prüft
die Spitze eines Dolchs.

Moskau wird in einer düstern Ungewißheit erhalten,
aber eben diese Ungewißheit vergrößert nur die Furcht und
das Gerücht von den Successen des Demetrius. Fürchterliche
Bewegungen unter dem Volke. Ein Manifest des Demetrius
hat dennoch den Weg nach Moskau gefunden und ist an einigen
Kirchen angeschlagen worden.

(Basmanow, der Verräter.)

Boris hat einen Aberglauben, aber so wie ein großer
Mann ihn auch haben kann. Er hat sich in seinem Herzen
eine gewisse Bedingung fest gesetzt; wenn diese eintreten
würde, so sei sie die Stimme des Geschicks. Diese Be=
dingung kann sein, wenn der Betrüger bis auf eine gewisse
Grenze vordringen würde, wenn ein gewisser Platz verloren
gehen würde. Er glaubt an Vorherverkündigungen, und in
seiner verwundeten Stimmung erscheinen ihm viele Dinge
als ominös, die er sonst verachtet hätte. Es kann ihm etwas
prophezeit worden sein.

Groß macht ihn sein Stolz, groß seine landesväterliche
Thätigkeit, groß sein hoher Verdruß über das Glück und
seine Verachtung der Menschen, groß macht ihn die persön=
liche Kraft, durch die er sich auf den Thron geschwungen,
und am größten zeigt ihn sein Tod. Liebenswürdig wird
er durch seine väterliche Zärtlichkeit gegen seine Tochter,
durch seine Mäßigung gegen die Feinde, die er in seiner
Gewalt hat, und am meisten durch sein Unglück. Einer
seiner Rynda kann ein hohes Dévouement zeigen.

Die Nachricht von Romanows geheimnisvoller Ankunft

vollendet seine Verzweiflung; dies Unglück ist ihm ärger als alles, weil er sich gegen die Romanows wirklich so viel vorzuwerfen hat.

> Urbem praeclaram statui, mea moenia vidi,
> et nunc magna mei sub terras ibit imago *).

Auch von Macbeths Situation am Ende hat diese Lage des Boris etwas Aehnliches. Es erfüllen sich ihm gewisse böse Zeichen.

Boris stirbt. Wenn Boris das, seiner Meinung nach, entscheidende Unglück vernommen, so geht er ab ohne weitere Erklärung. Er ist dabei gelassen und sanft wie ein resignierter Mensch. Wenn er wieder auftritt, so ist's in Mönchskleidern. Er entfernt seine Tochter von seinem letzten Augenblick und nimmt das Gift erst, wenn sie weg ist. Wenn er es genommen, so geht er ab, um in der Stille zu sterben. (Ist er ganz allein, wenn er das Gift nimmt, oder wen hat er bei sich?) Seine letzten Befehle geschehen in der Voraussetzung, daß alles verloren sei, und daß sein Geschlecht sich absolut nicht behaupten könne. Seine Tochter soll sich in einem Kloster vor Beleidigungen retten, sein Sohn Feodor wird noch als Kind angenommen. Vielleicht, meint Boris, finde die Jugend Feodors eine Gunst, die er, der Greis, nicht mehr gefunden.

Zwischen Boris' sterbendem Abgang und Romanows Ankunft muß etwas gesetzt werden, daß sich dieser Glückswechsel nicht so abrupt macht. Darf sich ein treuer Diener töten? Darf Axinia sich hereindrängen?

Der augenblickliche verlassene Zustand, wo kein Herrscher im Land ist, wo das Reich sein Haupt verloren, muß fühlbar gemacht werden. Zerbrechung des Siegels 2c. Die Bojaren bilden nun einen Reichsrat und befehlen im Kreml, aber bald erscheint Romanow **), und seine bewaffnete Macht verschafft ihm Herrscheransehen in Moskau.

---

*) Verg. Aen. IV, 655. 654.

**) Romanow ist eine reine, loyale, edle Gestalt, eine schöne Seele. Er folgt bloß dem Rechte, Rache und Ehrsucht sind fern von seiner Seele, er hat Mut und Festigkeit, wo es gilt; er hat zur Axinia eine zärtliche, wiewohl hoffnungslose Liebe.

Romanow nimmt sich der Sache des Boris an, wenn alle andern sie verlassen, obgleich er und sein ganzes Geschlecht von dem Zar verfolgt worden und dieser seiner Liebe zuwider. Wenn Boris tot ist, so zeigt sich Romanow und sammelt

Romanow und Axinia. Romanow kann einen Boten vorausschicken, dem Boris seine Unterwürfigkeit zu bezeigen. Wenn der Bote kommt, hat Boris schon das Gift ausgetrunken. Romanow folgt seinem Boten auf dem Fuß und findet den Zar sterbend.

Romanow schwört an der Leiche des Zars seinem Sohn Feodor, einem Kind, die Treue und macht auch die Bojaren dasselbe schwören. Dieser Auftritt ist rührend und tröstend, zugleich aber hat er etwas Hoffnungsloses, Fruchtloses, man ahnet, daß es nur ein ohnmächtiger Versuch sein werde, denn der übermächtige Gegner steht ja schon in Tula. Indes wird die Defektion von Moskau doch für einen Moment aufgehalten, und die Erwartung wird gespannt.

Romanows Liebe zu Axinia spricht sich aus unter diesen unglücklichen Umständen und bringt etwas Sanftrührendes hinein. Romanow ist die Stütze des jungen Zars, der Zars= tochter und der zarischen Residenz.

Aber was ist denn eigentlich zu thun, um den reißen= den Lauf des Siegers aufzuhalten?

1. Romanow verläßt Moskau, um zur Armee zu eilen; Axinien und den jungen Zar vertraut er der Treue der Bojaren. 2. Die Armee ist schon zum Demetrius über= gegangen, wenn er ankommt, oder sie trennt sich bei dieser Gelegenheit, und er kann nichts ausrichten. 3. In seiner Abwesenheit von Moskau wird das Volk in dieser Stadt durch die Emissäre des Demetrius revolutioniert. Es reißt die Bojaren aus ihren Häusern, bemächtigt sich des jungen Zars und der Axinia, welche ins Gefängnis geworfen werden. Ganz Moskau eilt, durch Abgeordnete den Sieger zu ver= söhnen. 4. Romanow, von der Armee und seinen eigenen Truppen verlassen, proskribiert und aufgespürt von Deme= trius' Partei, kommt als ein Flüchtling nach Moskau in der Absicht, die Axinia und den jungen Zar zu retten. 5. In= dessen ist der Einzug des Betrügers in Moskau geschehen, und Demetrius hat Axinia gesehen. Sie wird in den Kreml

noch die Trümmer seiner Partei, beschützt den Knaben Feodor und die Axinia, seine Tochter, und macht, daß ihm die Bojaren ꝛc. schwören. (Er könnte ihn auch ins Lager führen.) Damit dieser Versuch nicht lächerlich werde, indem das Glück des Demetrius so sehr im Wachsen, muß er durch das Motiv der Rechtlichkeit gehoben werden. Boris fürchtet das Ressentiment der Romanows und erwartet sich von ihnen nichts anders, als daß sie die Partei des Betrügers nehmen werden. Romanow ist aus seinem Exil oder Gefängnis entkommen und im Anzug gegen Moskau, aber anstatt sich zum Feind zu schlagen, wie er könnte, bleibt er der guten Sache getreu. (Aus einem älteren Entwurf.)

zu ihm gebracht, und er zeigt ihr Liebe, die sie verabscheut.
6. Romanows Versuche, Axinia zu sehen oder doch für sie
zu handeln. Er wird in eine Verschwörung gegen Deme=
trius gemischt. 7. Axinia fällt durch die Eifersucht der
Marina. 8. Romanow wird durch eine wunderbare himm=
lische Gewalt getröstet und von der blutigen Unternehmung
gegen Demetrius zurückgehalten. (Entweder erscheint ihm
der Geist der Axinia oder ein Seher, ein Eremit, ein hei=
liger Mann gießt Balsam in seine Wunde und eröffnet ihm
die Zukunft.) Diese Scene erhebt über das Stück hinaus
und beruhigt das Gemüt durch ein erhabenes Ahnen höherer
Dinge.

Demetrius in Tula. Das Interesse, welches Ro=
manow und Axinia erregten, darf dem hohen Anteil an
dem Demetrius nicht schaden, daher muß dieser, sobald er
wieder erscheint, durch ein schönes und edles Betragen sich
Gunst erwerben, der Eindruck der vorigen rührenden Scenen
muß ausgelöscht werden.

Demetrius ist gütig wie die Sonne, und wer ihm naht,
erfährt Beweise davon; keine Nachsucht, keine Raubsucht, kein
Uebermut. Und wie er den Untergang des Boris erfährt,
zeigt er eine edle Rührung. „Er starb eines Königs wert,
aber mir nimmt er den Ruhm der Großmut." Demetrius
verschmäht das knechtische Bezeigen der Russen und spricht
davon, daß er es abschaffen werde. In diesem schönen Zug
liegt der Keim eines unglücklichen Betragens. Die Personen,
die ihn umgeben, sind barsch und rauh und behandeln die
Russen mit Verachtung; er aber ist voll Huld und Gnade.

Von hier aus sendet er zu seiner Mutter und zur
Marina. Man bringt ihm die Schlüssel der Städte und andre
zarische Regalien, auch die zarische Kleidung. Moskau ist
allein noch nicht unterwürfig gesinnt, weil Romanow die
gutgesinnte Partei gestärkt hat und von der Armee aus die
Freunde des Boris sich hineingeworfen. Dieser Aufenthalt
ist notwendig: 1. um den Einzug zu retardieren, 2. um
diesen Einzug zu einer wichtigern Epoche zu machen.

In dieser Scene zu Tula steht er auf dem Gipfel des
Glücks und der Gunst, alles scheint die erfreulichste Wendung
zu nehmen. Er verspricht Rußland einen gütigen Beherrscher.
Diese Scenen haben etwas Weiches, Schmelzendes.

Demetrius erfährt seine Geburt. Jetzt im Vollbesitz seiner Herrschaft und im festen Glauben an seine Rechtmäßigkeit, wenn er seine Mutter erwartet, tritt ihm der bisher verborgene Urheber des ganzen Betrugs vor die Augen und enthüllt ihm seine Geburt.

Die ganze Zarwerdung des Demetrius gründet sich auf das Zeugnis eines Mannes, den man bis jetzt nie gesehen hat. Es ist eine Bekanntschaft aus seiner Kindheit und frühesten Jugend; seit er sich von ihm getrennt, sind 14 bis 15 Jahre verstrichen. Unter der Menge von Menschen, die sich in Tula zum Demetrius drängen, erscheint endlich auch dieser und wird vom Demetrius erkannt. Freude des letztern über dies glückliche Wiedersehen. Er schickt alle andren hinaus. Wie sie allein sind, gesteht Demetrius mit dankbarem Herzen, daß er ihm die gute Wendung seines Schicksals danke.

X erwidert, daß ihm Demetrius allerdings eine große Verbindlichkeit habe, und eine größere, als er selbst wisse.

Demetrius bringt in ihn, es ihm zu eröffnen, und verspricht eine königliche Dankbarkeit.

Ein königlich Geschenk, versetzt jener, sei wohl eine königliche Dankbarkeit wert.

Ja, er bekenne gern, seiner Sorgfalt allein danke er seine Wiederherstellung.

Nicht bloß dieses, er danke ihm auch seine Schöpfung. „Wie so?"

„Ich gab dir, was du nie hattest. Wohl verdien' ich etwas um dich. Ich gab dir, was du nie hoffen durftest, was die Geburt dir nicht gibt."

„Wie?"

„Alle Welt, du hältst dich selbst für den Sohn Iwans. Du bist im Begriff, dir die Krone des Zars aufzusetzen. Du bist nicht Iwans Sohn! Die Geburt gibt dir kein Recht an diese Krone. Iwans Sohn ist im Grabe, er wird dir seinen Namen nicht streitig — — —"

„Ich bin Iwans Sohn nicht? Wessen Sohn bin ich denn? Hast nicht du selbst mir — — —"

„Ich habe dich dazu erschaffen, du bist's durch mich, und du sollst es auch ferner bleiben. Höre, wie es kam, und wenn du findest, daß du mir etwas schuldig seist, so — —"

„Ich bin nicht Dmitri, Iwans Sohn?"

„Höre mich an!" (Nun erzählt er ihm die ganze Sache, und wie er mit ihm aus Uglitsch entflohen, den Undank des

Boris und seinen Einfall, sich an demselben zu rächen — seine Vorkehrungen dazu — bis auf die Flucht des Grischka, und was darauf erfolgt *). Er schließt damit, daß er nun seine wahre Geschichte wisse). „Ich hätte dir's verschweigen können — vielleicht verschweigen sollen, aber du mußtest wissen, was du mir zu danken hast, und — — —"

Während X erzählt, geht die ungeheure Veränderung im Demetrius vor, sein Stillschweigen ist furchtbar und von einem schreckhaften Ausdruck begleitet. Wenn Demetrius die ersten Bewegungen übermeistert hat, so gibt er der Klugheit Raum und forscht den X aus, um zu wissen, ob noch sonst jemand um dieses gefährliche Geheimnis wisse.

X beruhigt ihn darüber; alle andern Mitwisser seien tot.

Es darf der Mord, den er an X verübt, nichts zu Prämeditiertes haben. Die Handlung ist zwar ein momentanes Aperçu der Notwendigkeit, aber zugleich auch ein Werk der höchsten Wut und Verzweiflung und scheint durch eine Aeußerung des X augenblicklich veranlaßt zu werden. X fordert Dank und Lohn in dem Moment, wo Demetrius sich durch ihn ins höchste Unglück versetzt sieht; dies bringt Demetrius' Indignation aufs höchste.

X ist der Mörder des wahren Demetrius und erhält also hier seinen Lohn.

Wenn Demetrius seine wahre Geburt erfahren und sich überzeugt hat, daß er nicht der wahre Demetrius ist (es ist unmittelbar vor der Scene, wo er den Glauben an sich selbst nötiger hat, als jemals), so verstummt er erst und thut darauf einige kurze Fragen, hohl und kalt — dann scheint er schnell seine Partei zu ergreifen und, teils in der Wut teils mit Absicht und Besonnenheit, stößt er den Botschafter

---

*) Demetrius ist ein Sohn der Wärterin des wahren Demetrius und ein Spielkamerad des letzteren. Als dieser ermordet worden, muß sich der Mörder flüchten und verbergen und nimmt den jungen Dimitri mit sich. (Was hat er mit diesem zu thun, daß er ihn mitnimmt?) Er erfährt auf seiner Flucht, daß Boris Godunow ihm statt des gehofften Lohnes den Tod bestimmt habe, um mit ihm sein Verbrechen ins Grab zu verschließen; und nun treibt ihn Rachsucht und Verzweiflung, sich des Knaben gegen den Boris zu bedienen. Da er Verschiedenes, was dem Zarewitsch angehörte, und was diesen kenntlich machen kann, auf seiner Flucht mitgenommen, so sieht er darin eine Möglichkeit, jenen für diesen auszugeben. Auch unterstützt es sein Vorgeben, daß der Leichnam des Demetrius unkenntlich, daß die Mutter nicht im stande war, genaue Beobachtungen anzustellen ꝛc. Er kann also verbreiten, daß die Unrechte getötet, der wahre Zarewitsch aber gerettet worden. (Aus einem älteren Entwurfe.)

Der Mörder heißt in einigen Personenlisten Utrepela oder Otrepiew. (A. d. H.)

nieder, gerade wie dieser von der erwarteten Belohnung spricht — der Tod ist diese Belohnung. „Du haft mir das Herz meines Lebens durchbohrt, du haft mir den Glauben an mich selbst entrissen — Fahr hin Mut und Hoffnung. Fahrt hin, du frohe Zuversicht zu mir selbst, Freude, Vertrauen und Glaube! — In einer Lüge bin ich befangen, zerfallen bin ich mit mir selbst! Ich bin ein Feind der Menschen, ich und die Wahrheit sind geschieden auf ewig! — Was? Soll ich das Volk selbst aus seinem Irrtum reißen?*). Soll ich mich als Betrüger selbst entlarven?**) — Vorwärts muß ich. Fest stehen muß ich, und doch kann ich's nicht mehr durch eigene innere Ueberzeugung. Mord und Blut muß mich auf meinem Platz erhalten. — Wie soll ich der Zarin entgegentreten? Wie soll ich in Moskau einziehen unter den Zurufungen des Volkes mit dieser Lüge im Herzen?"

Wie man hineintritt, sieht man den Zar mit dem Dolch, und den Toten hingestreckt, und tritt mit Entsetzen zurück. Dieser Anblick unmittelbar vor seinem zarischen Einzug ist sehr finistrer Bedeutung. — Er ahnet alles, was man dabei denkt, und beantwortet es auch. Schon ist er der alte nicht mehr; ein tyrannischer Geist ist in ihn gefahren, aber er erscheint jetzt auch furchtbarer und mehr als Herrscher. Sein böses Gewissen zeigt sich gleich darin, daß er mehr exigiert, daß er despotischer handelt***). Der finstre Argwohn läßt sich schon auf ihn nieder, er zweifelt an den andern, weil er nicht mehr an sich selbst glaubt.

Urteile der Zurückbleibenden über diese plötzliche Veränderung. „Wie?" sagen sie, „hat der zarische Purpur so schnell sein Gemüt verwandelt? Ist es das neue Gewand, das diesen neuen Sinn in ihn brachte? Der Geist des Basilides scheint in ihn gefahren." — Gerade jetzt, da dieses vorging, ist Demetrius auf dem höchsten Gipfel des Glücks, es ist ihm alles nach Wunsch gegangen, kein Widerstand ist mehr, alles glaubt an ihn und ist für ihn begeistert. Einen desto auffallenderen Abstand macht sein gewaltthätiges Betragen, da man ihn mild und heiter erwarten muß.

Unmittelbar von da an geht er zu der Zusammenkunft

*) „Diese großen Völker glauben an mich. — Soll ich sie ins Unglück, in die Anarchie stürzen und ihnen den Glauben nehmen?"
**) Es ist ein Geheimnis, das er allein tragen muß.
***) Er gibt Befehle, das Volk zu behorchen.

mit der Zarin, seiner vorgeblichen Mutter, deren Annäherung man ihm meldet. Er gibt Befehle wegen der Art des Em: pfanges.

Marfa kommt mit Demetrius zusammen. Ein großes purpurnes Zelt ist aufgeschlagen, nach vorne geöffnet, nach der Tiefe verschlossen, aber so, daß es mit einem einzigen Zug kann in die Höhe gezogen werden. Marfa, jetzt wieder Maria, erwartet den Demetrius. Sol: tikow (oder irgend ein andrer) hat sie abgeholt, Olga ist mit ihr. Zarische Wachen, welche ein zurückhaltendes Schweigen beobachten, umgeben das Zelt, so daß ihr un: heimlich zu Mut ist, dieser kriegerischen Anstalten wegen.

Sie spricht von der bevorstehenden Zusammenkunft mit mehr Zweifel und Furcht als Hoffnung, ihr Glaube an die Person des Demetrius ist fast ganz verschwunden, sie zittert diesem Moment entgegen, der ihre höchste Glückseligkeit sein sollte. Olga redet ihr zu, selbst ohne Glauben. Auf der langen Reise hatten beide Zeit gehabt, die Kehrseite der Umstände zu betrachten, die erste Exaltation hatte dem Nach: denken Raum gemacht. Die sinistren Blicke und die bedenk: lichen Anstalten vermehren den Zweifel. Man erweist ihr die Ehre einer Zarin, aber ihr Muttergefühl findet keine Nahrung.

Indem sie sich bang erwartend auf die Extreme vor: bereitet, erschallen die Trompeten, welches ihr Herz durch: dringt. — Man hört den Zar immer näher kommen an den Trommeln, sie zittert unschlüssig, ob sie ihm entgegen, ob sie ohnmächtig hinsinken soll. Endlich erscheint Soltikow, öffnet eilends dem eintretenden Zar das Zelt. Demetrius steht vor seiner vorgeblichen Mutter, allein.

Dieser Moment gehört zu den größten tragischen Situa: tionen, und gehörig eingeleitet kann er die größte Wirkung nicht verfehlen.

Der kleine Rest der Hoffnung in Marfas Herzen schwindet ganz beim Anblick des Demetrius. Ein Unbe: kanntes tritt zwischen beide, die Natur spricht nicht, sie sind ewig geschieden. Der erste Moment war ein Versuch, sich zu nähern; Marfa ist die erste, die eine zurückgehende Be: wegung macht; wie Demetrius dies erblickt, so bleibt er suspensus stehen, ein momentanes, höchst bedeutendes

Schweigen erfolgt, welches Marfa mit dem Ausruf unter=
bricht: „Ach, er ist es nicht!"

Da Demetrius sich als Betrüger kennt, so würde er
zu viel verlieren, wenn er die Gefühle der Natur erheucheln
wollte. Wahrheit zwischen ihm und ihr kann ihn erheben;
er beträgt sich würdig, wenn er sich als Fürst und Staats=
mann beträgt, ohne sich als einen Gaukler zu zeigen.

„Sagt dir das Herz nichts? Erkennst du dein Blut
nicht in mir?"

Da sie fortfährt zu schweigen, sagt er:

„Die Stimme der Natur ist heilig und frei, ich will
sie weder zwingen noch erlügen. Hätte dein Herz bei meinem
Anblick gesprochen, so hätte das meinige geantwortet, du
würdest einen frommen, einen liebenden Sohn in mir ge=
funden haben. Das Notwendige wäre mit Neigung, mit
Liebe, mit vollem Herzen, mit Innigkeit geschehn. Doch
wenn du nicht als Mutter für mich fühlst, wenn du den
Sohn nicht in mir findest, so denk' als Fürstin, faß' dich als
Königin und schicke dich mit kluger Wahl in das Notwendige.
Das Schicksal gab mich dir unerwartet, ungehofft zum Sohn,
nimm du mich an aus seiner Hand, als ein Geschenk des
Himmels, denn ich bin's. Wär' ich dein Sohn auch nicht,
der ich jetzt scheine, so raub' ich deinem Sohne nichts; ich
raubt' es deinem Feind, nicht deinem Sohn, dir aber geb'
ich Großes.

„Ich habe dich gerächt an deinem Feind, dich und dein
Blut, ich habe aus dem Elend, aus der Gruft, in der du
lebendig begraben warst, dich gezogen und auf den Fürsten=
stuhl zurückgeführt, — mir bist du's schuldig, daß die alte
Größe dich umschimmert, und daß du auf dem Grabe deines
Feinds in Moskau einziehst. — Daß dein Geschick befestigt
ist an meins, begreifst du schnell; du stehst mit mir, und
mit mir gehst du unter. Ich brauche dir nicht mehreres zu
sagen. Du weißt, was du zu thun hast. Die Völker alle
sehn auf uns. — Ergreife klug, was du nicht lassen kannst!
Hier ist keine Wahl, das siehst du wohl ein. Ich bin nicht
so weit her bis nach Moskau gedrungen, um hier die Früchte
meiner Siege zu verlieren, und du wirst mich nicht zwingen
wollen, verzweifelnd um meine Existenz zu kämpfen. Also
schicke dich darein; ich trau' dir's zu, du werdest dich fassen
und deine Partei als eine Fürstin nehmen. Hier ist nicht
die Rede von den Gefühlen der Mutter, der Augenblick

bringt, thu', was er von dir fordert. Alles erwartet, die herzliche Begegnung der Mutter und des Sohns zu sehen. Täusche nicht die allgemeine Erwartung.

„Ich hasse die Gaukelei, ich mag nicht mit den heiligen Gefühlen der Natur spielen und Gaukelwerk treiben. Was ich nicht empfinde, mag ich nicht zeigen; ich fühle aber wirklich eine Ehrfurcht gegen dich, und dies Gefühl, das meine Knie vor dir beugt, es ist mein Ernst, es ist mein wahr Gefühl."

Marfa. Was soll ich thun? O Himmel, in welche neue, seltsame, verworrene Lage stürztest du mich!

Demetrius. Ergreife deine Partei, so ist deine Verlegenheit verschwunden. Laß deines Willens freie Handlung sein, was die Natur, das Blut dir versagt. Ich fordre keine Heuchelei, keine Lüge von dir, ich fordre wahre Gefühle. Scheine du nicht meine Mutter, sei es, umfasse mich als deinen Sohn, lege dein Herz an meins, wage dein Schicksal an meines. Wirf das Vergangene von dir, laß es fahren; ergreif' das Gegenwärtige mit ganzem Herzen. — Bin ich dein Sohn nicht, so bin ich dein Zar; ich habe die Macht, ich habe das Glück. Glaub' deinen Augen, was du deinem Herzen nicht glauben kannst. Ich will dich als Mutter behandeln. Du sollst einen ehrerbietigen Sohn in mir sehen. Was willst du mehr? Der, welcher im Grabe liegt, ist Staub; er hat kein Herz, dich zu lieben, er hat kein Auge, dir zu lächeln; er gibt dir nichts, ich aber gab dir alles. Wende dich zu dem Lebenden. Ich zerriß den traurigen Nonnenschleier, der dich von der Welt getrennt 2c.

Wie sie anfängt, in Thränen auszubrechen, findet er den Moment reif, sie der Welt zu zeigen. „O diese goldnen Tropfen sind mir willkommen. Laß sie fließen! Zeige dich so dem Volk!"

„Was verlangst du von mir?"

„Erkenne mich an vor dem Volk. Es steht draußen mit gespannter Erwartung. Folge mir zu ihm. Gib mir deinen Segen. Nenne mich deinen Sohn, und alles ist entschieden. Ich führe dich in den Kreml ein zu Moskau."

„Ich soll dich, der mir fremd ist, der — — —"

Am Schluß dieser Scene läßt er das Zelt fallen und zeigt der Versammlung seine Mutter.

Moskaus Abgesandte unterwerfen sich und werden finster empfangen, unter soldatischem Apparat, mit gezückten Säbeln. Sie laden ihn nach Moskau ein; der Patriarch ist darunter, er entsetzt ihn seiner Würde. Ein Wink von ihm entscheidet über Tod und Leben. Kosakenhetman.

Einzug in Moskau. Die Hauptscene des Stücks in Rücksicht auf stoffartiges Interesse. Prospekt der Stadt Moskau; man blickt, sowie verwandelt wird, in ein unermeßliches Gewühl von Häusern und Türmen in der Ferne hinaus; der halbe Prospektvorhang besteht aus dergleichen, und einige Kuppeln schimmern von Goldblech. Näher und in den Kulissenstücken unterscheidet man Zuschauer aus Fenstern und Dächern und Gerüsten. Eine Schiffbrücke über die Moskwa kann vorkommen, wodurch der Zug dupliert wird. Da die Zuschauer in dieser Scene eine Rolle mitspielen, so kann ihnen auch mehr Raum gegeben werden.

Damit diese Scene nicht dem Krönungszug in der Jungfrau von Orleans begegne, muß sie sowohl ganz anders eingeleitet, als auch ganz verschieden geführt und disponiert werden.

Eingeleitet wird sie schicklich durch eine Gewaltthätigkeit an der Familie des Boris, durch ausgeschickte Kundschafter des Demetrius, kurz durch Einmischung des Düstern und des Schrecklichen in die öffentliche Freude. Mißtrauen und Unglück umschweben das Ganze.

Anders disponiert wird sie durch das Anbringen einer Brücke, eines Triumphbogens, durch die größere Gegenwart der Zuschauer und die Bevölkerung der Dächer und Türme, durch den Aufzug selbst, wobei auch reichgeschmückte Pferde, der Zar selbst ist zu Pferd; auch muß der Zug durch ein Ereignis unterbrochen werden. Alles ist überhaupt mehr kriegerisch und gleicht mehr dem Einzug eines Eroberers. Auch daß die Polen und Kosaken, die eine ausländische feindliche Nation sind, den Zug anführen, ist charakteristisch.

Arinia, die sich zu den Füßen der Zarin Marfa vor der Brutalität der Polen rettet. Hier kommt Demetrius zum erstenmal mit ihr zusammen.

(Vierter Aufzug.)

Demetrius als Zar im Kreml. Zwischen den Einzug in Moskau und die Ankunft der Marina tritt die Neigung zur Axinia, das Verhältnis des falschen Demetrius zu seiner vorgeblichen Mutter, Zuskys Begebenheit und die anfangende Unzufriedenheit der Russen mit ihrem neuen Herrn.

Demetrius ist Zar und gefällt den Russen nicht.

Er kann die Polen und Kosaken nicht in Ordnung halten, die ihm durch ihre Freiheit in der Meinung des Volks schaden.

Er liebt die Axinia und möchte gern sein polnisches Engagement vergessen und brechen*).

Er vernachlässigt die alte Zarin.

Er setzt ein Mißtrauen in alle, weil er sich selbst im Herzen einen Betrüger findet. Daher ein ombrageuser höchst empfindlicher Stolz und launischer Despotismus.

Er hat keinen Freund, keine treue Seele.

Das furchtbare Element trägt ihn nun selbst, er beherrscht es nicht, er wird von der Gewalt fremder Leidenschaften geführt und ist jetzt gleichsam nur ein Mittel und eine Nebensache.

Mehrere Actus der höchsten Gewalt kommen vor, die sehr ins Despotische fallen. Herrscher und Sklaven. Zar und Bojaren. Diak. Rynda. Strelzi. Margeret**). Gebrauch von den zarischen Schätzen.

Mit ihm in Verhältnis kommen Odowalsky, Korela, Soltikow, Zusky, Hiob, Axinia, Marfa.

Indem er auf Untreue gegen Marina sinnt, erscheint diese selbst in Moskau. Mit Hiob kann er über diese Frage sich erklären. Hiob findet nichts leichter, er gibt ihm eine hohe Vorstellung von seiner zarischen Gewalt, von seiner

---

*) (Aeltere Notiz:) Axinia zeigt eine rührende Größe im Unglück und gewinnt dadurch sein Herz. — Aber sie haßt sie aufs heftigste als den Verderber ihrer Familie, und auch weil sie schon liebt. — Er hat ein doppeltes Interesse, sie zu gewinnen, weil er durch sie hofft, sich auf dem Thron zu befestigen — Undankbarkeit gegen die Polen ficht ihn wenig an. — Aber indem er diese Ueberlegungen anstellt, ist Marina schon unterwegs, und er verwünscht jetzt diese Verbindung ebenso sehr, als er sie anfangs suchte.

**) Hauptmann der Leibwache des Demetrius und Verfasser von Memoiren über jene Zeit, die Schiller kannte. (A. d. H.)

Machtvollkommenheit und seinem Willen. (Hiob will nur die Polen los sein und hofft dann, desto eh'r auch den Demetrius zu stürzen.)

Odowalsky ist aber attent auf alles, was vorgeht, und nimmt die Vorteile der Marina wahr. Er weiß zu machen, daß der Zar in der Gewalt der Polen bleibt, daß er diese nötig braucht, daß er sich nur durch sie erhält. Er entfernt, soviel möglich, alle Russen aus seiner Nähe; er beleidigt die Russen in des Zars Namen; er bekommt den Kreml in seine Hände. Die Insolenz der Polen ist so groß, daß man den Demetrius beinah' entschuldigt, wenn er sie zu betrügen sucht.

Soltikow macht sich bittere Vorwürfe, daß er sein Vaterland an den Demetrius verraten; er will aber nicht zum zweitenmal Verräter sein und ergreift ein anderes Expediens. Da das Unglück einmal geschehen, so sucht er es wenigstens zu vermindern, er sucht die Macht der Polen zu schwächen. Soltikow wird dadurch interessant, daß er aus Loyauté und aus Abscheu vor Verrat wider sein Gefühl die einmal ergriffene Partei behauptet, wobei er auch umkommt. Er nimmt seinen Tod als Strafe für seinen Fehler an und bekennt es sterbend dem Demetrius selbst.

Wenn Marina ankommt, so ist Demetrius mehr als je in der Abhängigkeit von den Polen. 1. Er kann sich auf die Russen ganz und gar nicht verlassen, vielmehr hat er alle Ursache, ihnen zu mißtrauen. 2. Er kann sich von den Polen nicht losmachen, die den Kreml, seine Person, die Waffen, die Schätze in ihrer Gewalt haben. 3. Großes Gefolg der Marina verstärkt die schon mächtige Partei der Polen. 4. Von der Axinia kann er freiwillig nichts erhalten, und mit der Marfa steht er schlecht. 5. Es wird ihm keine Zeit zur Ueberlegung gegeben.

———————

Man meldet die Ankunft der polnischen Braut. Er muß ihr entgegen gehen.

———————

Unzufriedenheit der Russen und Verschwörung. Zusky. Das Volk von Moskau, besonders die Kaufleute, unterreden sich über die Staatsveränderung. — Unzufriedenheit mit dem neuen Zar: 1. Die Stockrussen ärgern sich an dem liberaleren Betragen des Demetrius und an seinen ausländischen Sitten. Seine Popularität, Simplizität, Verschmähung des steifen Zeremoniells wird von dieser Partei getadelt. 2. Andre beschweren sich über verletzte Gebräuche. Instrumentalmusik und Jagdhunde in den Kirchen. — Nichtgebrauch der Bäder. — Unterlassung des Mittagsschlafs. — Polnische Kleidertracht. — Zurücksetzung der Russen bei Tafel. 3. Andre haben die Brutalität der Polen und Kosaken erfahren.

Es schleichen Zweifel umher an der Person des Demetrius, die sich aber auf lächerliche Dinge gründen. Zusky kommt zu den Mißvergnügten, er versteht sich darauf, die Stockrussen zu behandeln und setzt sie in Feuer.

Diese Scene wird unterbrochen durch die brutale Dazwischenkunft der Polen, die sich in Moskau als Herren aufführen. Es ist die Rede von der gewaffneten Ankunft der Marina. Man sieht, wie dem Zar die Herzen des Volks, ohne daß er daran schuld ist, entfremdet werden.

Romanow, unkenntlich und verkleidet, kommt nach Moskau, die Axinia suchend.

Demetrius mit der Marina. Falscher und kalter Empfang, den sie aber trefflich zu dissimulieren weiß. Sie besteht auf einer schnellen Vermählung. Wenn der Zar fort ist, gibt Marina die tödlichen Befehle und instruiert ihre Polen. Rauschende Anstalten zu dem Feste.

Axinia auf der Marina Geheiß getötet. Sie war nah' daran, Zarin zu werden und muß ins Grab wandern. Ihr schöner Tod. Sie fürchtete ein größeres Uebel, sie fürchtete zur Gemahlin des Betrügers gemacht zu werden. Mit Freuden nimmt sie den Giftbecher aus der Hand ihrer Feindin oder des von ihr Gesendeten.

Bringst du mir den Tod? O sei willkommen!
Ich fürchtete, es sei die Zarenkrone! *)

____

*) (Aeltere Notiz:) Axinia kommt wider Willen des sie liebenden Demetrius um durch die Eifersucht der Marina — dies ist eine rührende Zwischenscene Schmerz des Romanow, welcher in Wut übergeht und ihn zur Gegenrevolution treibt. Diese blutige Scene ist eine Episode des Hochzeitsfestes. Schmerz des Demetrius ist gleich heftig.

Demetrius mit zerrissenem Herzen muß der Marina zur Trauung folgen, die eine kalte Furie ist.

Insolenz der Polen gegen die Russen und gegen den Zar selbst.

Verschwörung der Bojaren.

Romanow im Gefängnis. Er hat die Erscheinung von der Axinia*) und wird zum Thron berufen. Er soll ruhig das Schicksal reifen lassen und sich nicht mit Blut beflecken.

(Fünfter Aufzug.)

Demetrius und Marina nach der Vermählung und Krönung. Marina schmeichelt ihm, sie gesteht ihm, daß sie ihn nicht für den Iwanowitz hält und nie dafür gehalten. Dann läßt sie ihn allein. Er bleibt allein und sucht sich zu betäuben.

Demetrius und Kasimir. Demetrius wird so weit von seinem ersten Anfang verschlagen, daß dieser am Ende der Handlung ferne hinter ihm liegt. Lodoiskas zarte Neigung fällt in jene Zeit, auch sein dunkler hoffnungsreicher Zustand im Haus des Woiwoden weckt eine rührende Sehnsucht und eine schmerzliche Vergleichung. — Er fragt den Kasimir, Lodoiskas Bruder, nach jenem Jüngling, d. i. nach sich selbst, als ob er eine fremde Person wäre; so unähnlich fühlt er sich selber, und so viel hat er indessen erlebt, daß jene Tage ihm nur noch im Dämmerschein zu liegen scheinen. — An diese süßen schmelzenden Erinnerungen knüpft sich hart und schneidend die furchtbare Gegenwart, die Gewalt ohne Liebe, die schwindlichte Höhe ohne Ruhe, kurz seine volle Zarsmacht an.

Ausbruch der Verschwörung. Man irrt sich an= fangs über die Ursache des Tumults. Flüchtige Polen, hereinstürzend, rufen: „Rettet euch!" Demetrius entspringt mit dem Degen. Verschworene stürzen herein, suchen ihn. Lodoiskas Bruder opfert sich für ihn allein auf, da alle übrigen nur auf ihre Rettung denken.

---

*) Vgl. oben S. 91, 8. (A. d. H.)

Marfa und Demetrius. Demetrius hat die Zarin vernachlässigt, und man kennt sie als einen nachtragenden, passionierten Charakter.

Durch den Untergang des Boris ist ihre Rachsucht befriedigt, sie hat eigentlich kein Motiv mehr, um den Demetrius zu halten; das einzige, was noch wirken könnte, wäre entweder ein hohes Interesse des Ehrgeizes, wenn sie durch Demetrius herrschen könnte, oder Dankbarkeit, wenn ihr dieser gut begegnet wäre. Er hat sie aber vernachlässigt (nicht beleidigt), und so ist er ihr gleichgültig; ja sie ist eh'r gekränkt, weil sie stolz ist, und das übrige wirkt nun ihr Stolz und hoher Sinn, der ihr nicht erlaubt, die Gefühle einer Mutter zu heucheln.

Es wird angenommen, daß sie sich diese Nacht im Kreml befindet. (Ist sie beim Vermählungsfest zugegen gewesen?) Die Scene versetzt sich in ihr Gemach, und sie ist im Gespräch mit einigen Kammerfrauen, wenn Demetrius hereintritt — der Lärm des Aufruhrs hat sich schon bis zu ihr verbreitet, und eben davon ist die Rede, wenn der Zar erscheint.

Durch was für Gründe kann er sie zu bewegen suchen, ihn anzuerkennen? Es müssen andere sein, als die im vorhergehenden Akt, bei ihrer ersten Zusammenkunft; besonders aber ist jetzt alles dringender, mächtiger, passionierter.

Er sucht sie in Furcht zu setzen, in Furcht vor seiner Verzweiflung und in Furcht vor den Russen, welche ihr den alten Betrug nicht verzeihen würden. Sie müsse ihre erste Erklärung behaupten, oder sie sei verloren. Er darf sich vor ihr demütigen, weil sie doch einmal den Charakter seiner Mutter trägt; aber auch in dieser Demut bleibt er furchtbar durch seine Verzweiflung. Er hat eben nur Zeit, seine Aufforderungsgründe auszusprechen, da stürzen schon die Feinde ins Zimmer. Marfa hat noch nicht Zeit gehabt, sich über ihren Entschluß zu erklären.

Demetrius dürfte in dieser Scene ganz offen mit der Sprache herausgehen und der Marfa erzählen, wie er selbst getäuscht worden. Dadurch erwirbt er Mitleiden und rekapituliert zugleich die Hauptmomente der Handlung. Auch wird sich diese Scene dadurch desto mehr von seiner ersten, die er mit ihr gehabt, unterscheiden.

Demetrius, die Rebellen. Demetrius bringt die
wütenden Rebellen durch seine Majestät und Kühnheit auf
einige Augenblicke wirklich zum Schweigen. Ja er ist auf
dem Punkt sie zu entwaffnen, indem er ihnen die Polen
preisgeben will. Wirklich ist es mehr ihr Haß gegen diese
als gegen ihn, was sie zum Aufruhr brachte.

Die Macht des Herrscheransehens, das Imposante, das
in der Ausübung der höchsten Gewalt liegt, kommt hier zum
Vorschein.

In den Vorwürfen der Rebellen prädominiert der Un=
wille gegen die Polen, und dies benutzt Demetrius mit
Besonnenheit, er affektiert, gemeine Sache mit seinen Russen
gegen jene zu machen.

Strelzi und Kaufleute machen den Rebellenhaufen. Einer
von denselben gibt schon nach und thut eine solche Frage
an Demetrius, welche eine Komposition erwarten läßt.

Marfa darf jedoch in dieser Scene nicht zu müßig stehen,
oder die Scene müßte sehr kurz dauern. Demetrius kann sich
auf sie berufen, er kann sie zur Bürgin seiner Versprechungen
machen.

Demetrius wird getötet. Wenn Demetrius schon
auf dem Punkt steht, die Rebellen herumzubringen, so bringt
Zuski herein, den eine wütendere Schar begleitet. Darunter
sind Popen.

Er fordert von der Zarin eine kategorische Erklärung
und läßt sie das Kreuz darauf küssen, daß Demetrius ihr
Sohn sei. Jetzt scheint sie sein Schicksal in ihrer Gewalt
zu haben, alle sehen auf sie. Aber eben dieses Zutrauen zu
ihrer Wahrhaftigkeit, dieses Pflichtmäßige, Religiöse macht es
ihr unmöglich, gegen ihr Gewissen zu sprechen. Beide Teile
reden ihr zu.

Demetrius sagt, sie soll sich nicht fürchten, ihn zu er=
kennen.

Zuski sagt, sie soll sich nicht fürchten, ihn zu verleugnen,
man wisse wohl, daß sie ihn nur aus Ueberredung oder Furcht
anerkannt habe.

Während ihres Schweigens, welches schon allein Zeugnis
genug ist, steigt die Erwartung aufs höchste. — Der Palast
füllt sich zugleich immer mehr an, Waffen sind auf das Herz
des Demetrius gerichtet.

Anstatt zu antworten, geht sie ab oder wendet sich bloß ab oder zieht ihre Hand zurück, welche Demetrius festhielt.

Einer der Anwesenden bemerkt sehr richtig, daß ihr Stillschweigen ihn schon hinlänglich verurteile. Wäre sie seine Mutter, glaubte sie's nur möglich, daß sie's wäre, sie würde ihm gewiß ihre eigene Brust zum Schilde vorhalten.

Wenn sie sich abgewendet, so ruft einer: „Ha, Betrüger, sie schweigt, sie verwirft dich — Stirb, Betrüger!"

Alle. Verräter, stirb!

Marina rettet sich. Schluß des Stücks. Auch das Schicksal der Polen und besonders der Marina muß entschieden werden.

Marina wird von den Russen verfolgt, aufgesucht und flüchtet sich auch zur Marfa, wo sie eben ankommt, wenn Demetrius ermordet ist. Hinter ihr die wütenden Feinde, stürzt sie sich in das Zimmer der Marfa, wo sie eine andre Schar wütender Feinde findet. Zwischen diesen zwei Feuern befindet sie sich in der augenscheinlichsten Gefahr, aber ihr Mut verläßt sie nicht. Sie steht keinen Augenblick an, dem Demetrius zu entsagen, und stellt sich, als wenn sie selbst aufs unglücklichste durch ihn getäuscht worden. Sie macht gleichsam gemeine Sache mit den Russen gegen ihn und sucht als ein unglückliches Opfer dieses Betrugs Mitleiden zu erregen. Sie erregt es zwar nicht, aber ein Lösegeld, das sie für ihr Leben verspricht, die Aufopferung ihrer Kostbarkeiten, die angedeutete Drohung polnischer Rache 2c. besänftigen die Rebellen, welche durch den Mord des Demetrius schon überhaupt mehr abgekühlt sind. Zusky meint, es sei mit einem Opfer genug, und befiehlt, das Blutbad zu endigen. Ihm ist jetzt darum zu thun, Rußlands Thron zu besteigen, welches er von ferne einleitet und die Aufrührer wegruft, um auf die neue Zarswahl zu denken. Die Insignien der Zargewalt, welche Demetrius besessen, bleiben in Zuskys Händen.

Wenn alles hinweg ist, so kann einer von der Menge zurückbleiben, welcher das zarische Siegel sich zu verschaffen gewußt hat oder zufällig dazu gelangt ist. Er erblickt in diesem Fund ein Mittel, die Person des Demetrius zu spielen, und gründet diese Hoffnung noch auf manche andre Umstände: 1. das Interesse der Polen, die bürgerlichen Unruhen in Rußland zu verlängern, 2. die Geſinnungen der Koſaken, 3. den Mangel eines geſetzmäßigen Prätendenten, 4. das Glück des erſten Demetrius, 5. die Geſinnung der Marina, 6. die Schwierigkeit, den Tod des erſten Betrügers in der Folge zu beweiſen.

Dieſer Monolog des zweiten Demetrius kann die Tragödie ſchließen, indem er in eine neue Reihe von Stürmen hineinblicken läßt und gleichſam das Alte von neuem beginnt. Der Menſch iſt ein Koſak von verwegenem Mut, der ſchon vorher vorgekommen und ſich zu einem lecken Abenteuer und zur Glücksritterſchaft geſchickt angekündigt hat.

Entwürfe zu dem urſprünglichen erſten Akt (Vorſpiel).

(Zu Sambor in Galizien.)

Perſonen:

Der Woiwode von Sendomir.
Der Palatinus von Lublin.
Griſchka.
Marina }
Euphroſine } Töchter des Woiwoden.
Sophia }
Lodoiska, des Kaſtellans Tochter.
Timofei }
Aſanaſſei } ausgewanderte Ruſſen.
Der Schloßvogt }
Der Koch }
Der Gärtner } des Woiwoden, polniſche Edelleute.
Stallknechte }

Erſter Plan der Handlung.

Der Palatinus ſetzt den Griſchka in trotzigem Ton zur Rede, daß er die Augen zu dem Fräulein, der Braut des Palatinus erhebe*), wirft ihm ſeine Niedrigkeit und Glücksritterſchaft vor und befiehlt ihm, ſich aus ſeinen Augen zu entfernen. Griſchka antwortet erſt mit edlem Selbſtbewußt

---

*) Wer iſt der Kühne, der es wagen darf
Zu meiner Braut die Augen zu erheben?

sein, endlich aber reizt die verächtliche Behandlung seinen Stolz. Palatinus will ihn für seine Kühnheit bestrafen, Grischka verteidigt sich, der wütende Pole rennt in das Schwert seines Gegners und fällt tödlich getroffen*).

Die Offizianten des Woiwoden sind auf den Lärmen herbeigeeilt, der Koch, der Gärtner, der Kastellan, die Stall- knechte umgeben den Mörder, den Gemordeten. Demetrius steht starr und sinnlos über sein Unglück. Die einen ver- dammen, andre beklagen ihn. Alle geben ihn verloren, so gern ihn einige auch retteten. Die Größe des Unglücks, einen polnischen Magnaten getötet zu haben, besonders für einen Ausländer. Der edelmännische Geist der Polen stellt sich in ihren Urteilen dar. Schmerzlicher Anteil der Lodoiska an dem Unglück des Jünglings, den sie heimlich liebt.

Der Woiwode kommt dazu, bereits von der That unter- richtet. Er läßt den Grischka in Verwahrung bringen und beklagt, daß er gezwungen ist, ihn zu verurteilen.

Grischka erwartet im Gefängnis sein Schicksal, er glaubt seine Rolle ausgespielt zu haben. Lodoiska ist bei ihm**).

Da tritt, statt des erwarteten Todesboten, herein der Woiwod, die Fräuleins u. s. w. Er wird entfesselt, man beträgt sich ganz anders gegen ihn, als ihm zu gebühren scheint. Besonders ist Marina gnädig und der Woiwod achtungsvoll. Nur Lodoiska ist verlegen, welches ihn allein hindert, etwas Freudiges zu erwarten. Nun kommt es zu Fragen, welche Grischka ganz schlicht beantwortet. Es wird ihm endlich eröffnet, daß der Inhalt des Kleinods, welches er der Lodoiska anvertraut, ihn als den Zarewitsch Demetrius zu erkennen gebe. Sein tiefes, langes Erstaunen, welches endlich einem großen Selbstgefühl Platz macht. Die Decke fällt von seinen Augen, er glaubt an sich selbst und über- zeugt dadurch auch den Woiwoden. Reminiszenzen aus seiner Knabenzeit. Der große Brand.

Pathetischer Uebergang von seinem vorigen Zustand in

---

*) Demetrius will sich von dem Palatin nicht schimpflich behandeln lassen, und zieht nur, um das Aeußerste zu verhüten. Der Palatin will ihn in Stücken hauen und kommt durch seine blinde Wut ums Leben. — "Ihr seht, Herr Palatin, ich verteidige mich nur. — Ich hab' euer Leben in meiner Gewalt." Dies macht ihn nur noch wütender. Wie er tödlich getroffen stürzt, kommen die Hausoffizianten, der Koch u. a. — "Was hab' ich gethan! O grausames Schicksal!" — "Unglück- licher! Was habt Ihr gethan? Ihr seid verloren! — Flieht! Flieht! Laßt ihn entfliehen!"

**) Er übergibt ihr das Kleinod und sendet sie mit einer Botschaft ab. Wenn sie weggegangen, hat er eine Scene mit dem Jesuiten, der ihn katholisch machen will.

den neuen. Seine Neigung zur Marina wird laut. Sie fordert ihn auf, sein Erbreich sich zu vindizieren, und da er keine Mittel dazu weiß, so bringt sie in ihren Vater und verspricht ihm kühnlich in dessen Namen allen Beistand.

Der Reichstag zu Krakau wird angekündigt.

Ein flüchtiger Russe oder mehrere, welche vom gegenwärtigen Zustand des russischen Reichs Kunde bringen *). Sie erwähnen einer Volkssage, nach welcher der Großfürst Demetrius noch lebe. Demetrius wird durch ihre Reden noch mehr im Glauben an sich selbst bestärkt. Russen erstaunen über ihn. Gehäufte Kennzeichen. Er wird den Russen als ihr Zar vorgestellt und empfängt die Huldigung von ihnen, weil sie die Gelegenheit zur Rache mit Begier ergreifen, auch von Interesse wirklich zu sehr geblendet sind, um lange zu zweifeln **).

Zudrang der subalternen Personen zu dem neuentdeckten Zar ***).

Lodoiska mit ihrer Liebe. Sie freut sich seiner Größe, ob sie gleich schmerzlich seinen Verlust fühlt. — Er verspricht, ihr Glück zu machen, doch für sie ist ohne ihn kein Glück mehr auf Erden.

Ein Jesuit könnte mit eingeführt werden †).

Demetrius verändert nach geschehener Erkennung seine Kleider und ist eine ganz andre Person geworden, wenn er wieder auftritt. Das Hausgesind des Woiwoden freut sich über ihn, Lodoiska allein ist traurig, die Schwestern der Marina sind neidisch; er selbst aber ist nie liebenswürdiger gewesen, obgleich er sich vollkommen in die Würde seines Standes findet. Die anwesenden Russen geben ihm durch ihre Unterwürfigkeit den Glanz eines Souveräns.

Das Stück muß sich sogleich mit einer lebhaften Handlung eröffnen, und der Held des Stücks muß der Gegenstand sein. Man muß gleich ins volle Interesse der Handlung geworfen werden.

*) Russen bitten um das Gastrecht und werden gleich eingelassen. Man läßt sie in Gegenwart des Demetrius vom Zustand des moskowitischen Reichs erzählen.
**) Erst nach dieser Scene wird an eine Unternehmung gegen Rußland gedacht.
***) Die Wahl der Landboten macht ein lebhaftes Intermezzo.
†) Die Katholiken, besonders die Jesuiten, müssen auch geschäftig sein, ja vielleicht kann die Hauptintrigue von ihnen ausgehen.

Es fragt sich, ob eine zweifache Glücksveränderung in dem ersten Akte statthaben darf, nämlich, ob Demetrius aus einem hoffnungsvollen Zustand, worin er zum erstenmal auftritt, in einen unglücklichen geraten und dann aus diesem zum Glück erhoben werden soll, oder ob es besser ist, daß er gleich anfangs im Unglück erscheine? Dieses letztere ist darum nicht günstig, weil es die Gelegenheit abschneidet, ihn gehörig zu introduzieren, besonders seinen kühnen, hohen Sinn, womit er sich über seine Lage erhebt, recht darzustellen. Alles wird gleich zu sehr ins Sentimentale gespielt, wenn er gleich anfangs als ein Gegenstand des Mitleids erscheint.

Grischka darf nicht zuerst auftreten, da er die Hauptperson ist.

Grischka muß schon interessieren, ehe er mit dem Palatinus in Streit gerät.

Marina muß schon eingeführt sein, ehe Grischka das Unglück hat, seinen Feind zu töten, sie und ihre Schwestern.

Vorzüglich ist darauf zu sehen, daß sich die Gunst der Marina für den jungen Dimitri und seine Neigung zu ihr glücklich exponiere, auch die Liebe der Lodoiska zu ihm.

Das eigene Woiwodenwesen zu Sambor, eine halbfürstliche halbadelige Haushaltung. Funktionen der Hausoffizianten. Jäger, Stalleute, Köche, Leibdiener, Almosenier, Schreiber, Kastellan, Gärtner, alle sind Edelleute.

Zweiter Plan.

(Garten des Woiwoden.) Marina, jüngste Tochter des Woiwoden, und ihre Schwestern eröffnen die Handlung. Sie ist die Braut des Palatinus, die Schwestern haben Männer.

Demetrius zu ihnen. Marina läßt sich mit ihm ins Gespräch ein, wo er sich geistreich, gefühlvoll und hochgesinnt zeigt und über seine äußere Lage erhaben. Er verrät eine Leidenschaft zu Marina, welche unsinnig erscheint, aber von ihr verziehen wird.

Wenn er weg ist, machen ihr die Schwestern darüber und wegen ihres Kaltsinns gegen den Palatinus Vorwürfe. — Sie spricht ihren Charakter aus und erscheint als eine selbständige Natur von tragischer Größe, indem die Schwestern als Alltäglichkeiten neben ihr vergehen.

Sie schilt die Blindheit des Glücks, wenn sie ihren Bräutigam mit dem Grischka vergleicht. „Was ist das für ein Glück, das ihr mir nennt?" sagt Marina zu ihren Schwestern. „Was wächst mir Neues und Erfreuliches zu, wenn ich vom Haus des Woiwoden, meines Vaters, in das Haus des Palatinus ziehe? Verändere ich mich im geringsten? Habe ich Ursache, mich auf den folgenden Tag zu freuen, wenn er mir mehr nicht als das Heute bringt?

O unschmackhaftes — — — — Leben!
Lohnt sich's der Müh', zu hoffen und zu streben?
Die Liebe oder Größe muß es sein!
Sonst alles andre ist mir gleich gemein."

Loboiska, angstvoll, meldet den Streit zwischen Demetrius und Palatinus.

*)Palatinus fällt tödlich verwundet. Grischka steht mit Entsetzen da und fühlt das ganze Unglück seiner Lage. Das Hofgesind des Woiwoden, der Koch, der Kastellan, der Gärtner, die Stallknechte, lauter polnische Edelleute, sind herbeigeeilt und urteilen über seine That. Obgleich alle dem Entleibten sein Schicksal gönnen, geben sie doch den Grischka verloren.

Der Woiwode kommt und befiehlt, ihn ins Gefängnis zu führen.

Marina, ihre Schwestern**). Loboiska.

———

Demetrius, im Begriff nach dem Gefängnis zu gehen, hat eine Scene mit der Loboiska und vertraut ihr sein Kleinod, indem er sich schon als einen Toten betrachtet.

———

Vornehme Flüchtlinge aus Moskau melden sich bei dem Woiwoden und werden gastfreundlich aufgenommen. (Kurze Introduktionsscene ohne den Woiwoden.) Was führt sie aus Rußland? Und wie kommen sie just in das Haus

---

*) (Verknüpfung der Scenen in einem älteren Entwurfe:) Indem sie sprechen, kommen beide, der Palatinus verfolgend, Grischka sich bloß verteidigend.
**) Marina ist gleichgültig über den Tod ihres Verlobten und spricht für den Mörder. Ihre Schwestern tadeln sie deshalb. Sie verbirgt nicht ihre Gunst für den Grischka. Der Woiwod beschließt, Gericht zu halten, und beordert dazu die Edeln als Beisitzer. (Aus einem früheren Entwurf der Scene.)

des Woiwoden?*). Wer sind sie und wie viel sind ihrer?**).
Wie haben sie Rußland verlassen?

Sie erzählen lauter Umstände, die eine Invasion be=
günstigen, und ihre Absicht ist auch, dem Boris einen Krieg
aus Polen zu erwecken. Sie müssen durch irgend etwas
Interesse erregen, daß die Notizen, welche sie geben, nicht
gleichgültig überhört werden***).

Sie werfen ganz arg= und zwecklos ein Wort hin, daß
man den Demetrius noch am Leben glaube, und
daß Boris seine Spuren suche. Boris sei sehr verhaßt, sei
grausam, argwöhnisch, ein Unterdrücker vieler edeln
Familien. Er wird als Thronräuber und Tyrann geschildert,
der Woiwod führt dagegen auch Gutes von ihm an.
Man erfährt in kurzen Worten, wie Boris zur Re=
gierung gelangt, auch etwas über Iwan Wasilowitsch,
den Schrecklichen, welcher mit Ruhm genannt wird.

Alle über Rußland nötige Notizen müssen an den ge=
hörigen Orten verteilt werden, so daß man jedesmal, wo
man es braucht, vollkommen unterrichtet ist, und daß keine
zu große Masse solcher historischer Notizen zusammen kommt.
Alles, was um des Ganzen willen notwendig wird, muß
auch um seiner selbst willen da sein und interessieren.

Das Verhältnis zwischen Polen und Rußland kommt
hier zuerst zur Sprache. Polen ist seiner Natur nach die
Zuflucht aller malkontenten Russen. Polen affektieren ein
Interesse an Rußlands Zustand.

Polen machinieren schon ohnedas einen Angriff auf
Rußland; dieses kommt auch mit vor auf dem Reichstag.

Marina bringt das Kleinod, welches ein Andreaskreuz
sein kann; der Sprecher der Russen bemerkt es. Es ist
kenntlich durch eine Bezeichnung, welche Basilides auf seine
Sachen pflegte setzen zu lassen. Die Russen sagen also aus,
daß dieses Kleinod aus dem Schatz des Basilides sei. Noch
kann man es also auch bloß für entwendet halten. Es ist

*) Ein andrer polnischer Großer sendet sie ihm zu.
**) Sie sind vornehmen Standes und waren dem Zar Iwan nahe genug, um
das Kleinod bei ihm oder bei den Seinen gesehen zu haben.
***) Die Russen jammern als Malkontente über ihr Vaterland, das sie lieben
und ungern verließen. Auch ist ihr einziges Streben, dahin zurückzukehren, was
sie unter Boris' Regierung nicht können und deswegen mit Freuden die Gelegenheit
ergreifen, ihn zu stürzen.

kostbar und königlich, es ist wirklich aus dem Schatz des Basilides, es muß einem aus seiner Familie gehört haben. „Ihr tretet zu einer unglücklichen Stunde in mein Schloß," sagt der Woiwode zu den Russen. „Eben sind wir im Begriff, einen Jüngling eurer Nation hinrichten zu lassen ꝛc." — „Wie? Entwendete er dies Kleinod?" — „Dafür wollte ich stehen, daß er es nicht entwendet. Einer Schlechtigkeit ist er nicht fähig, seine einzige Schuld ist sein böses Verhängnis." — „Wer ist es?" — „Wir kennen ihn nicht, und er kennt sich selbst nicht. Aber wenn er nicht von edler Geburt ist, so hat die Natur sich sehr vergriffen." — „Wie käme er aber zu diesem Kleinod?" — „Er habe es schon von Kindheit an besessen, und es sei ihm heilig empfohlen worden." — „Wie? Was? Herr Woiwod! Können wir den Unglücklichen nicht sehen, nicht sprechen?" — Es wird gefragt, wie lange der junge Mensch aus Rußland weg sei, und da man ein Jahr nennt, so steigt das Erstaunen der Russen. Gerade so alt ist die Sage von dem jungen Demetrius. — Man fragt nach seinem Alter. — Auch dies trifft zu. — Nach dem Kloster, aus dem er gekommen? — Bei Nennung desselben können die Russen nicht länger an sich halten. Sie bringen darauf, den gefangenen Demetrius zu sehen, von dessen hoher Abkunft man schon anfängt sich zu überzeugen.

Wie sie weggehen, bringt Lodoiska herein, höchst ungeduldig, zu erfahren, was das Kleinod bedeute. Sie hält das Fräulein auf. „Wo geht Ihr hin? Was ist zu hoffen?" — „Laß mich!" — „Ist Hoffnung? Redet! Ihr seid bewegt, und Eure Blicke strahlen. Ist Hoffnung für den Unglücklichen?" — „Nicht unglückselig mehr. Das Schicksal des Russen fängt an, sich außerordentlich zu wenden." — „Was? Wie?" — „Laß mich — ich muß dem Vater folgen!" —

Lodoiska (sinkt zur Erde, betend). O wär' es möglich! Heilige Mutter Gottes!

———

Demetrius befindet sich allein im Gefängnis und erwartet den Tod. Er ist zwar gefaßt, zu sterben, doch fühlt er einige Bitterkeit darin, daß das Glück ihm so schlecht Wort gehalten und seine großen Hoffnungen so ganz zunichte werden. In dieser kurzen Scene ist Platz zu einigen all-

gemeinen, aber großen Worten über Menschheit und Schick=
sal. Demetrius zeigt sich groß und stark fühlend. Es
ist ein Mensch darzustellen, der zu der außerordentlichsten
Rolle aufbehalten ist, wenn er schon glaubt zu enden. Das
Tiefste im Menschen wird in solchen Augenblicken sichtbar;
bei ihm ist der Ehrgeiz, das ungeheure Streben ins Mögliche
durch eine gewisse Götterstimme gerechtfertigt.

Fragt sich, ob er in dieser Scene allein oder mit seinem
Wächter zusammen ist.

Man hört kommen. Er ist nichts andres gewärtig, als
zu sterben, und steht in edler Stellung abgewendet, wenn man
hereinkommt. Es ist der Woiwode, dem die Russen folgen.
Marina, auch Lodoiska, doch beide in einiger Entfernung.

Wie Demetrius des Woiwoden Stimme hört, so kehrt
er sich zu ihm mit den wärmsten Demonstrationen seiner
Ehrfurcht und Liebe. — Er klagt sich und sein Schicksal an,
daß er seinem Wohlthäter also lohnen müssen 2c. Der
Woiwode schiebt alles das beiseite („Vergiß jetzt alles!")
und fragt nach ganz vergangenen Dingen. Wie er zu
dem Kleinod gekommen? — Er erinnere sich keiner
Zeit, wo er es nicht besessen. Es sei so alt als sein Be=
wußtsein. — Ob man ihm nie etwas darüber gesagt? —
Man habe ihn ermahnt, es heilig zu bewahren, weil es
sein Schicksal entscheiden werde. — Ob man ihm denn
nie einen Wink über seine Herkunft gegeben?

Er wisse nichts, aber er besitze einen Psalter von dem
Archijerei, in welchen dieser griechische Worte geschrieben.
Vielleicht enthalten diese etwas Näheres.

Er möchte den Psalter hergeben. Man verstehe
diese Sprache.

Es sei jetzt alles eins, da er doch sterben müsse.

Das Buch wird gebracht und dem Woiwoden gegeben,
der es nicht lesen kann; einer von den Russen liest es, in=
dem alle mit gespannter Neugier an seinem Mund, seinen
Blicken hangen. — Der Russe, wie er gelesen, wirft sich vor
ihm nieder. Demetrius erstaunt über diese Handlung. Er
hört sich als Zarewitsch begrüßt, die andern rufen es nach,
Marina hat einen triumphierenden Blick, Lodoiskas Be=
wegung ist unaussprechlich.

(Die Entdeckung muß retardiert, aber durch die Retar=
dation zugleich bringender, gespannter und nachdrucksvoller
gemacht werden.)

Schillers Dram. Entwürfe u. Fragmente. 8

(Die natürlichen Zeichen werden früher bemerkt, ehe das entscheidende Wort ausgesprochen wird. Jenes Zeugnis was im Buche steht, ist in jedem Betracht das entscheidende und letzte.)

Natürliche Zeichen sind: 1. die eine Hand kürzer als die andre, — — —

Grischka wird bei dieser Untersuchung mit einem gewissen Respekt behandelt, der ihm bei seinen Umständen als kränkender Spott erscheint. Nur der Blick der Lodoiska, von der er keine Verspottung erwarten kann, gibt ihm einigen Mut. Er klirrt im entscheidenden Augenblick mit seinen Fesseln.

Der Psalter, auf den er sich bezieht, wo findet er sich?

Er betrachtet die russischen Ankömmlinge mit Interesse und Erstaunen. In seiner Lage rührt ihn notwendig der Anblick seiner Landsleute.

Wie benimmt er sich gegen Marina vor dem Ereignis? Sie ist's, die ihm Mut einspricht, ihn zu antworten drängt, ihm gern die Antworten in den Mund legen möchte.

Seine Antworten sind schlicht und unbefangen, er kennt sich nicht, aber alle seine Antworten sind neue Bestätigungsgründe für den Glauben der andern.

Womöglich muß alles, was zu seiner Erkennung gehört, ausgesprochen sein, ehe das entscheidende Wort gesagt wird; denn dieses ist so entscheidend, daß es den Zustand und die Situation auf einmal totaliter verändert und ungeduldig vorwärts treibt. Auch die Feuersbrunst, auf welche sich Demetrius nach seiner Erkennung lebhaft besinnt, muß schon früher erwähnt worden sein. Nach seiner Erkennung wird nicht nur nicht mehr gezweifelt, sondern alles, was kommt, bekräftigt vielmehr die Sache.

Die Gradation der Beweise ist: 1. Das Kleinod. 2. Die Lebensumstände des Demetrius, welche bei Gelegenheit dieses Kleinods den Russen erzählt werden, wie z. B. daß er aus dem und dem Kloster entsprungen, die Zeit seines Aufenthaltes, sein Alter. 3. Sein Anblick im allgemeinen, der der Idee zusagt. 4. Der eine Arm kürzer als der andre, nebst noch andern beliebigen natürlichen Zeichen. 5. Einige Antworten, die er gibt. 6. Die Aussage in dem Psalter, welche es bestimmt ausspricht, daß er der Prinz Demetrius sei.

Es darf nach geschehener Erkennung bei den gegenwärtigen Personen kein Zweifel übrig bleiben, ja womöglich muß auch der Zuschauer in diesem Augenblick vollkommen an den Demetrius glauben. Besonders aber muß er selbst an sich glauben, und dies muß eine solche Wirkung thun, daß selbst der Unglaube des Zuschauers nicht dagegen aufkommen kann, oder derselbe doch wissentlich fortgerissen wird.

Sowie das Wort gesagt ist, so erinnert sich Demetrius auch, daß man ihn im Kloster einsmals so geheißen, daß er es für Spott aufgenommen und gar nicht darauf geachtet habe. Er erinnert sich aus frühester Kindheit, daß er im Wohlstand gelebt, daß er bei einer großen Feuersbrunst geflohen sei, daß er mit seinem Führer sich äußerst verbergen müssen. Und wie ihm nun seine Geburt bewußt ist, so weiß er sich gleich darein zu finden. (Man sieht die schnelle Wirkung des Fürstseins auf einen Charakter.) Er nimmt die Huldigung der russischen Flüchtlinge mit Würde an, er umarmt den Woiwoden als seinesgleichen, gegen die Marina bezeugt er sich mit anständiger Freiheit und verbirgt seine Neigung nicht mehr.

Die Handlung darf ja nicht stille stehen noch zurückschreiten, wenn die Erkennung geschehen. Es muß sogleich gehandelt werden und damit vorwärts gehen. Was ist nun das Nächste, das geschieht? Das Nächste ist die Liebeserklärung des Demetrius gegen Marina, deren er sich nun auf einmal würdig und mehr als gleich fühlt. Sie erwidert seine leidenschaftliche Erklärung mit aufmunternden Worten, aber zugleich verrät sie ihren Ehrgeiz, indem sie ihn an die Behauptung seiner Geburtsrechte erinnert. Das Wesentliche, woran er in diesem Augenblick selbst nicht gedacht hat, beschäftigt sie sogleich und ist ihr erster Gedanke. Er müsse sein Erbreich erobern. Dazu ermuntern ihn die Russen. Er fühlt sich machtlos. Russen zeigen ihm die Mittel in Rußland, Marina gibt Hoffnung zu polnischer Hilfe und zunächst von ihrem Vater.

Demetrius erinnert den Woiwoden, daß er noch sein Gefangner sei; dieser antwortet ihm, daß er hier Herr und Fürst sei. Die Fesseln werden ihm abgenommen. Er bittet zuerst um Waffen. Der Woiwode gibt ihm seinen Degen. Unterdessen hat sich das Gerücht dieser außerordentlichen Begebenheit im ganzen Schlosse verbreitet, und die Hausgenossen wollen den neu entdeckten Zarewitsch sehen. Demetrius erfüllt ihr Verlangen und geht hinaus zu ihnen. In der

Zwischenzeit bearbeitet Marina nebst den Russen ihren Vater,
daß er alles an den Demetrius wage. — Jetzt zum erstenmal
ist die Rede von dem polnischen Reichstag, auf welchem diese
Sache könne zur Sprache gebracht werden.

————

Intermezzo. Eine Trinkstube. Die Edelleute des
Woiwoden erwählen einen Landboten auf den bevorstehenden
Reichstag. Eigenschaften der Kandidaten: eine starke Stimme
und Unverschämtheit empfehlen besonders ihren Mann.
Auch Bestechungen fallen vor. Nun kommt die Nachricht
von dem neu aufgefundenen Zar. Fröhliche Aussicht auf
Krieg mit Rußland, den alle gern sehn. Nationalfeindschaft
und Motive, die sich darauf beziehen. Man trinkt sich
Moskowiter zu. Krieg ein weiter Spielraum für Abenteurer
und Glücksritter. Einer darunter versetzt seine Bauern und
sein Landgut für Pferd und Rüstung. Die Polen freuen
sich, den Russen einen Zar zu geben. Was sie sich alles für
tolle Hoffnungen machen auf die Generosität des Demetrius,
wieviel Geld und Gut sie aus Moskau schleppen wollen.
Sie verkaufen die Haut des Bären, eh' sie ihn haben. Es
wird gleich hier über die Maßen gelogen und hinzugesetzt,
um die Person des Demetrius außer Zweifel zu setzen.
   Marina hat ihre Hand mit bei dieser Versammlung und
besticht die Edelleute.
   Diese Scene verkettet sich dadurch mit der vorhergehenden, daß die letztere mit Erwähnung des Reichstages geschlossen
und sie selbst damit anfängt.
   In der kurzen Zwischenzeit, welche verstreicht, ehe der
Edelmann mit der Nachricht von Demetrius' Erkennung in
die Trinkstube kommt, kann vielerlei als geschehen supponiert
werden. Demetrius kann schon Schritte gethan haben. Schon
spricht der Edelmann von einer Verbindung des Zarewitsch mit
seinem Fräulein u. dgl., so daß man völlig au fait ist, wenn
nachher Demetrius mit dem Woiwoden den Vertrag wirklich
abschließt.

————

   Vertrag mit dem Woiwoden. Verspruch mit
der Marina. Demetrius ist jetzt schon fürstlich gekleidet
und hat seinen ganzen vorigen Zustand hinter sich geworfen.
Der Antrag auf dem Reichstag ist beschlossen, die Fürsten

sind reisefertig, dahin abzugehen. Noch vorher wird auf einer Landkarte das Reich verteilt und vermessen. Die Karte ist kolossal; es werden Flüsse, Städte, Distrikte genannt. Demetrius schwört auf das Kruzifix. Woiwod gibt seine und seiner Tochter Hand zusammen. Demetrius nennt sie jetzt schon seine Zarin. (Sollte diese Scene nicht schicklicher nach dem Reichstag folgen?)

Demetrius zeigt bei dieser Gelegenheit schöne Kenntnisse und noch mehr eine königliche Gesinnung. Er will dem Reich nichts vergeben und zeigt sich darüber so zäh, als wenn er schon im Besitz davon wäre. Doch ist zu verhüten, daß diese Austeilung eines Reichs, welches erst erobert werden soll, nicht ins Lächerliche falle. Dieses verhütet der ernste Charakter des Helden, der von Leichtsinn und Dünkel gleich frei ist.

Marina zeigt sich in dieser und in der vorigen Scene als eine hellsehende politische Intrigantin und entwickelt dabei ihre grenzenlose Herrschbegierde. Sie führt sich wirklich schon als eine Zarin auf und läßt es gleich ihre Schwestern fühlen. Sie ist der Liebling ihres Vaters, den sie gänzlich beherrscht; auch über den Reichstag herrscht sie und weiß die ganze Unternehmung zu beseelen. Sie verschlingt in Gedanken schon das unermeßliche Rußland. Dem Demetrius gibt sie einen Kundschafter an die Seite, wenn er abgeht. (Oder sie kann noch einmal auf dem Reichstag erscheinen und sich dort von dem Demetrius beurlauben, wenn er zur Armee aufbricht. NB. Was durch Marina geschehen kann, muß nicht durch andre geschehen; der möglichst größte Anteil an der Unternehmung muß ihr gegeben werden, und das Politische gewinnt an Interesse durch die weibliche Hand.) Ihr Charakter wird gleich so gestellt, daß man sie nach etwas Hohem streben sieht, über ihre nächsten Erwartungen hinweg; daher wird die Peripetie des Demetrius mit Heftigkeit von ihr ergriffen, es ist gerade ein Gegenstand, wie sie ihn braucht; jetzt ist sie in ihrem Elemente. Sie nimmt die ganze Sache so auf, daß man sieht, es sei ihr nicht darum zu thun, daß Demetrius der wahre Zarewitsch sei, wenn er nur dafür gelten kann. Sie ist also früher befriedigt, als billig ist.

Alle dem Demetrius mitgegebenen Polen sind ihre Kreaturen, man sieht dies noch kurz vor dem Aufbruch, wo sie eine Scene mit ihnen hat. Wenn sie die Polen, die sie

dem Demetrius mitgibt, haranguiert hat, so reißt sie ihren
Schleier mitten durch und verteilt ihn unter sie, zum Gedächtnis und Erinnerer. Nachher treten ihre Schwestern
hinzu und finden sie in der stolzesten Aufwallung und Agitation.

———

Abschied von der Lodoiska. Es ist die Situation
der Nausikaa. Lodoiska war die Veranlassung zur Erkennung
des Demetrius, aber indem er das höchste Glück findet, ist
er für sie verloren. Sie findet sich von selbst darein, ihn
zu verlieren, aber ihre Zärtlichkeit bleibt sich gleich. Es ist
eine uneigennützige, schöne Neigung, die mit dem selbstsüchtigen
Sinn der Marina einen rührenden Kontrast macht. Zugleich
gibt es ein Gegenstück zu der Axinia; diese haßt den Demetrius, von dem sie geliebt wird. Lodoiska liebt den Demetrius ohne Gegenliebe.

Diese kleine Episode soll sich an die nachherige Glücks-
und Sinnesänderung des Demetrius rührend knüpfen und
durch ihren idyllischen, unschuldigen Charakter zu seiner furchtbaren Zars- und Tyrannenrolle einen Abstich machen. —
Symbolisch deutet es an, wie er durch seinen Austritt aus
dem Hause des Woiwoden sich von dem Glück der Unschuld
scheidet. Lodoiska folgt ihm mit ihrem Herzen in die Welt.
Sie zeigt ihm in der Unterredung zwar durch die That,
aber nicht durch Worte ihre Liebe. Es ist der reinste, zar-
teste Anteil, frei von jeder Regung der Selbstsucht, aber
desto rührender durch das, was sie verschweigt. Sie macht
gar keinen Anspruch, nicht einmal diesen, daß er ihrer ge-
denken solle; daß sie ihm ihren Bruder mitgibt, ist nicht
darum, daß er sie ihm ins Gedächtnis bringe, sondern daß
sie eine treue Seele um ihn wisse. Rührend ist der Auftrag, den sie ihrem Bruder gibt, den Zar nie zu verlassen,
ihm Leben und Blut zu widmen. — Demetrius will sie
umarmen, sie erlaubt es nicht und entwindet sich ihm sanft.
Man hört indes die Hörner ertönen; er geht ab, und nun
wenn er fort ist, beherrscht sie sich nicht länger und zeigt
ihre ganze Liebe, ihren ganzen Schmerz, und verschwört, nie
mehr zu lieben.

Lodoiska erinnert den Zar oder sich selbst, wenn er fort
ist, an manche schöne Augenblicke seines vorigen Standes —
Reiz der Unschuld und einfacher Freuden.

Lodoiska ist seit der Erkennung des Demetrius in einem

leidenschaftlichen Zustand gesehen worden, sie ist gekommen und verschwunden, aber man hat sie nie ganz aus dem Sinne verloren; und so wächst das Bedürfnis einer letzten Erklärung, die aber bis zum Abschied zurückgehalten wird.

Charakter des Demetrius.

Der russische Jüngling unter dem Hofgesind des Woiwoden ist der Gegenstand, womit sich das Stück ganz zuerst beschäftigt. Er ist kühn und keck, hochgesinnt, trotzig und bescheiden. Man erblickt in ihm eine unbändige, wilde, unabhängige Natur, weit über den Stand, worin man ihn findet.

Dieser Jüngling soll im Lauf der Handlung russischer Zar und des furchtbaren Basilides Sohn sein. Mithin muß sich gleich ein solches Bild von ihm eindrücken, als mit seiner künftigen Rolle übereinstimmt.

Als Ausländer, als der Bürger einer feindlichen Nation und Religion, als Abenteurer, Exmönch und Flüchtling, der sans aveu ist, steckt er unter den Polen, einigen ist er verhaßt, weil er ihnen im Weg ist, andre, besonders die Weiber, begünstigen ihn, der Woiwod ist ihm geneigt, seine Tochter Marina unterscheidet ihn, Lodoiska, des Kastellans Tochter, liebt ihn. Er beträgt sich mit einer gewissen Grandezza gegen die Mitbedienten, mit edelm Dévouement gegen seinen Wohlthäter, mit Verehrung und Anmut gegen seine Tochter. Sein Alter ist 21 Jahr.

Man erfährt nicht, wie er ins Haus des Woiwoden gekommen, als bloß von fern, daß er aus einem Kloster St. Basilius nach Litauen geflohen und von da an den Woiwoden geschickt worden.

Der Held des Stücks erscheint zuerst in der Niedrigkeit, aber mit einer Größe des Sinnes und des Muts.

Er ist nichts, eh' er das Höchste wird, dies muß anschaulich werden.

Auch das Zwitterartige seiner Person, daß er ein Mönch erzogen und doch von ritterlicher Natur ist, daß er selbst an den Gelehrten von der einen Seite, von der andern an den Avanturier anstreift, kurz das Barocke, Rätselhafte, Wunderbare seines Wesens muß fühlbar gemacht werden.

Charakter der Marina.

Marina ist die Bewegerin der ganzen Unternehmung, die den ersten Impuls hineinbringt und die auch die Kata= strophe herbeiführt.

1. Sie veranlaßt mittelbar die Erkennung des De= metrius durch die Auszeichnung, die sie ihm widerfahren läßt. 2. Sie treibt ihn zum Handeln und verschafft ihm auch die Mittel dazu durch ihren Vater, auf dem Reichstag. 3. Sie ist der erste Gegenstand seiner Wünsche und 4. sie führt den Untergang über ihn herbei.

Ihr Charakter muß dieser Bestimmung entsprechend sein, sie muß fürs erste sich sehr bedeutend ankündigen, weil sie wenig Spielraum hat, zu handeln, und zwei ganze Aufzüge nicht erscheint. Sie muß Geist und Charakter haben und die Seele der Unternehmung am Anfang sein. Sie darf aber kein Herz und keine Liebe haben. Alles bringt sie dem Ehrgeiz und der Herrschsucht zum Opfer und erschrickt vor keiner kühnen That. Demetrius selbst ist ihr nur ein Mittel, sie hat nicht nötig, an ihn zu glauben, um ihr Schicksal mit dem seinigen zu verbinden, auch wird sie durch seinen Fall nicht mit zu Grund gerichtet, sondern trennt mit geschickter Behendigkeit ihr Geschick von dem seinigen.

Es ist also der Sache gemäß, daß Marina anfangs ein großes Interesse einflöße, indem sie sich einer großen Sinnes= weise, starker Passionen und einer kühnen Handlungsart fähig zeigt. Sie hat Größe genug zu einem tragischen Charakter. Sie konzipiert die kühnen Ideen, sie weiß die Mittel zur Ausführung zu finden, sie erschrickt vor keinem Hindernis und durchblickt die ganze Reihe der Beförderungsmittel. Sie gibt dem Zweifelnden Entschlossenheit, stärkt den Demetrius, bestimmt ihren Vater, reißt alles zum Handeln fort und zeigt sich, mit einem Wort, zu einer großen Rolle geboren.

Das ist die schöne Seite ihres Charakters, wodurch sie anfangs höchst interessant, ja liebenswürdig ist. Aber als eine stolze, ehrgeizige und einzig mit ihren Zwecken beschäf= tigte Person hat sie keine Liebe, keine Schonung, keine Herz= lichkeit, ja kein Eingeweide. — Ihre Passionen sind herrisch und gewaltthätig, und was damit kollidiert, tritt sie nieder.

Demetrius ist ihr nur ein Mittel, sie glaubt nicht an seine Neigung und denkt nur darauf, ihn von sich abhängig zu machen. Gegen Axinia ist sie eine grausame Nebenbuhlerin, gegen die Russen eine stolze Polin, kurz, diese Stärke des Charakters, welche im ersten Akt den Demetrius emporhob, trug und poussierte, kehrt sich im letzten Akt gegen ihn selbst, und er hat sich nur eine Tyrannin gegeben.

Marina ist die Sorge ihres Vaters wegen ihrer freien Denkart und leidenschaftlichem, rastlosem Wesen. Sie hat schon einen Roman gehabt, und man hat ihr durch den Sinn fahren müssen. Ihre Schwestern sehen auf sie herab und glauben, ihr den Rang abgelaufen zu haben. Eben darum möchte sie sich gern über die Schwestern erheben und Zarin werden und ergreift deswegen mit heftiger Leidenschaft die dargebotne Gelegenheit. Der Kreis, in dem sie lebt, ist ihr zu eng, zu klein, sie strebt heraus aus der leeren Alltäglichkeit ihres Lebens. — Immer muß sie ein Interesse haben, sich beschäftigen, sie ist wie ein Adler, der sich in einem engen Gitter gefangen sieht. In dieser unruhigen Stimmung beschäftigt sie die Leidenschaft des Grischka, sie findet in ihm ein Wesen, dem sie gebieten kann, seine Huldigungen schmeicheln ihr, weil er Geist hat, weil er gefällt und unter allen Weibern sie unterscheidet, unter allen Männern sie faßt und versteht.

Marina hat viel Gewalt über ihren Vater, die Gewalt, welche starke Seelen über schwache besitzen.

Mit starken, bestimmten Zügen muß sich sogleich der Charakter der Marina zeichnen, ohne daß es einer großen Anstalt bedarf, denn dieses würde sie zu bedeutend ankündigen und eine falsche Erwartung erregen. Grischka muß, in Absicht auf das erregte Interesse, gleich anfangs die Hauptperson sein, aber nächst ihm muß Marina und dann Lodoiska interessieren. Marina durch tragische Größe des Charakters, Lodoiska durch eine schöne liebende Natur, Demetrius durch sein Schicksal, seine hohe Gesinnung, seine Liebenswürdigkeit und seinen ritterlichen Mut.

Im allgemeinen.

Weil die Handlung groß und reichhaltig ist und eine Welt von Begebenheiten in sich begreift, so muß mit einem kühnen Machtschritt auf den höchsten und bedeutungsvollsten Momenten hingeschritten werden. Jede Bewegung muß die

Handlung um ein Merkliches weiter bringen. Man bringt von dem innern Polen durch die Grenzgouvernements bis in den Kreml zu Moskau; das Ziel, dem man sich zubewegt, steht hell vor den Augen. Was dahinten gelassen wird, bleibt dahinten liegen, der gegenwärtige Moment verdrängt den vergangenen, und so geschieht es, daß der Held des Stücks am Ende mit Schwindeln auf die ungeheure Bahn zurückblickt, die er durchlaufen hat. Jeder Moment aber, wo die Handlung verweilt, ist ein bestimmtes, ausgeführtes Gemälde, hat seine eigene vollständige Exposition und ist ein für sich vollendetes Ganze, wie z. B. der polnische Reichstag, das Nonnenkloster, Katastrophe des Boris, Lager, Dorf u. s. w. — Der am höchsten hervorragende Punkt oder der Gipfel der Handlung ist der Einzug des falschen Demetrius als wirklicher Zar zu Moskau, mit dem Bewußtsein, daß er ein Betrüger. Auf diese Partie fällt das höchste Licht der Darstellung. Bis dahin ist alles Streben und Hoffnung; von da an beginnt die Furcht und das Unglück.

Interessante Partien sind:

1. Glücks- und Sinneswechsel des Demetrius als die Haupthandlung.
2. Marfa, die ehemalige Zarin, jetzt Nonne und geglaubte Mutter.
3. Boris, der untergehende Usurpator.
4. Marina, die strebende Ehrgeizige.
5. Axinia und Romanow, die Liebenden und Reinen.
6. Lodoiska, das liebende Mädchen.
7. Polnischer Reichstag.
8. Kosakenwesen.
9. Moskau und russisches Wesen.
10. Die Zukunft und der neue Königsstamm.

Gegen das Stück läßt sich anführen:	Für das Stück spricht:
1. Daß es eine Staatsaktion ist.	1. Die Größe des Vorwurfs und des Ziels.
2. Daß es abenteuerlich und unglaublich ist.	2. Das Interesse der Hauptperson.
3. Daß es fremd und ausländisch ist.	3. Viele glänzende dramatische Situationen.
4. Die Menge und Zerstreuung der Personen schadet dem Interesse.	4. Beziehung auf Rußland.

Gegen das Stück läßt sich anführen:	Für das Stück spricht:
5. Die Größe und der Umfang, daß es kaum zu übersehen.	5. Der neue Boden, auf dem es spielt.
6. Die Schwierigkeit, es zu exekutieren auf den Theatern.	6. Daß das meiste daran schon erfunden ist.
7. Die Unregelmäßigkeit in Absicht auf Zeit und Ort.	7. Daß es ganz Handlung ist.
8. Die Größe der Arbeit.	8. Daß es viel für die Augen hat.

Gegen Warbeck:	Für Warbeck:
1. Betrug, als Basis, repugniert.	1. Interesse der Hauptperson. Debütrolle.
2. Margareta hat keine Gunst und bedeutet doch viel.	2. Glücklicher Ausgang.
3. Stoff hat Unwahrscheinliches und schwer zu Motivierendes.	3. Einfache Handlung und mäßig Personen.
4. Lücken im Plan.	4. Dramatische Situationen.
5. Kein rechter Schluß.	5. Fertiger Plan und Scenen.
6. Keine rechte Handlung.	6. Popularität des Stoffes.

Fragmente des ursprünglichen ersten Aktes.

1.

Grischka (vor dem Toten).

Was hab' ich gethan! — Entsetzliches Schicksal!

(Es kommen mehrere vom Hausgesinde, der Koch, der Gärtner, die Stallknechte.)

Gärtner (draußen).

Hierher! Hierher! Da hört' ich Degen klirren! Bringt sie auseinander!

Stallknechte (hereinstürzend).

Ruft den Herrn, den gnäd'gen Herrn, daß er uns helfe, sie auseinander zu bringen!

Andre.

Ha! Was ist das?

Koch.

Der Palatinus tot in seinem Blut!

Gärtner.

Dmitri mit bloßem Schwert! Unglücklicher! Ihr habt ihn getötet!

Andre (eilen herein).

Was gibt's? Was ist geschehen?

Alle.

Der Palatinus tot! ermordet! Unglücklicher, Ihr seid verloren!

Koch.

Den Eidam unsers Herrn? Einen Starosten des Königreichs! Ihr seid ein verlorner Mensch!

Grischka.

Ist's meine Schuld? Er war der Angreifer, nicht ich; ich verteidigte mich, und er rannt' in meinen Degen! Gerechtigkeit und Gesetz ist auf meiner Seite.

Koch.

Genug. Ihr zogt gegen ihn, Ihr, ein Ausländer, ein — — — gegen einen Polen, einen Starosten! Für Euch ist kein Gesetz, Ihr seid ein Fremdling! Euch ist nicht zu helfen! Ihr müßt sterben! Der — — der einen polnischen Edeln ermordet, muß sterben. Ihr seid kein Edelmann wie wir! Ihr gehört nur zum Volk!

Gärtner.

Unglücklicher Mensch! Was habt Ihr gethan!

Koch.

Warum seid Ihr nicht geflohen und warft Euer Schwert nicht weg? Wir hätten Euch entweichen lassen! Jetzt ist's zu spät. Da kommt der gnäd'ge Herr! Es ist zu spät.

Woiwode. Marina. Lodoiska.

Woiwode.

Was?

— — — — — — — — — — — — — —

Woiwode.

Welche blutige That! Unglücklicher, was hast du gethan?

Lodoiska.

— — — — — — — — — — — — — —

Marina.

Der Unglückselige!

Koch.

Wir hörten heft'gen Streit und Degen klirren,
wir eilten her, sie zu trennen, doch schon war's geschehn.
Wir fanden den Palatinus tot in seinem Blut und jenen
mit dem blut'gen Degen vor ihm stehen!

Lodoiska (zu Marina).

O Fräulein! Rettet ihn! Ihr vermögt's! Ihr könnt alles!

Marina.

Vermag ich's?

———————

2.

Afanassei.

Ja, edler Herr, wir kommen, Euch um das Gastrecht
anzuflehen. Der Woiwode von Kiew hat uns an Euch ge-
wiesen, als an den, welcher sein Haus gern den Verfolgten
öffnet. Wir sprechen Eure fürstliche Gastfreundlichkeit an,
denn wir sind Flüchtlinge, die kein Vaterland mehr haben.

Woiwode.

Seid willkommen, edle Knäsen! Mein Haus steht euch
offen. Wir führen mit Moskau auf eine edle Art Krieg.
Im Felde wollen wir hart zusammen stoßen, aber zu Hause
uns freundlich begegnen.

Afanassei.

Wir haben das Vaterland und alles, was russisch ist,
hinter uns gelassen und sind nichts weiter als Kinder der
Fortuna. Die Welt ist unsre große Mutter, denn das Land
ist uns verschlossen, das uns das Leben gab.

Woiwode.

Ich beklage Euch, aber der wackre Mann findet überall
eine Heimat. Aber was vertrieb euch aus eurer Heimat?

Afanassei.

Jeder Rechtschaffene muß flüchtig werden, wo ein finstrer
Tyrann waltet.

Woiwode.

Ihr fliehet die Verfolgung eures Zars?

Afanaffei.

Kaum sind wir seiner Blutbegier entronnen.

Woiwode.

So grausam waltet dieser Zar?   Man rühmt
In allen Landen seine Fürstentugend.

Afanaffei.

Er schont das Volk und stürzt die edeln Häuser.

Woiwode.

Und treibt zu solchem Frevel ihn die Furcht?

Afanaffei.

Mit Mord muß herrschen, wer den Thron geraubt.

Woiwode.

Das zarische Geschlecht war ausgegangen, er raubte
niemandem das Seine.

Afanaffei.

Er hatte dafür gesorgt, daß der Thron unbeerbt war.
Sein Werk ist's, daß — — — — — —

Woiwode.

Wie?   Großfürst Feodor hatte keinen Sohn!

Afanaffei.

Aber er hatte einen Bruder!

Woiwode.

Den jungen Prinzen meint Ihr, der zu Uglitsch früh
In einer Feuersbrunst umgekommen.

Afanaffei.

Und diese Feuersbrunst erregte Boris.

Woiwode.

So sprach der Haß, weil ihm der Zufall nützte.

Afanaffei.

Die ganze Welt ist davon überzeugt.

Woiwode.

Doch wählten alle Stimmen ihn zum Zar.

Afanaffei.

Weil er dem Volk die Stimmen abgestohlen.

Woiwode.

— — — — — — — — — — — — —

Afanaffei.

Eben dieser Prinz Demetrius, den er zu Uglitsch dem Tode
— — — — — — — — — — — —

Woiwode.

Nun, vor diesem kann er sicher sein, und wenn es sein
Verbrechen war, so bedeckt es nun das Grab.

Afanaffei.

Das Grab bedeckt es nicht! Es hat sich aufgethan.

Woiwode.

Wie?

Afanaffei.

Ein Gerücht durchläuft das ganze moskowitische Land,
daß dieser Prinz dem Feuer entgangen sei, daß er lebe, — —

Woiwode.

Was sagt Ihr? Wer wird an solch ein Märchen
glauben!

Afanaffei.

Das Volk fängt an, daran zu glauben, und das Zittern
des Tyrannen bestätigt diesen Glauben.

Woiwode.

Nun wahrlich, wenn er zittert, so ist es vor dem Glauben
des Volks und nicht vor de — — — —

Afanaffei.

Wie ihm auch sei! Er läßt im ganzen Reich die strengsten
Nachforschungen thun.

Woiwode.

So muß sein hoher Geist sehr gefallen sein, daß er,
der so männlich und mutig sich
Den Weg gebrochen bis zum Thron hinauf,

Jetzt einem leeren Schattenbild erbebet! —
Das Urteil, seh' ich, irrt sich in die Ferne:
Dieser Zar Boris wird geachtet und gefürchtet von seinen
Nachbarn; wir Polen hielten nicht für ratsam, ihn anzu-
greifen, und dennoch wankt
Im Innern seine Macht, es wankt ihm selbst
Das Herz in seiner Brust. Dem Schein ist nicht zu traun,
Die Außenseite täuscht, die Meinung lügt. —
Doch seid willkommen, edler Knäs!
Was ich besitze, biet' ich Euch an.
— Was bringst du?

Marina (mit dem Kleinod in der Hand).

Betrachtet diese Kostbarkeit, mein Vater!

Woiwode.

Mein Kind, wie kam der Schatz in deine Hand?

Marina.

Grischka hat es bei sich geführt und der Lodoiska zum
Vermächtnis gegeben.

Woiwode.

Grischka! Wie kam er zu dieser Kostbarkeit? Sehet,
Herr, ist es nicht ein fürstliches Kleinod?

Afanassei.

Ha! Was ist das? Lebt er bei Euch, dem dieses zugehört?
Wer ist dieser Mensch?

Woiwode.

Ihr betretet
Mein Schloß zu einer unglücksel'gen Stunde!
Ein edler Jüngling eurer Nation,
Den ich als Flüchtling pflegt' und lieb gewann,
Soll sterben wegen Blutschuld.

Afanassei.

Er war's, der dieses Kostbare entwendet?

Woiwode.

Nein, keiner Niedrigkeit möcht' ich ihn zeihen,
Sein ganz Verbrechen ist sein böses Schicksal!

Afanassei.

Wer ist der Jüngling? Sprecht! Wes Stamms und Namens?

Woiwode.

Er ist namenlos zu uns gekommen.

Marina.

Doch wahrlich, ist er edel nicht geboren,
So war's ein großer Mißgriff der Natur,
Die ihm das große Herz — — — —

Afanassei.

Wie kam er zu dem königlichen Kleinod?
Zum Schatz gehört es unsers großen Zars
Iwan, mit seinem Namen ist's bezeichnet.

Lodoiska.

Er trag' es bei sich schon seit — — —
Es sei als heilig Pfand ihm anempfohlen.

Afanassei.

Seit wann ist es, daß er sein Land verließ?

Marina.

Ein Jahr ist's nun, daß er bei uns erschien!

Afanassei.

So lang ist's, daß die Sage sich verbreitet
— O sprecht, in welchem Alter kann er sein?

Marina.

Nicht — — —

Afanassei.

O kann ich b — — — —
— Wo kam er her?

Woiwode.

Aus einem Kloster sagt man ihn entsprungen.

Afanassei.

Aus einem Kloster — Und dies Kloster nennt sich?

Woiwode.

Entsprang er —

Afanassei.

Dieses Kloster?

Marina.

— — — — — — — — — — — — —

Afanaffei.

Allmächt'ge Vorficht! Wär' es möglich?

Woiwode.

Worüber ftaunt Ihr?

Afanaffei.

Herr, wollt Ihr erlauben,
Daß ich den Jüngling fehe, ihn befrage?

Marina.

Kommt! Kommt!

Woiwode.

Was fetzt Euch alfo in Erftaunen?

Afanaffei.

Bald werdet Ihr es teilen! Führt mich hin!

3.

Demetrius (im Gefängnis).

So hältft du meiner Hoffnung Wort, o Schickfal!
Mit vollen Segeln lief ich in das Meer
Des Lebens, unermeßlich lag's vor mir,
Es dehnte allgewaltig fich die Bruft,
Als wollte fie ein Ewiges umfaffen —
Und alfo fchmählich muß ich untergehn,
Ohne daß ich mein Dafein an etwas Großes gefetzt hatte.
Das hatten die Geftirne nicht gemeint,
Die aus der Heimat dunkel mächtig dich geführt,
Daß du im Ausland elend follteft enden!
Was hilft die Klage? Gib dich in dein Schickfal!
Du tapfres Herz, gib nicht der Feigheit Raum!
Ich bin der erfte nicht noch einzige unter den Sonnen,
Der aufgehört hat, eh' er noch begonnen.
Verfchließ' in deinem Bufen fchweigend deine großen Träume,
Die großen Strebungen deiner Seele,
Zu groß für dein gemeines Gefchick!
Geh fchweigend unter und trage zu den Toten
Dein unentdecktes, unbegriffnes Herz!
Bezwinge männlich den gerechten Schmerz!
Es ift nicht mehr Zeit dazu im Leben!

Wächter.

Bereitet Euch! Man kommt!

Grischka (sich zusammenraffend).

Es ist geschehn!
Schließt euch, ihr Lippen, stolzes Herz, verbirg,
Verschließe schweigend deine kühnen Träume,
Zu kühn für dein gemeines — — — Geschick
Geh schweigend unter!

Woiwode. Afanassei. Timofei. Marina.

Woiwode (zum Schließer).

Entfesselt ihn!

(Er wird entfesselt.)

Grischka.

O Herr, nicht Euer Auge
Richtet mich, nur — — — —

Afanassei.

Welche edle Gestalt! Welcher kühne Blick!

Woiwode.

Grischka, vergeßt Euer Unglück jetzt auf einen Augen=
blick und antwortet auf meine Fragen!

Grischka.

Keine Vorwürfe, Herr! Ich bin gefaßt, zu sterben,
Doch Eures Zornes Worte trag' ich nicht.

Woiwode.

Dies Demantkreuz, wie kam's in Eure Hand?

Grischka.

Was fragt Ihr das? Ein Leben, das gleich geendigt
sein wird, ist keines Aufschlusses mehr wert.

Woiwode.

Ich beschwör' Euch, redet!

Grischka.

Ich weiß mich keiner Zeit zu erinnern, wo ich es nicht
besaß. Es ist so alt, als mein Bewußtsein.

Wotwode.

Wie? Man hat Euch auch nie einen Aufschluß darüber
gegeben?

Grischka.

Man lehrte mich, es heilig zu bewahren,
Es zu verbergen bis zum Augenblick
Der Not, weil mein Geschick daran hänge.

Afanassej.

Hat man Euch nie einen Wink gegeben?

Grischka.

Aber hier ist ein heiliges Buch, ein Psalter, den der
Archimandrit mir gab und heilig zu verwahren — — — Es
sind griechische Worte hineingeschrieben, die vielleicht einen
Aufschluß enthalten. Ich verstehe die Sprache nicht.

Afanassej.

O geschwind, gebt her das Buch! Ich verstehe sie vielleicht.

Grischka.

Hier ist das Buch.

Afanassej.

Es ist Griechisch!

(Liest für sich.)

————

4.

Demetrius
(allein, heftig auf und ab gehend, mit den Zeichen freudigen Erstaunens).

Wie aus der Erde niederm Duft erhoben
Fühlt sich das Herz auf einmal mir bewegt.
Wie anders bilden meine Wünsche sich! —
In diesen Mauern nicht mehr such' ich Rast,
Hinaus ins Weite will der Sinn gebieten:
Bist du derselbe, der du ehmals warst?
Der des Gebieters Stimme kaum vernahm,
Der nur zu Knechten, selbst ein Knecht noch, sprach?
Und jetzt schon fühl' ich die Gewalt der Krone
Mit ihren Wünschen, Hoffnungen den Scheitel
Umflechten; ist's der Wille doch allein,

Der freie, der nur eine Macht erkennt,
Die höher noch als er, in Wolken thronend,
Zerschmettern oder neu erschaffen kann,
Die alles in dem Menschen bildend wirkt.
 Ihr alle, die den Flüchtling einst gepflegt,
Ihm Schutz verliehn und ihm das Joch erleichtert
Des harten Dienstes, euch gehöret Dank.

(Hält die Karte des russischen Reichs aufgerollt vor sich.)

Wenn nun, statt in den engen Kreis gebannet,
Wo Zwietracht, niedrige Begierden walten,
Auf zwei Weltteilen meine Füße ruhn,
Europa, Asien mir unterthänig,
Was wird alsdann des Herzens Neigung wollen?
Werd' ich auch Glück zu jenen Völkern senden?
Gewaltig nicht, mit übermüt'ger Kraft
Den Zepter schwingen, den mir Gott gegeben?

(Sinnt lange nach. Lodoiska tritt ein, mit Zeichen des Staunens und Gefühls.)

Jetzt erst erkenn' ich, was die Götter sind.
Im niedren Leben, wo ein gleiches Band
Die Hilfeleistenden vereinet, wo ein gleiches Schicksal
Auch gleiche Leiden, gleiche Freuden bringt,
Wie anders schienen die Gestalten mir!
Bewahre Menschlichkeit in mir und Liebe
Zum Menschen, hohe Macht, die mich gelenkt!

Lodoiska.

Demetrius!

Demetrius.

 Wer ruft? Bist du's, die aus
Dem Traume mich erweckt? Soll ich von dir
Des Tages künft'ge Arbeit noch vernehmen?
Ja, da wir einst, Gefährten gleicher Müh',
Mit heiterm Mut uns selbst der Knechtschaft Fesseln
Erleichterten, in deiner sanften Seele,
— — — wo ich gern Ergebung fand
In unabänderliches Schicksal, leg' ich
Jetzt meine kühnsten Hoffnungen auch nieder.
Ich werde Herrscher sein, dem Volk gebieten,
Das staunend nach dem Mächtigen sich wendet.
Doch meiner eignen Kraft will ich verdanken
Aufs neu', was die Geburt mir einst gegeben.

Lodoiska.

Du denkst nur, was du sein wirst,
Nicht was du bist, mir warst — in jeden Zeiten!
Du gehst, um eine Krone zu erkämpfen?

Demetrius.

Erkämpfen will ich sie, und dann —

Lodoiska (mit steigender Bewegung).

                    Und dann? —

Demetrius.

Mit Ruhm und Sieg besitzen, was mir ward.

Lodoiska.

Wird nicht dies Herz noch andre Wünsche hegen?

Demetrius.

Nein keinen andern, glaube mir. Das Süßeste,
Wonach ich streben mochte, ist erreicht.

Lodoiska.

Und wirst du nichts nach einem Herzen fragen?

Demetrius.

Schon fühl' ich, da des Ruhmes Glanz mich lockt,
Von keinen Wünschen sonst mich festgehalten.
Macht braucht kein Herz; der Wille nur allein
Spricht in den Handlungen das Leben aus.

Lodoiska.

O möchten stets dir andre Wünsche schweigen!
Doch glaub', dem alles schön gelingt in seinem Leben,
Für den hat bald der Weltkreis nicht mehr Raum.
Besitze nur, und bald wirst du entbehren.

Demetrius.

Entbehren? wenn in meiner Seele Tiefen
Kein Wunsch entstehet, den die Macht verbietet?
Die Krone ist Geliebte, Freund und Bruder.
Wo nur der Wille frei, da ist dem Herzen
Kein Glück versagt, denn selbst das Herz lernt schweigen.
Im freudigen Gewühl des Lebens, wenn
Die Kraft mit Kraft sich bändigt, ist nur Glück.

Lodoiska.

So suche dieses Glück und wende
Von mir den Blick, der ehmals mich ergriffen —
(Hält iune mit Schamhaftigkeit.)

Demetrius.

Ergriffen? wie? war ich dir teuer einst?
(Tritt mit steigender Bewegung näher.)
Doch Kampf gebietet das Geschick mir nun,
Mit Waffen und mit widerspenstigen
Gemütern soll ich fortan den Kampf bestehn
Um meine Freiheit; Freiheit soll ich erwerben,
Doch nicht andern geben, sonst ist's der Herrscher nicht,
Es ist die Meinung, die gebietet, und
Ich will Gebieter sein im strengsten Sinn.
Nicht dieser Glanz des Himmels in den Augen
Soll fortan selbst der Sonne Bild verdunkeln,
Die ich in ungemeßnen Räumen suchen will.
Leb' wohl, du schönes Mädchen, lebe wohl!
Wenn einst du Fordrungen machst an das Geschick,
So denke, daß dein treuer Freund ich sei. —
(Bleibt lang' in tiefen Gedanken verloren, und erst bei den letzten Worten von
Lodoiskas Rede scheint er zu sich zu kommen.)

Lodoiska

(steht ihn staunend an, und in einiger Entfernung von ihm beginnt sie für sich zu
sprechen).
Was soll ich sagen? Soll ich ihm entdecken,
Was dieses Herzens stille Wünsche sprechen?
Ein Mädchen frei bekennen, daß sie liebt?
    Wenn in des Lebens vorgeschriebnem Kreise
Sich langsam, ruhig jeder Tag bewegt,
Und jegliches für sich die Pflichten übt,
Die das Geschick zur Lösung ihm gegeben,
Da darf auch aus der eng beschriebnen Bahn
Das Herz die stillen Wünsche nicht erheben,
Und Mädchen, Jüngling, die die Sitte trennte,
Der Sitte folgend, das Gefühl auch bänd'gen:
Doch wenn das Unerwartete geschieht,
Wenn plötzlich aus dem Kreis des kleinen Lebens
Ein einz'ger tritt, und allen er gebietet —
Soll nicht im hohen Schwung, der ihn ergriffen,
Das Herz der Freundin freier auch sich heben?

Bekennen ihm im Glück, warum im Unglück
Es schweigend zärtlich nur die Sorgen teilte? —
(Sie tritt näher zu ihm.)
Du träumest immer noch, geliebter Freund,
Erblickest die kaiserliche Krone, den Lorbeer,
Der, mit Blut gezeichnet, sie umflicht.
Du häufest Ruhm auf Ruhm in deinem Sinn;
Doch nicht, durch Blut bezeichnet, lacht des Lebens Weg. —
Das treue Herz allein kann Glück noch fordern,
Der Kämpf' und Siege Lohn ist Reue nur.

Demetrius.

Nein, glaube mir, erst muß in tausend Kämpfen
Das Glück in mir den stolzen Liebling zeigen,
Eh' ich die Wünsche meines Herzens sage.

Lodoiska.

Doch eine Bitte, Herr, gewähre mir!
Sie sei mir Trost in meinen bangen Sorgen,
Die nun für dich, mit jedem Tag erwachend,
Mir schmerzlicher sich in die Seele prägen.
Ein Bruder blieb mir, dem ich treu verbunden;
Auch ihn treibt euer stolzer Männersinn
Hinaus ins rege Leben — laß ihn dir
Empfohlen sein, laß ihn dir nahe bleiben!
So wähn' ich selbst mich weniger von dir entfernt —
Und nur im Wahn noch soll ich künftig leben!
Dem eignen Glücke fern, doch treu soll meine Brust
Vergangne Freuden nur allein bewahren.

Demetrius.

Es sei! Ich werde thun, was ich vermag;
Des Bruders Glück sei auch ein Zeichen
Der holden Schwester, der ich gern gedenke,
Daß dankbar ich der frühen Zeit, der zarten Sorge,
Die mir die dunkeln Tage schön verklärt. —
Leb' wohl! — — —
(Er will heftig auf sie losgehen, faßt sich und tritt kalt zurück.)

Lodoiska.

Leb' wohl! Leb' wohl! O, diese Trauertöne,
Sie werden stets im wunden Herzen widerhallen!
Wie wird mir? Meiner Augen Licht erbleicht!
(Sie sinkt ermattet auf den Sessel, der Vorhang fällt.)

Warbeck.

Scenar.

Erster Aufzug.

1.

Lord Hereford, ein alter Anhänger des Hauses York, hat mit seinen fünf Söhnen England verlassen und langt eben am Hof der Herzogin Margareta zu Brüssel an, um dem Herzog Richard von York, der dort aufgestanden, seine Dienste zu widmen. Lord Stanley, Botschafter Heinrichs VII. bei der Herzogin von Burgund, sucht umsonst ihm die Augen über den Betrug, der mit der Person dieses York gespielt wird, zu öffnen. Beide geraten in Hitze, und der Streit der zwei Rosen erneuert sich im Vorzimmer der Margareta.

2.

Belmont, Rat der Herzogin, ein Geistlicher, bringt die Streitenden auseinander und rühmt die Gerechtigkeit, Pietät und Friedensliebe seiner Gebieterin, die sich gern als eine Vermittlerin und Schiedsrichterin zeigen möcht. Fremde Botschafter erfüllen den Vorsaal, welche alle gekommen sind, dem vorgeblichen York Unterstützung an Schiffen und Mannschaften anzubieten*). Der englische Resident entrüstet sich über diese Bosheit oder Verblendung.

3.

Margareta kommt selbst mit Warbeck, der Prinzessin Adelaide von Bretagne und dem Prinzen Erich von

---

*) Bürgerscenen. Freude an dem Herzog von York, seine Popularität, seine Schicksale, seine Edelthaten. Es sind Frauen unter den Zuschauern, Mütter mit ihren Kindern.

Gotland. Beim Eintritt des vorgeblichen York drängen sich die anwesenden englischen Ausgewanderten mit lebhaften Bezeigungen der Freude an ihn heran *). Margareta weidet sich eine Zeitlang an diesem Anblick, darauf stellt sie ihn als ihren Neffen vor und erzählt unter Thränen und von der Rührung der Anwesenden oft unterbrochen die erdichtete Geschichte seiner Gefangenschaft, seiner Errettung, Flucht, bisheriger Verborgenheit und endlicher Anerkennung. Die Geschichte ist künstlich dazu erfunden, um das Mitleid mit dem vorgeblichen York und die Indignation gegen den englischen König in hohem Grad zu erregen. Lord Hereford erstaunt über die große Aehnlichkeit Warbecks mit König Eduard, er fühlt die Gewalt des Bluts und ist überzeugt, daß er den wahren Sohn seines Herrn vor sich habe. Er wirft sich, von Gefühl hingerissen, zu seinen Füßen und wird von Warbeck mit fürstlichem Anstand und mit Herzlichkeit aufgenommen. Der englische Botschafter protestiert gegen dieses Gaukelspiel, aber Warbeck antwortet ihm mit der Würde eines Fürsten und dem edlen Familienstolz eines York.

4.

Nachdem jener sich hinwegbegeben, wird dem Warbeck von allen anwesenden Engländern und Gesandten gehuldigt. Er hat Gelegenheit, sein schönes Herz, seinen Geist, seine fürstliche Denkart zu zeigen, er nimmt sich einiger Unglücklichen bei der Herzogin an und erweist sich als den Schutzgott des Landes **). — Wohin geht Warbeck von hier aus? Was nimmt die Herzogin vor?

5.

Prinz Erich von Gotland bleibt allein mit der Prinzessin von Bretagne zurück und spottet über die vorhergegangene Farce. Adelaide ist noch in einer großen Gemütsbewegung und zeigt ihre Empfindlichkeit über Erichs fühllose Kälte. Er verspottet sie und spricht von dem Prinzen von York mit Verachtung. Sie nimmt mit Lebhaftigkeit Warbecks Partei, an dessen Wahrhaftigkeit sie nicht zweifelt, und stellt zwischen ihm und Erich eine dem letztern nachteilige Vergleichung an.

---

*) Vergleichung angestellt zwischen Warbecks Gestalt und den Yorkischen Bildnissen.
**) Es kommt jemand, der sich vor der Herzogin niederwirft und um etwas bittet.

Ihre Zärtlichkeit für den vorgeblichen York verrät sich. Erich demonstriert ihr aus Warbecks Benehmen, daß jener kein Fürst sein könne, und führt solche Beweise an, welche seine eigenen gemeinen Begriffe von einem Fürsten verraten. Adelaide verbirgt ihre Verachtung gegen ihn nicht und setzt ihn aufs tiefste neben dem Yorkischen Prinzen herab. Erich hat wohl bemerkt, daß Adelaide für diesen Zärtlichkeit empfinde, aber seine Schadenfreude ist größer als seine Eifersucht, er findet ein Vergnügen daran, daß jene beiden sich hoffnungslos lieben, er selbst aber die Prinzessin besitzen werde. Der Besitz, meint er, mache es aus, und es gibt ihm einen süßen Genuß, dem Warbeck, den er haßt, die Geliebte zu entreißen *).

6.

Adelaide spricht in einem Monolog ihre Liebe, ihr Mitleid mit Warbeck und ihren Schmerz über ihre eigene Lage am Hof der Margareta aus. Sie findet eine Aehnlichkeit in ihrem eigenen und Richards Schicksal, beide leben von der Gnade einer stolzen, gebieterischen Verwandten und sind hilflose Opfer der Gewalt.

Zweiter Aufzug.

1.

Der erste Aufzug zeigte Warbeck in seinem öffentlichen Verhältnis, jetzt erblickt man ihn in seinem innern. Die glänzende Hülle fällt, man sieht ihn von den eigenen Dienern, welche Margareta ihm zugegeben, vernachlässigt und unwürdig behandelt. Einige zweifeln an seiner Person und verachten ihn deswegen, andre, die an seine Person glauben, begegnen ihm schlecht, weil er arm ist und von der Gnade seiner Anverwandtin lebt; das doppelte Elend des Betrügers, der die Rolle des Fürsten spielt, und eines wirklichen Prinzen, der ohne Mittel ist, häuft sich auf seinem Haupt zusammen **). Er leidet Mangel an dem Notwendigen, er vermißt in seinem fürstlichen Stande sogar das Glück und den Ueberfluß seines vorigen Privatstandes, aber es gibt ein Herz, das ihm alle diese Leiden versüßt.

*) Eine dritte Person unterbricht diesen Dialog.
**) Belmont und Warbeck.

2.

Adelaide kennt seine eingeschränkte Lage und sucht sie zu verbessern. Ob er gleich das Geschenk ihrer Großmut nicht annimmt, so macht ihn doch der Beweis ihrer Liebe glücklich *).

3).

Ein schlechter Mensch, der ihn in seinem Privatstande gekannt hat, stellt sich ihm bar und erschreckt ihn durch die Kenntnis, die er von seiner wahren Person hat. Er hat das höchste Interesse, ihn zu entfernen, und muß seine Verschwiegenheit erkaufen. (Diese und folgende Scene könnten vielleicht in den vierten Aufzug verlegt werden.)

4.

Lord Hereford findet ihn mit diesem Menschen zusammen und wundert sich über das zudringliche, respektwidrige Betragen dieses Kerls; er thut Fragen an ihn, die den Warbeck in große Angst setzen. Endlich ist Warbeck dahin gebracht, von Hereford zu borgen; dieser hat die wenige Achtung, die man dem Sohn seines Königs bezeigt, mit Unwillen bemerkt, er erklärt sich diese Geringschätzung aus der bedürftigen Lage Richards und bringt desto lebhafter in ihn, seine Landung in England zu beschleunigen.

5.

***) Erich hat einen boshaften Anschlag gegen Warbeck und kommt ihn auszuführen. Er bringt viele Zeugen mit und affektiert eine große Ehrfurcht gegen Warbeck, den er absichtlich und bis zur Uebertreibung Prinz von York nennt.

6.

Ein Kerl †), von Erich unterrichtet, kommt, sich für seinen Verwandten auszugeben, eine Schuldforderung an Warbeck zu machen, behauptend, daß er diesen als einen Elenden gekannt und ihm Geld geliehen habe ††). Erich schärft durch seinen Hohn diese Beschimpfung noch mehr, und

*) Scene zwischen Warbeck und Stanley.
**) Monolog Warbecks.
***) Abschiedsscene zwischen Warbeck und der Prinzessin, welches zugleich eine Deklaration ist.
†) Ein Jude; der Kerl kann sich für seinen Vater oder Bruder ausgeben.
††) Prinzessin ist bei diesem ganzen Auftritt gegenwärtig, auch Belmont und der englische Botschafter (letzterer mit Erichen einverstanden).

Warbeck steht einen Augenblick wie vernichtet da. Schnell aber besinnt er sich und setzt dem Erich den Degen auf die Brust, drohend, ihn zu töten, wenn er nicht sogleich den angestellten Streich bekennte. Erich ist ebenso feig als boshaft und gesteht in der Angst alles, was man wissen will. Warbeck ist nun gerechtfertigt, Erich beschimpft, und der erste geht noch mit Vorteil aus dieser Verlegenheit, weil sein Nebenbuhler sich verächtlich machte *).

7.

Die Herzogin ist von diesem Vorfall durch Belmont auf der Stelle unterrichtet worden und kommt selbst, die beiden Prinzen miteinander auszusöhnen **). Sie will, daß Warbeck dem Feind seine Hand biete, und da jener sich weigert, so gibt sie ihm zu verstehen, daß sie es so haben wolle. Sie legt einen Nachdruck darauf, daß Erich ein Prinz sei, und läßt den Warbeck, wiewohl auf eine nur ihm allein bemerkbare Art, seine Abhängigkeit von ihr, seine Nichtigkeit fühlen.

8.

Ein abenteuerlicher Abgesandter kommt, im Namen Eduards von Clarence um eine Sauvegarde nach Brüssel zu bitten, damit er sich der Herzogin, seiner Tante, vorstellen und die Beweise seiner Geburt beibringen dürfe. Er sei aus dem Tower zu London entflohen und komme, seine Ansprüche an den englischen Thron geltend zu machen. Margareta zweifelt keinen Augenblick an der Betrügerei, aber es accordiert mit ihren Zwecken, sie zu begünstigen. Sie zeigt sich daher geneigt, die Hand zu bieten, aber Warbeck redet mit Heftigkeit dagegen. Margareta weist ihn auf die ihr eigene gebieterische Art in seine Schranken zurück und läßt ihn fühlen, daß er hier keine Stimme habe. Warbeck muß schweigen, aber er geht ab mit der Erklärung, daß er es mit diesem Prinzen von Clarence durch das Schwert ausmachen werde.

9.

Margareta ist nun mit Belmont allein ***) und bemerkt mit stolzem Unwillen, daß Warbeck anfange, sich gegen sie

---

*) Margareta kommt zu dem Auftritt und geht gleich wieder ab.
**) Hierauf Warbeck und Belmont.
***) Belmont fragt, was ihre Intention mit Simuel sei. Sie erklärt sich darüber. Beide sollen kämpfen en camp clos etc.

etwas herauszunehmen. Sie hat schon längst eine Abneigung
gegen ihn gehabt, nun fangen seine Anmaßungen an, ihren
Haß zu erregen. Sie findet ihn nicht nur nicht unterwürfig
genug, der Betrug selbst, den sie durch ihn spielte, ist ihr
lästig, und seine Existenz als York, als ihr Neffe, beschämt
ihren Fürstenstolz.

10.

In dieser ungünstigen Stimmung findet sie Adelaide,
welche in großer Bewegung kommt, sie zu bitten, daß sie von
den Bewerbungen des Prinzen von Gotland befreit werden
möchte. Adelaide verrät zugleich ihr zärtliches Interesse für
Warbeck und bringt dadurch die schon erzürnte Herzogin noch
mehr gegen diesen auf. Sie wird mit Härte von ihr entlassen und erhält den Befehl, an den letztern nicht mehr zu
denken und jenen als ihren Gemahl anzusehen.

Die Hochzeit wird aufs schnellste beschlossen, und Adelaide
sieht sich in der heftigsten Bedrängnis.

———

Dritter Aufzug.

1.

Ein offener Platz, Thron für die Herzogin. Schranken
sind errichtet, Anstalten zu einem gerichtlichen Zweikampf.
Zuschauer erfüllen den Hintergrund der Scene.

Eduard Plantagenet läßt sich von einem der Anwesenden erzählen, was diese Anstalten bedeuten — Exposition
von Simnels und Warbecks Rechtshandel, der durch einen
gerichtlichen Zweikampf entschieden werden soll. Eduard
vernimmt diesen Bericht mit dem höchsten Erstaunen, und
seine Fragen, die zugleich eine tiefe Unwissenheit des Neuesten
und das größte Interesse für diese Angelegenheit verraten,
erregen die Verwunderung des andern. Der englische Botschafter ist auch zugegen, und der seltsame Jüngling hat
schnell seine ganze Aufmerksamkeit erregt. Er scheint ihn
zu kennen und zu erschrecken.

2.

Simnel zeigt sich mit seinem Anhang und haranguiert
das Volk. Er spricht von seinem Geschlecht, seiner Flucht
aus dem Tower, und die Menge teilt sich über ihn in zwei
Parteien. (Die Ahnung des Zuschauers stellt hier den

143

falschen und den echten Plantagenet nebeneinander.) Der englische Botschafter macht sich an Eduard und sucht ihn auszuforschen, aber er findet ihn höchst schüchtern und miß= trauisch und bestärkt sich eben dadurch in seinem Verdachte.

3.

Die Herzogin kommt mit ihrem Hofe. Erich, Ade= laide und Warbeck begleiten sie. Trompeten ertönen, und Margareta setzt sich auf den Thron.

Während sich dieses arrangiert, hat Warbeck eine kurze Scene mit Adelaide, worin diese ihren Unwillen und Schmerz über die bevorstehende unwürdige Scene, Warbeck aber seinen leichten Mut über den Kampf zu erkennen gibt.

Ein Herold tritt auf, und nachdem er die Veranlassung dieser Feierlichkeit verkündigt hat, ruft er die beiden Kämpfer in die Schranken. Zuerst den Simnel, der sich öffentlich für Eduard Plantagenet bekennt und seine Ansprüche vorlegt; darauf den Herzog von York, welcher Simnels Vorgeben für falsch und frevelhaft erklärt und bereit ist, dieses mit seinem Schwert zu beweisen. Beide Kämpfer berufen sich auf das Urteil Gottes; man schreitet zu den gewöhnlichen Formalitäten, worauf sich beide entfernen, um in den Schranken zu kämpfen.

4.

Während die üblichen Vorbereitungen gemacht werden, bemerkt die Herzogin gegen Belmont oder gegen den eng= lischen Botschafter oder auch gegen Hereford, welche über den vorgeblichen Prinzen von Clarence spotten, daß sie an eben diesem Morgen von sicherer Hand aus London Nachricht *) erhalten, daß dieser Prinz wirklich aus dem Tower ent= sprungen sei; welches den englischen Botschafter sehr zu be= unruhigen scheint.

Unterdessen hat der junge Plantagenet durch seine große Gemütsbewegung und durch seine rührende Gestalt die Auf= merksamkeit der Herzogin und der Prinzessin erregt. Jene fragt nach ihm, er gibt einige sinnvolle Antworten und zeigt etwas Leidenschaftliches in seinem Benehmen gegen die Her= zogin. Ehe sie Zeit hat, ihre Neugierde wegen des inter= essanten Jünglings zu befriedigen, ertönen die Trompeten, welche das Signal zum Kampfe geben.

---

*) Diese Nachricht ist ein sehr großes Evenement und setzt die Herzogin in die heftigste Bewegung.

5.

Der Kampf. Simnel wird überwunden und fällt. Alles steht auf, die Schranken werden eingebrochen, das Volk bringt schreiend hinzu. Simnel bekennt sterbend seinen Betrug und die Anstifter, er erkennt den Warbeck für den echten York und bittet ihn um Verzeihung. Freude des Volks.

6.

Warbeck als Sieger und anerkannter Herzog ergreift diesen Augenblick, der Prinzessin öffentlich seine Liebe zu erklären und die Herzogin um ihre Einwilligung zu bitten. Die englischen Lords legen sich drein und unterstützen seine Bitte. Erich wütet, die Herzogin knirscht vor Zorn, reißt die Prinzessin hinweg und geht mit wütenden Blicken.

7.

Jetzt sammeln sich die Lords um ihren Herzog, schwören ihm Treue und Beistand und begleiten ihn im Triumph nach Hause.

8.

Plantagenet allein fühlt sich verlassen, seine Persönlichkeit verloren, ohne Stütze, hat nichts für sich als sein Recht. Er entschließt sich dennoch, sich der Herzogin zu nähern. Stanley kann hier zu ihm treten und versuchen, ihn hinwegzuängstigen.

Vierter Aufzug.

1.

Herzogin kommt voll Zorn und Gift nach Hause. Ihr Haß gegen Warbeck ist durch sein Glück und seine Kühnheit gestiegen, die Nachricht von der Entspringung des echten Plantagenet aus dem Tower macht ihr den Betrüger entbehrlich. sie ist entschlossen, ihn fallen zu lassen, und fängt gleich damit an, daß sie der Prinzessin, welche ihr nachgefolgt ist, mit Härte verbietet, an ihn zu denken, und sogar einen Zweifel über seine Person erregt. Warbeck läßt sich melden; sie schickt die Prinzessin, welche zu bleiben bittet, in Thränen von sich.

2.

Warbeck und Herzogin, erstes Tête-à-Tête zwischen beiden. Warbeck, kühn gemacht durch sein Glück und auf seinen An= hang bauend, zugleich durch seine Liebe erhoben und ent= schlossen, seine bisherige unerträgliche Lage zu endigen, nimmt gegen die Herzogin einen mutigen Ton an und wagt es, sie wegen ihres widersprechenden Betragens gegen ihn zu konstituieren. Sie erstaunt über seine Dreistigkeit und be= gegnet ihm mit der tiefsten Verachtung. Je mehr sie ihn zu erniedrigen sucht, desto mehr Selbständigkeit setzt er ihr entgegen. Er beruft sich darauf, daß sie es gewesen, die ihn aus seinem Privatstand, wo er glücklich war, auf diesen Platz gestellt, daß sie verpflichtet sei, ihn zu halten, daß sie kein Recht habe, mit seinem Glück zu spielen. Ihre Ant= worten zeigen ihren fühllosen Fürstenstolz, ihre kalte, egoistische Seele; sie hat sich nie um sein Glück bekümmert, er ist ihr bloß das Werkzeug ihrer Pläne gewesen, das sie wegwirft, sobald es unnütz wird. Aber dieses Werkzeug ist selbständig, und eben das, was ihn fähig machte, den Fürsten zu spielen*), gibt ihm die Kraft, sich einer schimpflichen Abhängigkeit zu entziehen. Endlich sieht sich die Herzogin genötigt, ihre innere Wut zu dissimulieren, und verläßt ihn, scheinbar ver= söhnt, aber Rache und Grimm in ihrem Herzen.

3.

Die Prinzessin wird durch die Furcht vor einer ver= haßten Verbindung, und weil sie alle Hoffnung aufgibt, etwas von der Güte der Herzogin zu erhalten, dem Betrüger gewaltsam in die Arme getrieben. In vollem Vertrauen auf seine Person kommt sie und schlägt ihm selbst die Ent= führung vor. Sie zeigt ihm ihre ganze Zärtlichkeit und überläßt sich verdachtlos seiner Ehre und Liebe. Sie nennt ihm den Grafen Kildare, einen ehrwürdigen Greis und alten Freund des Yorkischen Hauses, zu dem sollten sie mit= einander fliehen. Sie übergibt ihm alles, was sie an Kost= barkeiten besitzt. Je mehr Vertrauen sie ihm zeigt, desto qualvoller fühlt er seine Betrügerei; er darf ihre dargebotene Hand nicht annehmen und noch weniger das Geständnis der Wahrheit wagen; sein Kampf ist fürchterlich, er verläßt sie in Verzweiflung.

---

*) Seine Aehnlichkeit mit Eduard ergreift die Herzogin in diesem Augenblick.

Schillers Dram. Entwürfe u. Fragmente. 10

4.

Sie bleibt verwundert über sein Betragen zurück und macht sich Vorwürfe, daß sie vielleicht zu weit gegangen sei, entschuldigt sich mit der Gefahr, mit ihrer Liebe.

5.

Plantagenet tritt auf, schüchtern und erschrocken sich umsehend und den teuren Familienboden mit schmerzlicher Rührung begrüßend. Er erblickt die Yorkischen Familien= bilder, kniet davor nieder und weint über sein Geschlecht und sein eigenes Schicksal.

6.

Warbeck kommt zurück, entschlossen, der Prinzessin alles zu sagen. Er erblickt den knieenden Plantagenet, erstaunt, fixiert ihn, erstaunt noch mehr, läßt sich mit ihm ins Ge= spräch ein; was er hört, was er sieht, vermehrt sein Schrecken und Erstaunen; endlich zweifelt er nicht mehr, daß er den wahren York vor sich habe. Plantagenet entfernt sich mit einer edeln und bedeutenden Aeußerung und läßt ihn schrecken= voll zurück*).

7.

Er hat kaum angefangen, seine Ahnung und seine Furcht auszusprechen, als der englische Botschafter eintritt und ein Gespräch mit ihm verlangt. Dieser bestätigt ihm augenblick= lich seine Ahnung und trägt ihm eine Komposition mit dem englischen König an, wenn er den rechten York aus dem Weg schaffen hälfe. Beide haben ein gemeinschaftliches In= teresse, den wahren York zu verderben. Warbeck fühlt die ganze Gefahr seiner Situation, aber sein Haß gegen Lan= caster und seine bessere Natur siegen, und er schickt den Versucher fort.

8.

Aber gehandelt muß werden. Der rechtmäßige York ist da, er kann zurückfordern, was sein ist; die Herzogin wird eilen, ihn anzuerkennen und dem falschen York sein Theater= kleid abzuziehen; alles ist auf dem Spiel**), die Prinzessin

---

*) Scene mit den englischen Flüchtlingen.
**) Der Mensch, den er abgefertigt glaubt, kommt zurück in Gegenwart Erichs oder einer andern gefährlichen Gesellschaft. Dieser Mensch muß in die Handlung einfließen. — Auch die Lords quälen ihn in der besten Absicht, und alles schärft den Pfeil gegen ihn
Schritte der Herzogin.

ist verloren, wenn der rechte York nicht entfernt wird. Jetzt fühlt der Unglückliche, daß ein Betrug nur durch eine Reihe von Verbrechen kann behauptet werden; er verwünscht seinen ersten Schritt, er wünscht, daß er nie geboren wäre *).

9.

Herzogin kommt mit ihrem Rat. Man erfährt, daß der Graf Kildare auf dem Wege nach Brüssel sei, daß er dort den jungen Plantagenet zu finden hoffe, der ihm Nachricht gegeben, er eile dorthin. Herzogin ist zugleich erfreut und verlegen über seine Ankunft; verlegen wegen Warbeck. Doch sie ist fest entschlossen, diesen aufzuopfern, sobald der rechte Plantagenet sich gefunden. Aber wo ist er denn, dieser teure Neffe? Kildare schreibt, er sei geradeswegs nach Brüssel, so könnte er schon da sein. Sie erinnert sich des Jünglings — das Tuch wird auf dem Boden bemerkt — sie erkennt es für dasselbe, welches sie dem Eduard vor neun Jahren geschenkt — sie fragt voll Erstaunen, wer in das Zimmer gekommen. Man antwortet ihr, niemand als Warbeck. Es durchfährt sie wie ein Blitz. Sie sendet nach dem unbekannten Jüngling, nach Warbeck.

[Fünfter Aufzug **).

1.

Vor dem Yorkischen Monument. Plantagenet tritt auf, er ist heimatlos, die Müdigkeit der langen Reise überwältigt ihn, der Schlaf ergreift ihn, er empfiehlt seine Seele dem Ewigen und bittet ihn, daß er im Himmel wieder aufwachen möchte.

2.

Warbeck kommt und betrachtet den Schlafenden. Rührendes Selbstgespräch, wo er seine Qual mit dem Frieden des Kindes vergleicht. Er wird weich, und wie er kommen hört, tritt er auf die Seite.

---

*) Ramill (sein Vertrauter) meldet ihm die Ankunft des Grafen Kildare; ein neues Schrecken.
**) Schiller schwankte noch, ob er diese vier Scenen beibehalten sollte. Er dachte auch daran den fünften Aufzug mit folgender Scene zu beginnen: „Prinzeßin. Warbeck. Sie will ihn zur Flucht verhelfen. Er bleibt in dumpfer Verzweiflung." Daran sollte sich dann mit dem Eintritt der Herzogin und ihres Gefolges sogleich Scene [7.] schließen. Vgl. auch S. 184—186. (A. d. H.)

3.

Zwei Mörber*) treten auf, wollen ben schlafenben Knaben töten. Warbeck eilt zu Hilfe, verwunbet ben einen, beibe ent=fliehen, ber Knabe erwacht, Kamill erscheint von einer andern Seite, Warbeck läßt ben Knaben, ber sehr erschrocken ist, weg=bringen und heimlich verwahren. Er selbst geht nach.

4.

Erich kommt mit bem englischen Botschafter**). Sie finden Spuren von Blut, ber Mörber hat gewinkt, sie zweifeln nicht mehr, baß bie That geschehen sei, frohlocken barüber und beschließen nunmehr, ben Verbacht bieses Morbs auf Warbeck zu wälzen.]

Fünfter Aufzug.

[5.] 1.

Herzogin. Ihr Rat. Prinzessin. Lorbs. — Vergeblich sind alle Nachforschungen nach Eduard, er ist nirgenbs zu finben. Herzogin hat einen gräßlichen Argwohn. Sie schickt nach Warbeck.

[6.] 2.

Erich und der Botschafter erzählen von einem Morb, ber geschehen sein müsse; sie hätten um Hilfe schreien hören; wie sie herbeigeeilt, sei Blut auf bem Boden gewesen. Die Herzogin und Prinzessin in ber größten Bewegung.

[7.] 3.

Warbeck kommt, Herzogin empfängt ihn mit ben Worten: „Wo ist mein Neffe? Wo habt Ihr ihn hingeschafft?" Wie er stutzt, nennt sie ihn gerabeheraus einen Mörber. Auf bieses Wort geraten alle Lorbs in Bewegung. Sie wiederholt es heftiger. Jene schelten, baß sie ben Herzog, ihren Neffen, einer so schrecklichen That beschulbige***). —

---

*) Sind sie ihm von Lonbon nachgeschickt ober von bem Botschafter bestellt worben?

**) Dieser, wird supponiert, hat ihm indessen ben Anschlag auf Plantagenet mitgeteilt und ihn geneigt bazu gefunden.

***) Die Lorbs glauben ber Herzogin nicht. es steht nicht bei ihr, ihn zu ver-nichten, wie sie ihn erschaffen hat. Da die Lorbs ihr Vorwürfe machen, ihm so mitgespielt zu haben, so sagt sie, baß sie burch ihr eigenes Werkzeug gestraft sei, baß sie durch ben falschen Pork nun auch ben wahren verloren 2c. In biesem Augenblick ist sie unglücklich und barum rührenb. Warbeck nimmt biese einzige Rache an ihr, baß er sie in bem schrecklichen Glauben läßt.

Jetzt entreißt ihr der Zorn ihr Geheimnis. „Herzog?"
sagt sie. „Ein York? Er mein Neffe?" — und erzählt
den ganzen Betrug mit wenig Worten, davon der Refrain
immer der Mörder ist. Prinzessin wankt, will sinken; Warbeck will zu ihr treten, Prinzessin stürzt der Herzogin in die
Arme; Warbeck will sich an die Lords wenden, sie treten
mit Abscheu zurück. In diesem Augenblick wird der ge-
fürchtete Graf Kildare angemeldet. Herzogin sagt: „Er
kommt zur rechten Zeit. Ich habe seine Ankunft nie gewünscht. Jetzt ist sie mir willkommen. Er kennt meine
Neffen, er hat ihre Kindheit erzogen. (Sie wendet sich zu
Warbeck.) Verbirg dich, wenn du kannst! Versuch', ob du
dich auch gegen diesen Zeugen behaupten wirst."

[8.]4.

Kildare tritt herein, Warbeck steht am meisten von ihm
entfernt und hat das Gesicht zu Boden geschlagen. Herzogin
geht ihm entgegen. „Ihr kommt, einen York zu umarmen,
unglücklicher Mann, Ihr findet keinen*) u. s. w." Ehe
Kildare noch antwortet, sieht er sich im Kreis um und bemerkt den Warbeck. Er tritt näher, stutzt, staunt, ruft:
„Was seh' ich!" Warbeck richtet sich bei diesen Worten auf,
sieht dem Grafen ins Gesicht und ruft: „Mein Vater!"
Kildare ruft ebenfalls: „Mein Sohn!" — „Sein Sohn!"
wiederholen alle. Warbeck eilt an die Brust seines Vaters.
Kildare steht voll Erstaunen, weiß nicht, was er dazu sagen
soll. Er bittet die Umstehenden, ihn einen Augenblick mit
Warbeck allein zu lassen. Man thut es aus Achtung gegen
ihn; zugleich wird gemeldet, daß man zwei Mörder ein-
gebracht habe, Herzogin eilt ab, sie zu vernehmen.

[9.]5.

Warbeck bleibt mit Kildare, der noch voll Erstaunen ist,
in dem vermeinten York seinen Sohn zu finden. Warbeck
erzählt ihm in kurzen Worten alles, Kildare apostrophiert
die Vorsicht und preist ihre Wege. Er erklärt dem Warbeck,
daß er nicht sein Sohn sei, daß er den Namen geraubt, der
ihm wirklich gebühre. Er sei ein natürlicher Sohn Eduards IV.,

---

*) Sie muß durch etwas zu erkennen geben, daß Warbeck der vorgebliche
Herzog von York sei.

ein geborener York. Das Rätsel seiner dunkeln Gefühle
löst sich ihm, das Knäul seines Schicksals entwirrt sich auf
einmal. In einer unendlichen Freudigkeit wirft er die ganze
Last seiner bisherigen Qualen ab, er bittet den Kildare, ihn
einen Augenblick weggehen zu lassen.

[10.]6.

Kildare und bald darauf die Lords *), welche zurückkommen, nebst Erich und dem Botschafter. Sie beklagen
den Kildare, daß er ein solches Ungeheuer zum Sohn habe,
der den heiligen Namen eines York usurpiert und den wahren
York ermordet habe. Kildare kann letzteres nicht glauben,
und das erste beantwortet er damit, daß er ihnen die wahre
Geburt Warbecks meldet. Sie glauben ihm und erstaunen
darüber, bedauern aber desto mehr, daß sie in dem Sohn
ihres Herrn einen Mörder erblicken müssen.

[11.]7.

Indem erscheint Warbeck, den Plantagenet an der Hand
führend. Alle erstaunen, Kildare erkennt den jungen Prinzen,
dieser weiß nicht, wie ihm geschieht, bis Warbeck das ganze
Geheimnis löst und damit endigt, dem Plantagenet als
seinem Herrn zu huldigen und ihn als seinen Vetter zu umarmen. Freude der Lords, Edelmut des Plantagenet.

[12.]8.

Herzogin kommt zu dieser Scene, sie umarmt ihren
Neffen und schließt ihn an ihr Herz. Lords verlangen, daß
sie gegen Warbeck ein Gleiches thue. Edle Erklärung Warbecks, der als ihr Neffe zu ihren Füßen fällt. Sie ist gerührt, sie ist gütig und zeigt es dadurch, daß sie geht, um
die Prinzessin abzuholen.

[13.]9.

Zwischenhandlung, solang' sie weg ist. Erichs und des
Botschafters Mordanschlag kommt aus Licht, ihnen wird
verziehen, und sie stehen beschämt da. Warbeck zeigt sich
dem Botschafter in der Stellung, den Plantagenet umarmend,
und schickt ihn zu seinem König mit der Erklärung, daß sie

---

*) Kildare und die Lords. Sie sind in Verzweiflung über den gespielten
Betrug und beklagen ihre verlorene Existenz, ihre zerstörte Hoffnung.

beibe gemeinschaftlich ihre Rechte an den Thron wollen geltend machen.

[14.]10.

Herzogin kommt mit der Prinzessin zurück. Schluß.

Entwicklung der Hauptcharaktere.

1. Warbeck.

Herzog Richard von York ein Gegenstand der Neugier, der Erwartung, der Rührung, der Neigung. Zweifel über seine Person, welche aber anfangs weniger Gewicht haben. Ein liebenswürdiger und mitleidswürdiger Fürst, die Freude des Volks, die Hoffnung einer Partei, ein geliebter Neffe, der wiedergefundene, wunderbar erhaltene. Kurz, das Haupt- interesse ruht jetzt noch auf der Maske, welche durch sich selbst interessiert. Hier kann die Täuschung so weit gehen als möglich und weiter sogar, als die Betrügerei zu ge- statten scheinen möchte; denn jetzt schon muß die Katastrophe vorbereitet werden.

Der Dichter selbst muß augenblicklich den Warbeck ver- gessen und bloß an den Herzog von York denken. Es muß so aussehen, als wenn man ein ganz andres Thema ver- folgt, als wenn in dem ganzen Stück wirklich von nichts anderm als dem wahren York und von einem Versuche zur Wiederherstellung desselben in England die Rede sein sollte. Dies Thema hat für sich selbst viel Rührendes und könnte einen tragischen Stoff abgeben.

Dieses dauert bis zum Ende des ersten Akts, wo der Zu- schauer wegen der wahren Beschaffenheit und Bewandtnis anfangen darf in Unruhe zu kommen. Sobald es ausgemacht ist, daß dieser York nur eine Maske, so entsteht die Neugier, wer dahinter stecken möchte; das Interesse verändert bloß den Gegenstand und Inhalt, aber es kann dem Grade nach sogar steigen.

Warbecks wohlthätiger Einfluß auf die Herzogin ex- poniert sich gleich in den ersten Scenen, und die Liebe, mit der die Brüsseler von ihm erzählen, trägt nicht wenig dazu

bei, ihm die englischen Flüchtlinge geneigt zu machen. Auch
dient dieses Préambule dazu, den Glauben an seine Person
bei dem Zuschauer zu verstärken und nachher, wenn er wirk=
lich erscheint, die Freude zu rechtfertigen, womit er von dem
Volk empfangen wird. Er muß wirklich das Entzücken aller
Zuschauer sein, wenn er kommt; er ist wie der wieder=
gefundene Sohn des Hauses, der verloren war; seine Po=
pularität macht ihn liebenswürdig, sein Schicksal spricht zu
allen Herzen, indem sein Anstand, seine hohe Graziosität
Ehrfurcht gebietet. Ein gewisser Zauber ist in seinem Be=
tragen, der ihn unwiderstehlich macht.

Er benutzt die Rolle des Neffen, die er spielt, dazu,
das Gute im Ernst zu thun, und indem er dadurch bloß
eine Komödie zu spielen scheint, so äußert er so viel Ver=
nunft und Geist, daß er die Herzogin selbst ins Gedränge
bringt. Es kann daher scheinen (und schadet der Haupt=
wirkung nichts), als ob er die Rolle des Fürsten bloß über=
nommen hätte, um auf einer glänzenden Bühne ein be=
glückendes Wesen zu sein. Unter dem Betrug geht ihm die
Realität hin; er scheint bloß die Absicht der Herzogin zu
erfüllen, wenn er liebenswürdig ist und schöne Tugenden
ausübt; aber er betrügt sie dadurch selbst und ergreift bloß
diese Rolle, um Gutes zu stiften.

Er steht da wie ein beglückendes Wesen; nur für andre
scheint er zu handeln, an sich selbst aber denkt er nie, er
gibt alles hin, und was ihm auch zufließt, er gebraucht es
bloß, um andre damit zu beschenken. So behält er durchaus
reine Hände, und er kann nachher, wenn er unglücklich ist,
mit Wahrheit zu sich sagen: „Ich habe den Namen eines
York usurpiert, aber ich habe ihn nicht geschändet; ich habe
Thränen getrocknet und glücklich gemacht; ich habe nichts
von allem mir zugeeignet ꝛc."

Durch alle diese Gesinnungen und Thaten setzt er den
alten Hereford in Entzücken und zündet die Leidenschaft an
im Herzen der Prinzessin. Aber er wird zugleich der Herzogin
beschwerlich und verhaßt, dem Erich abscheulich und dem
Stanley fürchterlich.

Warbeck spielt also zwar die falsche Rolle eines Prinzen,
aber er spielt sie als ein Muster für alle Prinzen, und die
Empfindung des Zuschauers muß sein: wenn er kein Prinz
ist, so verdient er einer zu sein, und seine Person ist mehr
wert als seine Maske.

Das moralisch Schöne in seiner Natur äußert sich durch edeln Stolz, durch ein zartes Ehrgefühl, durch Liberalität und Güte und besonders durch die heftige Abneigung gegen den Betrug seiner Rolle und jedes unwürdige Mittel.

Warbeck spielt seine Rolle mit einem gesetzten Ernst, mit einer gewissen Gravität und mit eigenem Glauben. — Solang' er den Richard vorstellt, ist er Richard; er ist es auch gewissermaßen für sich selbst, ja sogar zum Teil für die Mitansteller des Betrugs. Dieser Schein darf schlechterdings nichts Komödiantisches haben; es muß mehr ein Amt sein, das er bekleidet und mit dem er sich identifizierte, als eine Maske, die er vornimmt. — Nachdem der erste Schritt gethan ist, hat er seine vorige Person ganz weggeworfen. Es ist notwendig, daß alles, was er in dem Stück als Richard thut, augenblicklich wahr sei, daß er sich des Betrugs nicht mehr bewußt sei, daß also jede daraus entspringende Handlung eine mechanische oder natürliche, mithin gleichgültig und nicht mehr imputable sei. Alle Schritte, die aus dem ersten fließen, hat er mit seinem ersten Entschluß adoptiert, und er stutzt über das Einzelne nicht mehr, nachdem er das Ganze einmal auf sich genommen.

Es muß anschauend sein, wie ein solcher Mensch, der so viel natürlich Gutes hat, in eine so verwerfliche Betrügerei hat eingehen können. — Wodurch wird dieser Widerspruch vermittelt?

Ein Hauptmotiv im Stück ist Warbecks wirkliche Abstammung von den Yorks, welche dunkel mächtig in ihm wirkt und Handlungen hervorbringt, die seiner Rolle zu widersprechen scheinen: das poetische Motiv der Inkonsequenz.

Sein deutliches Bewußtsein verdammt ihn, ein dunkles Gefühl rechtfertigt ihn. Er anticipiert nur seine wahre Person, und vieles Widersprechende in seinem Betragen und Empfinden wird aufgelöst durch die Entdeckung seiner Geburt. Das Yorkische Blut hat in ihm gehandelt.

Ein andres, aber begreiflicheres Motiv seines Betragens ist seine Aehnlichkeit mit König Eduard, welche etwas Göttliches und Wunderbares hat. Er selbst ist die Dupe derselben, und nach außen ist sie äußerst wirksam.

Warbeck gebraucht auch das Motiv sich zu entschuldigen, daß er keinen Lebenden beraube. Der York, den er spiele, sei tot; er glaube aber sein Gedächtnis nicht zu schänden, so wie er ihn vorstelle.

Eine gewisse poetische Dunkelheit, die er über sich selbst und seine Rolle hat, ein Aberglaube, eine Art von Wahn= witz hilft seine Moralität retten. Eben das, was ihn der Herzogin zu einem Rasenden macht, dient ihm zur Ent= schuldigung.

Er flieht die Klarheit über seinen Zustand; in den meisten Fällen ist ihm das Yorksein schon so zur Natur ge= worden, daß er sich des Betrugs nicht mehr bewußt ist. Es gibt jetzt nur zwei Fälle, wo letzteres stattfindet: 1. da, wo man an ihm zweifelt, wo er aufgefordert wird, seine Person zu behaupten (und da bedient er sich immer solcher Mittel, die mehr groß, kühn und heroisch, als listig und betrügerisch sind); 2. da wo man an ihn glaubt und seine Wahrhaftig= keit arglos voraussetzt. Hier allein fühlt er die Last seiner Rolle, er erschrickt, er errötet vor sich selbst, er ist unglück= lich. — Es ist die Aufgabe des Stücks, ihn immer tiefer und tiefer in Lagen zu setzen, wo der Betrug ihn zur Ver= zweiflung bringt, und seinen Trieb zur Wahrheit immer wachsen zu lassen, indem die Umstände ihn zu Fortsetzung des Betruges nötigen.

Im Verlaufe der Handlung fühlt er, daß er mit An= nehmung einer fremden Person seine eigene verloren — Sehnsucht nach den Seinigen; diese Gefühle dienen zur Vor= bereitung der Entdeckung seiner wahren Geburt.

———

Der erste Eindruck Warbecks ist als von einem Fürsten; seine sinnliche Erscheinung ist so mächtig, sein Betragen so decidiert, die Umstände so affektvoll, daß der Zuschauer fort= gerissen wird. Wenn nachher der vorgebliche Herzog als ein Betrüger und homme du commun behandelt wird, so macht es desto größern Effekt und erregt Schrecken.

Die Kunst besteht nun darin, diesen Sturz so bedeut= sam pathetisch als möglich zu machen, nie an die Komödie anzustreifen, sondern immer in der Tragödie zu bleiben. Besonders aber wird erfordert, daß sich Warbeck immer in seiner doppelten Person zugleich darstelle, das Hohe und das Nichts, das Verehrte und das Verächtliche, das Edle und das Verworfene. Warbeck wird vornehm, Richard wird un=

würdig behandelt, es muß immer übers Kreuz genommen werden. Wenn eine Unwürdigkeit ihn trifft, so muß es immer dann sein, wenn wir den Herzog in ihm sehen; wenn ihm fürstlich begegnet wird, so ist es Warbeck, der sich vor unsern Augen so erhebt.

———

Das Mittel, wodurch er der Rolle gewachsen ist, ist der Ernst, der Glaube an sich, die Erhebung seiner Denkart zu der Person, die er spielt; aber das ganze Betragen der Herzogin gegen ihn widerspricht dieser Gesinnung; sie behandelt ihn immer nur als einen Imposteur, sie nimmt ihm alle Kräfte zu seiner Rolle, weil sie ihn erniedrigt.

———

Er darf nie klagen als zuletzt, wenn die Liebe ihn aufgelöst hat. Kränkung erleidet er mit verbissenem Unmut, und Gutes thut er mit stolzer Größe und einer gewissen Trockenheit, nicht sentimentalisch sondern realistisch, aus einer gewissen Grandezza, aus Natur und ohne Reflexion. Immer muß der geborene Fürst, der Yorkische Abkömmling unter dem Betrüger und Avanturier versteckt liegen und durchschauen. Daraus entstehen Inkonsequenzen und Unbegreiflichkeiten, welche die entdeckte wahre Geburt Warbecks auf einmal erklärt.

Alle Spuren von Herz und Gefühl, welche der Betrüger zuweilen zeigt, bekommen aber dadurch ein Relief, daß sie nicht zu sehr verschwendet sind, daß er der Regel nach kalt, besonnen, realistisch und kurz als ein weltkluger Wagehals sich zeigt.

Warbecks Keckheit, Gewandtheit, Gegenwart des Geistes und Klugheit müssen dargestellt werden; man muß es sehen und mit Augen schauen, daß er der Mann zu der Rolle ist, die er spielt; der kühne Betrüger muß sich darstellen, aber mit Größe und tragischer Dignität. Damit er aber nicht moralisch zu sehr verliere, so muß es bei solchen Gelegenheiten geschehen, wo die Delikatesse nicht verletzt wird, und wo kein Interesse des Herzens sich einmischt; so z. B. gegen Stanley, gegen Erich*), gegen den schlechten Menschen und

———

*) Gegen Belmont, gegen die Herzogin.

gegen Simnel*). Er muß sich fähig zeigen, ein Verbrechen zu begehen, aber unfähig zu einer Niedrigkeit.

Die Yorkische Ferocität muß in ihm und auch in Plantagenet sich zeigen.

_____

Die Frage wird anschaulich gelöst, was aus einer Lüge, wie Warbeck sie wagte, natürlich und notwendig sich ent= wickelt; es ist eine aufbrechende Knospe; alles, was sich er= eignet, lag schon darin.

Physisch verlangt man von ihm, daß er sich behaupte; moralisch, daß er seine Rolle aufgebe. Aus beiden ent= gegengesetzten Interessen ist das Stück zusammengesetzt. Er selbst wird durch die physischen Bedrängnisse, in die er gerät, gehindert, seinem moralischen Gefühl nachzugeben.

2. Margareta.

Warbeck, eine nach Selbständigkeit strebende Natur, ist in der Gewalt eines falschen, gebieterischen, mächtig unver= söhnlichen Weibes, wie eines bösen Geistes. Er hat sich ihr verkauft, sein Verhältnis zu ihr ist erniedrigend und tötend für ihn, und umsonst wendet er alles an, es zu ver= edeln. Sie sieht in ihm ewig nur ihr Werkzeug, den falschen York, den Homme du commun, den Betrüger; und ihre Forderungen an ihn sind durchaus ohne Delikatesse, ohne alle Rücksicht auf sein eigenes Ehrgefühl. Umsonst will er emporstreben, immer wird er von seiten ihrer an das schänd= liche Verhältnis erinnert, das er so gern vergessen möchte, ja das er vergessen haben muß, um seine Rolle gut zu spielen.

Oeffentlich ehrt, liebkost sie ihn; insgeheim macht sie seine fürchterliche Tyrannin. Sie befiehlt ihm und ver= bietet ihm, was er öffentlich wollen und nicht wollen soll; öffentlich thut sie, als ob seine Wünsche Befehle für sie wären, und redet ihm zu, das zu thun, was sie ihm streng verboten hat (seine Abreise). Weh ihm, wenn er sich eigen= mächtig was herausnehmen wollte! Dennoch thut er es zu= weilen, daher ihre Ungnade und Abneigung.

_____

*) Aber nie gegen Hereford, noch weniger gegen die Prinzessin — furchtbar aber darf er gegen Plantagenet dastehen und wie auf dem Sprung, einen Mord zu begehen.

Herzogin hat den Warbeck bloß als ihr Werkzeug ge=
braucht. Er selbst, sein Wohl und Uebel, kommt ihr in
keine Betrachtung; sie will nur einen Zweck durch ihn er=
reichen. Nun macht er aber persönliche Ansprüche; er wird,
was er spielt, oder er ist es vielmehr schon, er nimmt seine
Rolle ernstlich, er glaubt an sich: so muß er ihr als ein
Rasender erscheinen und verhaßt werden.

Als eine stolze Fürstin muß sie ihn, den Homme de
rien verachten; es kostete ihr schon Zwang, ihn vor der Welt
als ihresgleichen zu behandeln. Weil sie gar nichts Persön=
liches für ihn empfindet, so ist er ihr nur ein Instrument,
und ganz nichts, so wie es nicht zu dem Zwecke gebraucht
wird.

Sie schämt sich im Herzen des fremden Menschen, den
sie sich aufgebürdet; schon diese Beschämung macht ihn ihr
verhaßt.

Er wird ihr aber noch verhaßter, sowie er sie geniert,
sowie er Ansprüche macht, sowie er, ihrer Meinung nach,
seine Lage mißbraucht. Ganz verhaßt wird er ihr, sobald
sie zu bemerken glaubt, daß er selbständig werden, sich der
Abhängigkeit von ihr entziehen und gegen ihren Willen sich
manutenieren könne. — Eine ihrer Eigenschaften ist der
Neid, und auch dieser ist, wie ihre Intriguensucht in ihrer
politischen Ohnmacht, ihrer Kinderlosigkeit gegründet.

———

Margareta kündigt sich an als eine leidenschaftliche,
hassende, rachsüchtige Natur; daraus entsprang ihr ganzer
Plan mit Warbeck. Aber derselbe Charakter muß sich auch,
wenn die Umstände es fügen, gegen ihn richten, wenn er
mit sich selbst übereinstimmen soll. Freilich begeht sie eine
Inkonsequenz gegen ihren Plan, wenn sie Warbeck entgegen=
handelt; aber sie würde, wenn sie es nicht thäte, sich selbst
widersprechen, und es ist weit nötiger, daß ein Charakter
mit sich selbst, als daß das Betragen mit dem Plan über=
einstimme.

Sie erfüllt ganz den weiblichen Charakter, daß sie un=
beständig ist, daß sie von ihrem Plan aus Leidenschaft ab=
springt. Eben in diesen Inkongruenzen und Ungleichheiten
erscheint ihr permanenter Charakter, welcher neidisch, rach=
süchtig, befehlshaberisch, zerstörend ist.

Etwas Gutes, ja Liebenswürdiges in ihr ist die Zu=

neigung zu ihrer Familie; sie kann lieben, wie sie haßt, aber
es liegt in ihrer Natur, das Geliebte zu despotisieren. —
Durch ihre Liebe ist sie unglücklich und darum rührend.

---

3. Adelaide.

Prinzeß ist ein einfaches Mädchen, ohne alles Fürstliche;
ihre Geburt und ihr Stand erscheinen an ihr nur als hin-
dernde Schranken, die ihrer schönen Natur widerstreben. Die
Größe hat für sie keinen Reiz, sie hat Sinn für das Glück
des Herzens allein; und nur dadurch erinnert sie an ihre
Geburt, daß sie mit einer gewissen Exaltation von dem einfachen Stande spricht, der ihr darum eben, weil er außer
ihr ist, weil sie ihn aus der Ferne anschaut, poetischer vorkommt. Ihre Sinnesart muß sie eben darum für Richard
mehr einnehmen, zugleich aber gegen Erich übel gestimmt
machen. — Die Herzogin ist gar nicht mit ihr zufrieden. —
In ihrer Bescheidenheit hält sie sich für eine viel zu geringe
Partie gegen Richard. Sie sieht an ihm hinauf und rechnet
es ihm an, daß er auf sie herabsieht, da er königliche Ansprüche machen könne.

Prinzessin beschäftigt sich mehr mit ihrer Liebe zu
Warbeck als mit der seinigen zu ihr. Sie ist von einer
resignierten Natur, zum Schlachtopfer erzogen; den Warbeck
zu besitzen, träumt sie sich jetzt noch nicht; sie beneidet nur
die Glückliche, die ihn einmal besitzen soll — ihre Hoffnung
wirklich zu ihm zu erheben, wagt sie nicht. Er muß eine
reiche oder mächtige Königstochter heiraten, aber sie ist eine
arme Waise, die nur von der Gnade ihrer Verwandtin lebt.
Nausikaa.

Es muß fühlbar gemacht werden, wie natürlich es ist,
daß im Herzen der Prinzessin sich ein liebender Anteil an
dem vorgeblichen Richard einfindet und dort zur vollen Liebe
wächst; eine Wirkung des Betrugs, an die man nicht gedacht, und die doch so nahe liegt. Es ist tragisch, wie ein
schönes Gemüte durch die menschlichste Empfindung in ein
unglückliches Verhältnis verwickelt wird, wie sich da, wo man
nur Verderbliches säte, ein schönes Leben bildet.

Warbeck und Prinzessin sind immer auseinander gehalten
worden, ohne sich gegeneinander erklären zu können. Aber
in beiden geht die Leidenschaft stumm ihren Gang fort, und

so kann die erste Erklärung gleich definitiv und wechsel=
seitig sein.

Ein Hauptinteresse entsteht daraus, daß Adelaide den
Warbeck als unecht kennt und fortfährt, ihn zu lieben. Erst
ahnt sie's und ist dann am unglücklichsten. Wenn sie es
gewiß weiß, so ist sie mit seinem Unglück mehr als mit
dem ihren beschäftigt.

Ausarbeitungen und Entwürfe zu einzelnen Scenen.

Personen:

Warbeck, vorgeblicher Herzog von York.
Margareta von York, Herzogin von Burgund.
Adelaide, Prinzessin von Bretagne.
Eduard Plantagenet, der wirkliche Prinz von Clarence.
Graf von Hereford, aus England geflüchtet.
Seine fünf Söhne.
Graf Kildare, alter Diener des Hauses York.
Sir William Stanley, englischer Botschafter am Hof der
    Margareta.
Erich, Prinz von Gotland.
Simnel, vorgeblicher Prinz Eduard von Clarence.
Belmont, Bischof von Ypern, Rat der Herzogin.
Abgesandter des falschen Prinzen von Clarence.
Diener der Herzogin. Bürger und Bürgerweiber von Brüssel.
    Mörder.

Erster Aufzug.

Hof der Herzogin Margareta zu Brüssel. Die Scene ist eine
große Halle, Brustbilder aus Bronze sind in Nischen aufgestellt.

Erster Auftritt.

Graf Hereford mit seinen fünf Söhnen tritt auf. Sir William Stanley.

Hereford.

Dies ist der heim'sche Herd, zu dem wir fliehn,
Ihr Söhne! Dies der wirkliche Palast,
Wo Margareta, die Beherrscherin
Des reichen Niederlands, ein hohes Weib,

Der teuren Ahnen denkt, die Freunde schützt
Des unterdrückten alten Königsstamms
Und den verfolgten eine Zuflucht beut.
(Sich umschauend.)
Die werten Bilder eurer Könige,
Der edeln Yorks erhabene Gestalten
Seht ihr an diesen Wänden ringsumher
Gleich freundlichen Hausgöttern grüßend winken,
Von frommen Schwesterhänden aufgestellt.
Hier wird die rote Rose nicht gesehn,
Und glänzend darf die weiße sich entfalten,
Das Wappen eines herrlichen Geschlechts.
Mit diesem Zeichen, das wir feindlich jetzt
An unsre Hüte stecken, künden wir
Dem Lancaster die Lehenspflichten auf
Und schwören blut'ge Fehde dem Tyrannen.
(Er steckt die weiße Rose an den Hut, die Söhne folgen.)

Stanley.

Mit Kummer seh' ich, mit entrüstetem Gemüt
Den edeln Hereford, den tapfern Greis,
Den strafbarn Schritt auf diesen Boden setzen
Und das verhaßte Zeichen der Empörung
Aufpflanzen in dem feindlichen Palast.
Ja, auch der Söhne unberatne Jugend
Reißt er in sein Verbrechen thöricht hin,
Raubt ihrer Heimat sie und ihrer Pflicht
Und weiht sie einer schmählichen Verbannung.

Hereford.

Verbannung ist in England, wo des Throns
Ein Räuber, ein Tyrann sich angemaßt.
Lord Hereford hat seine Lehn und Länder
Im Stich gelassen, um sein treues Herz
Zu seinem wahren Oberherrn zu tragen,
Der hier zur Freude aller Wohlgesinnten,
Gerettet durch ein gnädiges Geschick,
Vom Tod erstand, vom Grabe wiederkam.

Stanley.

Ist's möglich? Wie? Betrogner alter Mann,
Auch Euch hat dieses freche Gaukelspiel
Bethört, das ein ohnmächt'ger Haß ersann,

Der Haß nur glauben kann? — Grausam fürwahr
Und ganz unbändig ist dies Yorkische Geschlecht
Und keck zu jeder ungeheuren That.
Gewütet hat es mit Verrat und Mord,
Da es noch mächtig waltete; jetzt, da
Den Stachel ihm ein gnäd'ger Gott geraubt,
Webt es der Lüge trügliches Gespinst.
Und lieber gäb' es einem Abenteurer
Das Reich zum Raub hin, eh' es duldete,
Daß ein Lancaster friedlich es beglückte.

Hereford.
Der edle Stempel Yorkischer Geburt,
Der Majestät geheiligtes Gepräge
Erlügt sich nicht. Was in dem Angedenken
Der Treugesinnten unauslöschlich lebt,
Ahmt keines Gauklers Maske täuschend nach.
Die Welt ist überzeugt, sie glaubt an Richard,
Das Herz der Anverwandten hat geredet,
Drei große Könige erkennen ihn
Für Edwards Sohn und ehren ihn als Fürsten.
Und fürstlich, sagt man, soll sein Anstand sein,
Sein Denken königlich, und jede Tugend
Des Hauses York soll sichtbar aus ihm strahlen.

Stanley.
Wie? Edwards Sohn, der zarte Prinz von York,
Den mit dem Bruder schon die frühe Gruft
Verschlungen, dessen moderndes Gebein
Der Tow'r verbirgt, wo er gemordet ward,
Der wäre plötzlich aus dem Grab zurück
Gekehrt, um hier in Brüssel aufzuleben?
Wohl! Eine mächt'ge Zauberkünstlerin
Ist Margareta! Tote weckt sie auf,
Mit ihrem Stab erschafft sie Königssöhne!
Und Greise gibt es, achtungswerte Männer,
Die an das Märchen glauben oder doch
Sich also stellen, um den alten Zwist,
Den traur'gen Streit der Rosen, zu erneuern,
Der so viel Jammers auf das Reich gehäuft.

Hereford.
Mich soll kein Märchen hintergehn. Ich werde
Selbst sehn, und nur dem eignen sichern Blick,

Schillers Dram. (Entwürfe u. Fragmente. 11

Der Stimme nur des Herzens werd' ich glauben.
Das Blut wird sprechen! Denn im Blute tief
Lebt mir die Neigung zu dem teuren Haus
Der York, vom Ahn zum Enkel fortgeerbt.
Nichts soll das Zeugnis einer ganzen Welt
Mir gelten, wenn das Blut sich nicht verkündigt.

Stanley
(geht auf ihn zu und faßt ihn bei der Hand).

Noch ist es Zeit! Gebt redlich treuem Rat
Gehör! Laßt Euer würdig graues Alter
Das Spielwerk nicht grausamer Arglist sein.
Geht in die Schlinge nicht des falschen Weibes,
Das alle Wut und allen grimm'gen Haß
Der beiden Häuser wälzt in seiner Brust,
Dem unersättigt heißen Rachetrieb
Gleichgültig Länder und Geschlechter opfert
Und achtet keines menschlichen Geschicks!
Noch an der Schwelle wendet um, eh' Ihr,
Zu spät bereuend, den verstrickten Fuß
In des Betruges Netz gefangen seht.

Hereford (fixiert ihn).

Die Wahrheit fürchtet Ihr, nicht den Betrug.
Es ist Richard! Mir zeugt es Euer Haß.

Stanley.

Thörichter Mann, Ihr wollt es! Gehet hin
Und raubt auf ewig Euch die Wiederkehr.

Hereford.

Dies gute Schwert wird meinem Könige
Sein Reich eröffnen, mir mein Vaterland.
(Die Söhne greifen an ihr Schwert und geraten in Bewegung.)

Zweiter Auftritt.

Hereford. Stanley. Bischof von Ypern.

Bischof.

Wer darf des — — — — Eisenklang
In diesen Hallen wecken? Haltet Ruhe,
Mylords! Dem Frieden heilig ist dies Haus.

Hereford.

So schafft den Lancaster mir aus den Augen,
Der übermütig hier im eignen Sitze
Der Yorks wie dort in England will gebieten.

Stanley.

Verräter nenn' ich so, wo ich sie finde.

Hereford.

Die Yorks und Lancaster — — — —

Bischof (tritt zwischen sie).

Habt Ruh', Mylords! Erkennet, wo ihr seid,
Und ehrt das fromme Gastrecht dieses Hauses;
Denn angefesselt liegt an diesen Pforten
Die wilde Zwietracht und der rohe Streit,
Hier muß der alte Streit der Rosen schweigen,
Die hohe Frau, die hier gebietend waltet,
Geöffnet hat sie ihren Fürstenhof
In Brüssel beiden kämpfenden Parteien,
Und zu vermitteln ist ihr schönster Ruhm.

Stanley.

Wohl! Hier ist jeder ein willkommner Gast,
Der gegen England böse Ränke spinnt.

Bischof.

Auch Euch, Mylord, beschützt das heil'ge Gastrecht,
Den stolzen Boten eines stolzen Feinds!

Bischof.

Sie ist die Schwester zweier königlichen Yorks,
Und hilfreich, wie's der Anverwandten ziemt,
Gedenkt sie ihres — — — — Geschlechts,
Das unterm Mißgeschick der Zeiten fiel.
Wer soll sich ihres ausgestoßnen Stamms,
Des länderlosen, flüchtigen erbarmen,
Wenn sie, die — — — — — — —
Ihm ihres Hauses Pforten pflichtlos schließen wollte?
Die Götter sind für Lancaster, er herrscht
Und York hat nichts als — — — — —
Mitleid verdient — — — — ... —
Und — — — — — — —

Doch auch dem Feind erweist sie sich gerecht;
In — — — — — — —
Den Abgesandten König Heinrichs ehren.

Hereford.

Ein glänzend Muster frommer Schwestertreu'
Und Mutterliebe stellt die Fürstin auf
In diesen herzlos — — — vergeßnen Zeiten.
Nach Brüssel wallen alle treuen Herzen,
Die für das edle Haus der York Verfolgung dulden,
Und — — — — — — — —
Auch hat der Himmel sichtbar sie beglückt,
Vom Grabe rief er ihr den teuren Neffen,
Den längst für tot bejammerten, zurück;
Verjüngt sieht sie den schon erstorbnen Stamm
In diesem edeln Königszweige grünen *).
Wo aber ist er, dieser teure Herzog,
Daß ich mit frommem Kniefall ihn verehre?

---

*) Hier folgte im Prosa-Entwurf:
Ihn zu verehren, kommen wir hierher; wir haben England verlassen, wir
haben kein Bedenken getragen, unsere Besitzungen einem unversöhnlichen König zum
Raub zu geben, um dem Sohn unseres Herrn zuzueilen und unser treues Herz ihm
darzubringen.

Portugiesen.

Auch wir sind hier, abgeschickt von unser — — — — — um dem Prinzen
von York unsere Ehrfurcht zu bezeugen und ihm den Beistand unseres Königs anzubieten zur Wiedereroberung seines rechtmäßigen Erbes.

Schottländer.

Wir sind vorausgesendet, die Ankunft der königlichen Prinzessin von Schott-
land anzukündigen, die dem edeln Herzog Richard zur Gemahlin bestimmt ist.

Hanseaten.

Uns senden die Städte ab, die hochmögenden, dem edeln Prinzen von York
ihre Schiffe zur Landung in seinem Königreich darzubieten.

Irländer.

— — — — — — — —

Stanley.

Welche Raserei! Welcher Unsinn! Welches frevelhafte Spiel! Geht es so
weit? Nein, nicht Verblendung! Boshafter, wissentlicher Trug!

Belmont.

Seid alle willkommen! Im Namen meiner Gebieterin und ihres edeln Neffen
dank' ich euch allen. Sogleich werdet ihr ihn selbst von der Jagd zurückkommen
sehen mit meiner Gebieterin. — Sie kommen —

Hereford (zu seinen Söhnen).

Tretet hierher und folgt meinem Beispiel, was ich unternehme. Der Augenblick, der längst erwartete, ist da. Bereite dich, mein Herz, eine große Freude zu
ertragen.

Denn Herd und Heimat ließ ich hinter mir,
Und mit den Söhnen eilt' ich her, die neue Hoffnung
Des Vaterlandes freudig zu umfassen.
— Wo find' ich ihn?

(Gedräng — — — — —)

Bischof.

Ihr werdet ihn alsbald
An meiner Fürstin Hand erscheinen sehn,
Denn diese Menge, die sich dort
Mit freudigem Strom in diese Halle drängt,
Verkündet uns, daß sich die Fürsten nahn.

Bürger und Bürgerweiber von Brüssel*).

Erster Bürger.

Das sind geflüchtete Engländer. Sie kommen, den Herzog
von York zu begrüßen, ihren König und rechtmäßigen Herrn;
der andre, der Heinrich, ist nur ein Tyrann.

Zweiter Bürger.

Die ganze Stadt ist voll Engländer. Es ist bald kein
Raum mehr, sie zu beherbergen.

Zweiter Bürger.

Wir haben den König von England in unsern Stadt=
mauern.

Dritter Bürger.

Wir sind seine Beschützer.

Zweiter Bürger.

Die ganze Stadt ist voll Engländer.
Er wird hier durchkommen. Ich — — —
Popularität des Herzogs — Seitdem er da ist, viel

---

*) Zu schildern ist hier die Volksfreude und Volksgunst, die Fazilität einer
eiteln Menge, die leichte Bestechlichkeit, die Herrschaft der Weiber über die öffentliche Meinung.
Diese Gelegenheit kann benutzt werden, den Zuschauer mit dem Geschlecht
der York und den einzelnen Prinzen dieses Hauses bekannt zu machen, indem einer
da ist, der die Bildnisse nennt: Herzog Richard, Eduard IV., Georg Clarence,
Gloster, die Prinzen aus dem Tower, Eduard Plantagenet, die Gemahlin Heinrichs VII. und Margareta. — Unter den Zuschauern ist jemand, der ein Anliegen
an die Herzogin hat und sich der Fürsprache Warbecks bei ihr bedienen will. (Aus
dem Entwurf der Scene.)

gute Folgen. — Seine mitleidswürdige Lage. — Seine
Schönheit, Hoheit, fürstliche Großmut.

    Ein Kaufmann aus Gent.
    Ein Schiffer.
    Ein Fabrikant.
    Ein — — — —

Dritter Auftritt.

Margareta und Warbeck als Herzog von York. Vorausgehen — — — —
und Edelleute folgen. Belmont spricht im Hereintreten mit der Herzogin,
welche einen forschenden Blick umherwirft. Warbeck wird gleich bei seinem Eintritt von Menschen umdrängt, welche seine Hände, seine Kleider küssen und ihn
liebkosen, daß er sich ihrer kaum erwehren kann. Er zeigt eine große Bewegung
und winkt allen freundlich zu.

Margarete
(sich eine Zeit lang an diesem Schauspiel weidend).

Ja, er ist's, ihr seht ihn vor euch, euren Richard, meines
Bruders Sohn, der aus dem Grab erstanden, uns durch ein
Wunder erhalten ist. Sättiget euch an seinem Anblick, seht
mein herrliches Geschlecht in diesem einen wieder auferstehn!
Ich bin eine glückliche Frau, ich bin nicht mehr kinderlos.
— Seht ihn recht an. Betrachtet diese Bilder der Yorks
an den Wänden! Vergleicht die Züge! Es ist, als ob diese
Gestalten herunter gestiegen wären und hier wandelten! (Zu
Warbeck.) Empfangt sie wohl, Prinz! Das sind die Freunde
Eures Hauses, die für Eure Rechte streiten wollen 2c.

Warbeck.

Meine Freunde! — Meine Muhme —

Hereford.

Kommt, meine Söhne! Kommt alle! Kommt!
Er ist's, im innern Eingeweide spricht
Es laut! Er ist's! Das sind König Edwards Züge,
Das ist das edle Antlitz meines Herrn,
Auch seiner Stimme Klang erkenn' ich wieder!
(Sich zu seinen Füßen werfend.)
O Richard! Richard, meines Königs Sohn!
Welches Glück meiner alten Tage, daß ich dieses erlebte!
O laßt mich diese Hand küssen, diese teure Hand —

Warbeck.

Steht auf, Mylord! Nicht hier ist Euer Platz! Kommt
an mein Herz! Empfanget mich in Euren Armen, drückt mich
an Euer englisch biedres Herz, an Eurer Liebe Gluten laßt
meine Jugend wachsen! (Er umarmt die Söhne Herefords als seine
Brüder.)

Warbeck ist gerührt, dankbar, liebevoll, bescheiden; dabei
aber edel und würdevoll, wie ein Fürst gegen seine Vasallen.

Hereford.

Ergötzt sich an allen Aeußerungen Warbecks, in allen
findet er eine Aehnlichkeit mit Eduard. Er erinnert sich einer
Jugendgeschichte mit den Yorkischen Brüdern und erzählt sie,
die Freude und das Alter machen ihn geschwätzig.
O redet, redet! Wie entkamet Ihr
Den blut'gen Mörderhänden? Wo verbarg
Euch rettend das Geschick, in anspruchsloser Stille
Die zarte Blume Eurer Kindheit pflegend,
Um jetzt auf einmal in der rechten Stunde
Den Vielwillkommnen herrlich zuzuführen?

Margareta.

Bedenkt Euch nicht, ihm zu willfahren, Herzog!
Gerecht ist's, was der edle Lord erbittet;
Er ist es wert — — — — —

Warbeck.

Laßt mich einen Schleier ziehn über das Vergangne*).

Margareta.

Wie, Herzog?
Es ist eine falsche Scham, die Euch zurückhält;
Euer Unglück macht Euch ehrwürdig.

---

*) (Aeltere Fassung:)
Nichts — — — — — Jetzt nicht — Laßt mich
Den Schleier ziehen über das Vergangne.
Es ist vorüber — ich bin unter euch —
Ich sehe von den Meinen mich umgeben.
Das Schicksal hat mich wunderbar geführt.
Ja, ich bin euer — ich erkenne mich
Als einen York, und mächtig in der Brust
Fühl' ich — — — —
(Prosa-Entwurf:) Nichts kann die mächtige Stimme des Bluts in mir unter-
drücken — Es ist ein mächtig heilig Band, das mich an euch gewaltig bindend
zieht — Ihr seid mein — Ich bin euer — und wenn auch nichts sonst spräche,
laut sagt es mir mein Herz: ihr seid die Meinen.

Hereford.

- - - - - - - - - - - - - - - -

Warbeck

(sucht sich von dieser Erzählung los zu machen).

Verschont mich, teure Muhme!

Margareta.

Es sei! Ich will Eurer Gefühle schonen. Ich will
Euch diesen Schmerz ersparen. Wohl ist es schmerzlich, einen
schweren Traum — —
Wir wollen es statt Eurer thun.

Hereford.

O — — — — — —

Margareta.

Unsel'ge Erinnerungen muß ich
Erneuern, Zeiten muß ich ins Gedächtnis rufen,
Worüber man zur Ehre unsers Hauses
Die Schatten wälzte einer ew'gen Nacht.
Doch unser Unglück ist's, nicht unser Unrecht,
Daß wir den Fluch der Welt gezeugt,
Denn seines Hauses blut'ger Feind war Richard,
So wie des ganzen menschlichen Geschlechts.
        Und war ein Ungeheuer in unsrer Familie, so hat sie
auch treffliche Helden geboren, und — — —
        Ich will meinen — — — nicht entschuldigen. Er war
mein Bruder — aber — — — —

Ermordet waren — — — — — —
Und Richard stieg auf Englands Königsthron.
Des Bruders Söhne schloß der Tower ein:
Das ist die Wahrheit, und die Welt will wissen,
Daß Tyrrel sich mit ihrem Blut befleckt,
Ja selbst die Stätte zeigt man sich;
Doch Nacht und undurchdringliches Geheimnis
Deckt jenes furchtbare Ereignis zu,
Und spät nur hat die Zeit den Schleier gelüftet.
Wahr ist's, der Mörder Tyrrel ward geschickt,
Die Knaben zu ermorden; einen Macht-
Befehl von König Richard wies er auf,
Der Prinz von Wales fiel durch seinen Dolch,
Den Bruder sollte gleiches Schicksal treffen.

Doch sei's, daß das Gewissen jetzt des Mörders
Wach ward, sei's, daß des Kindes rührend Flehen
Das ehrne Herz im Busen ihm erschüttert —
Er führte einen ungewissen Streich
Und floh davon, ergrauend seiner That.
Genug, der Prinz entrann dem Tod, der Wärter
Verbarg ihn, — — — — —
Der Prinz war damals in dem sechsten Jahr,
Und nichts ist ihm von jener dunkeln Zeit
Geblieben, als das Graun vor einem Dolch,
Das nicht die Jahre überwinden konnten.

Hereford.

O, das begreif ich!

Margareta.

Nur in dem tiefsten Staub der Niedrigkeit
Ließ sich ein solches Kleinod — — — verbergen.
Der Prinz ward einem Bürger anvertraut
Und als sein Sohn erzogen, unbekannt
Sich selbst; auch der sein pflegte, wußte nicht,
Daß er den Sohn des Königs auferzog.
Denn wohlbedächtlich schwieg der Wärter,
Solange Richard blutig waltete.
Doch jetzt, als dieser in der Schlacht vertilgt
Bei Bosworth, und das Reich erledigt war,
Gedachte jener des ausgesetzten Kindes
Und macht' sich auf mit froher Ungeduld,
Das anvertraute Pfand zurückzufordern.
Doch in ein fremdes Land entschwunden war*)
Der Pflegevater mit dem Zöglinge
Und beider Spur verloren. Mächtig wuchs
Indes d — — — — — — —
Den edeln — — — — — —
— — — — — — Doch das Yorksche Heldenblut,
Das in den Adern dunkel mächtig floß,
Durchbrach die engen Schranken seines Glücks,

---

*) (Aelterer Entwurf:) Dieser aber war indessen weggezogen und der Prinz
von York, sich selbst nicht kennend, seinem Pflegevater gefolgt, der ihn zum Kaufmann bestimmte. Früh aber regte sich sein Mut, seine Fähigkeiten entwickelten
sich. Sein Naturell durchbrach die engen Verhältnisse, in denen er aufwuchs. Er
liebte nur ritterliche Uebungen und brachte es bald in allen zur Vollkommenheit.
Er ging auf ein Schiff, diente als Soldat und stritt gegen die Korsaren.
Unterdessen hatte die öffentliche Stimme das Geschlecht der Yorks zurückgefordert u. s. w. (S. 170.)

Es trieb ihn aus des Pflegevaters Haus:
Das Schwert nur fand er seines Strebens wert,
Und zu den Waffen griff der junge Held.

Hereford.

Nicht in das Joch spannt man des Löwen Brut.

Margareta.

Er verrichtet niedere Dienste am Hofe des englischen
Königs, wo er hätte herschen sollen; er war unter den Jagd=
bedienten des Königs, fern von dem Gedanken, daß er im
Hause seiner Väter sei.

Aber ein Widerwille gegen die Person des Königs und
die Lancastrische Partei, den er sich nicht erklären konnte,
trieb ihn bald hinweg. Er sah einen Yorkischen Anhänger
von den Lancastrischen mißhandelt, er schlug sich auf die Seite
des Unterdrückten, die Natur wirkte, er tötete den Gegner und
entfloh, nicht ahnend, daß er aus seinem eigenen Reiche floh.

Nicht nennen will ich euch die Not und Arbeit, die eures
Königs Sohn durchkämpfte, als er, sich selbst ein Geheimnis,
den Weg sich suchte durch die feindlich fremde Welt, ohn'
Eltern, ohne Freundes Hilfe, nur sein eigener Führer und
Schutz. Alles, was der Mangel Bitteres hat, erlitt er; alles
Unglück, das den Heimatlosen erwartet, traf ihn; und hart
empfand er's.

Hereford unterbricht hier die Erzählung.

Margareta, fortfahrend: Unterdessen hatte die öffent=
liche Stimme das Geschlecht der Yorks zurückgefordert, Eng=
land sehnte sich nach seinem rechtmäßigen Beherrscher. Hein=
rich VII. hatte die Yorks unterdrückt, und die zwei Kinder
des Clarence, die man für die einzigen Reste dieses Hauses
hielt, die Tochter niedrig verheiratet, den Sohn im Tower
eingeschlossen.

Sie berührt auch die harte Behandlung, welche Hein=
rich VII. gegen seine eigene Gemahlin, aus dem Hause York,
bewiesen, und wodurch er die Hoffnung der Nation, beide
Häuser versöhnt und vereinigt zu sehen, grausam getäuscht
habe *).

*) Alles, was Heinrich VII. gegen das Haus York gethan, wird mit giftigen
Zügen dargestellt. Sein Benehmen gegen seine Gemahlin — gegen die Prinzessin
von York — gegen Eduard Plantagenet, dessen Erscheinung dadurch vorbereitet wird.
Alle Invidia wälzt sich auf den englischen König, und man sieht den Haß moti=
viert, welcher die Margareta zu einer so außerordentlichen Betrügerei antreiben
konnte. (Aus einem anderen Entwurf.)

Die allgemeine Sehnsucht nach der Yorkischen Herrschaft erregt den Wärter oder denjenigen, welchem er sterbend sein Geheimnis anvertraut. Erstes Gerücht von dem noch leben=den Richard. Anstalten, ihn zu finden; man forscht seinen Spuren nach. Der Wärter thut der Herzogin seinen Bericht. Auffallende Wirkung der Aehnlichkeit Warbecks mit Richard leitet die Vermutung auf ihn. (Hier berührt sich die Fabel mit der wahren Geschichte.) Seine Zusammenkunft mit dem Wärter, der — — — — Er wird für denjenigen erkannt, welchen man dem Bürger übergeben. Er bekommt einen Anhang und rüstet Schiffe aus — Landung in England. Reise nach Portugal und Frankreich, wo er anerkannt wird. Zusammenkunft mit der Herzogin zu Brüssel. Sie ist an=fangs ungläubig, wird aber zuletzt überzeugt. — Wie kann sie überzeugt werden?

Während seine erdichtete Geschichte von der Herzogin erzählt wird, beobachtet Warbeck die Prinzessin; er muß mit etwas beschäftigt sein, um über dieses lügenhafte Spiel mit Anstand wegzukommen.

Stanley protestiert noch einmal und geht ab, ohne Glau=ben zu finden. Richards edle Erklärung löscht den Eindruck seiner Worte aus.

„Nicht durch Worte," sagt Warbeck, „durch Thaten will ich euch meine Geburt beweisen*). Was hälf' es euch, Eduards Blut in mir zu finden, wenn nicht sein Geist, wenn nicht der königliche Sinn der Yorks mich beseelte?**) An meinen Thaten sollt ihr Eduards Sohn erkennen! Ich will Eng=land erobern. Stellt mich an eure Spitze! Laßt die Kriegs=musik erschallen. Laßt mich auf Lancaster treffen im Gefecht, dann sollt ihr erkennen, daß ich ein York bin" 2c.***).
Hereford bemerkt, daß dies die ganze Sprache König Eduards sei, erzählt einen Zug von ihm. „Kommt nach

---

*) England ist voller Denkmäler von den Thaten und der Herrlichkeit meines Geschlechts.
**) „Ich habe", sagt er, „ein Geburtsrecht an England, aber ich will es als ein Soldat geltend machen, ich will es meinem Arm und eurer Treue zu danken haben."
***) Er verlangt, daß sie an ihn glauben sollen, alles beruhe ja auf Glauben. „Glaubt an mich so lange, bis ihr mich aus tapferen Thaten erkennet."

England!" sagt er. „Dort werdet ihr alles von den Thaten Eurer Väter erfüllt finden. Alles wartet auf Euch."

Warbeck zeigt eine heftige Sehnsucht, in Thätigkeit zu kommen, er strebt heiß nach der britannischen Insel hin. (Sein Motiv ist zwar hauptsächlich die qualvolle Lage in Brüssel, aber diese Sehnsucht wird ihm für kriegerischen Mut und für einen fürstlich Yorkischen Trieb ausgelegt.) Er wünscht sich nur Schiffe zur Ueberfahrt, nur ein kleines Heer zur Begleitung.

Richard erinnert sich mit Rührung an seine vorige Unbekanntheit mit sich selbst und vergleicht jenen sorglosen Zustand mit seiner jetzigen Lage. Es ist eine schwere Prüfung und kein Glück, daß er seine Rechte behaupten muß. Er scheint sich noch einmal zu bedenken und es der Herzogin zu bedenken zu geben, ob er das blutige Kampfspiel unternehmen soll, welches den Frieden zweier Länder zerstört.

Sie ermuntert ihn dazu, wie schwer ihr auch die Trennung von ihm werde und der Gedanke, ihn den Zufällen des Kriegs auszusetzen. Lebhafte Bezeugungen ihrer Zärtlichkeit. — Jetzt spricht sie von dem zweifachen Anliegen ihres Herzens, der Restitution ihres Neffen und der Vermählung Adelaidens, welche nächstens mit dem Prinzen von Gotland soll gefeiert werden.

„Ich bin ganz glücklich," sagt die Herzogin, „ich sehe die beiden teuren Personen, den Herzog und meine Adelaide, auf dem Weg zum Glücke. Dieser edle Prinz (auf Erich zeigend), wird sie glücklich machen" 2c. Kurz, sie faßt diese beiden Angelegenheiten als ein gleich starkes Interesse zusammen. Dies sagt sie, eh' sie abgeht*).

Die Prinzessin, die bei dieser Scene gegenwärtig ist und einen tiefen Anteil daran zeigt, darf von Warbeck nicht unbemerkt gelassen werden. Es zeigt sich ein Rapport zwischen beiden. Erich macht sich mit der Prinzessin zu schaffen.

---

*) Die Vermählung der Prinzessin mit Erich ist eine sehr große Angelegenheit für die Herzogin und liegt ihr äußerst am Herzen politischer Gründe wegen. Zwar hält sie nichts auf Erich, aber die Partei konveniert ihr. (Aus einem anderen Entwurf.)

Erich und Adelaide.

Erich.

Wohl! Eine treffliche Komödiantin ist
Die Muhme, das gesteh' ich! Spielte sie
Nicht bis zur höchsten Täuschung ihre Rolle?
Recht ernstlich und natürlich flossen ihr
Die Thränen.

Adelaide.

Ihre Rolle!

Erich (als ob er sie jetzt erst bemerkte).

Und auch Ihr,
Prinzessin, seid noch ganz bewegt. — Was seh' ich?
Und Eure schönen Augen ganz in Thränen?
Ist's möglich? So gar nahe ging sie Euch,
Die herzzerbrechend klägliche Geschichte?

Adelaide.

Ihr seid der einzige, den sie nicht rührt!
Rühmt Euch, daß Euch ein dreifach Erz die Brust
Verwahrt vor jedem menschlichen Gefühl!

Erich.

Mich rühren! Solch ein Gaukelspiel! Denkt Ihr,
Ich sei so leicht zu täuschen als die Welt?
Ich soll an diesen aufgehaschten York,
Das Geschöpf und Machwerk Eurer Muhme glauben?
Belustigt hat mich dieses Spiel. Ich mag's
Wohl leiden, daß die Welt verworren wird,
Daß jenem überweisen Lancaster,
Den sie den Salomo des Nordens nennen,
So schlimme Händel zubereitet werden.
Die Bosheit freut mich des verruchten Plans,
Den ein verschmitzter Weiberkopf ersonnen,
Doch meinen Scharfsinn wolle man nicht täuschen!
Durchschaut hab' ich mit einem einz'gen Blick
Die Maske, und entschieden bin ich nun!

Adelaide.

Unglücklicher Plantagenet!

Erich.

Ich habe mir die eigne Lust gemacht,
Ihn zu — — — — und ins Aug' zu fassen,

Weil ich gerade müßig war.   Auch die Muhme
Hab' ich — — — — — — und Blicke
Hab' ich ertappt, die zwischen ihm und ihr
Bedeutungsvoll gewechselt wurden.   Er
Ein Fürst?   Ich muß auch wissen, wie ein Fürst
Sich darstellt.   Würde weiß er sich zu geben,
Doch die Natur, das Unbewußte, fehlt,
Die glücklich blinde Sicherheit.   Man muß
Ein Fürst geboren sein, um es zu scheinen.

Adelaide.

Wer leugnet, daß der Herzog neu noch ist
In seinem Stand!   War er darin erzogen?
Ein Jahr ist's kaum, daß er sich selbst gefunden.

Erich.

Was man geboren ist, das lernt sich schnell.
Nicht die Gewandtheit ist's, die ich an ihm
Vermisse — Nein, er stellt sich leidlich dar —
Doch die Verlegenheit spür' ich ihm an,
Die leise Furcht, man zweifl' an seinem Stand,
Und dies ist mir ein Pfand, daß er ihn lügt.

Adelaide.

Wem hat Natur den Fürsten auf das Antlitz
Geschrieben, wenn auf deiner Stirne nicht
Das hohe Zeichen leuchtet!   Nicht vermochte
Das Mißgeschick, das dich im Staub gewälzt,
Den angestammten Adel zu verlöschen.
Nicht der Palast ist's und — — — — —
Wo — — — — — — —
Nur unter Menschen lernt sich Menschlichkeit.
O danke dem Geschick, das rauh und streng,
Das dich beraubte, um dich reich zu schmücken.
Die wahrhaft Armen sind die Glücklichen,
Die ein — — — — — — —

Erich.

Sagt's nur heraus, daß wir Euch nicht gefallen!

Adelaide.

Das wißt Ihr, und Ihr werbt um meine Hand!

175

Erich.

Ich bin Euch nicht empfindsam — — — —
— — — Erlaubt mir, Mühmchen, es zu sagen?
Ich brauch' es nicht zu sein; ich brauche mich
Nicht int'ressant zu machen, denn ich bin's.
Der Bettler muß gefallen, der Betrüger
Muß rühren, doch der Fürst steht auf sich selbst.

Adelaide.

— — — — — — — — — — — —

Erich.

Ich hab' es wohl bemerkt, daß er Euch liebt, —
Ja, ja, das hab' ich; seht, wie Ihr errötet! —
Daß er im stillen sich um Euch verzehrt,
Aus seiner Rolle kommt in Eurer Nähe.
Ich könnt' es übelnehmen, doch das ist
Ein niederträchtig bürgerlich Gefühl,
Das ich verachte. — — — — — — — —
Daß ich Euch darum noch besonders liebe,
Weil dieser York sich um Euch quält — So bin ich!
Er liebt Euch, aber ich werd' Euch besitzen!
Das ist die Sache! Im Besitze liegt's!
Und eine süße Lust gewährt es mir,

Adelaide.

O Schicksal! Was bereitest du mir zu!

Erich.

Nicht wahr, Ihr seid jetzt bitterbös auf mich,
Und Eure Blicke möchten mich durchbohren.
Gesteht's, Ihr haßt mich, Mühmchen, recht von Herzen.
Besänftigt Euch! Es war so böse nicht
Gemeint, die kleine Rache wollt' ich nur
Für Eure scharfe Stachelzunge nehmen.
Kommt, gebt mir Eure schöne Hand! Laßt uns
Der Tante folgen. — Wie? Ihr zürnt im Ernst?
Wie? Ihr seid ernstlich böse? Werdet gut!
Nicht doch! Schickt Euch darein, so gut Ihr könnt!
Ihr müßt doch Herzogin von Gotland werden,
Ihr müßt, die Tante will's, ich will's, die Welt
Ist unterrichtet, und es muß geschehen.

(Geht ab.)

Adelaide (allein).

Ist's wahr, was der Verhaßte sagte? Hat
Er recht gesehen? Richard, liebst du mich?
Ja, ja, du liebst mich, wir verstehen uns,
Dein Auge sprach, nicht konnte meines schweigen.
Doch weh uns, weh! Verwahren müssen wir
Im tiefsten Busen, was wir liebend fühlen!
Denn andre Bande sollst du schließen, ich
Soll diesem Rohen aufgeopfert werden.
Ein fremder Wille waltet über uns,
Nicht darf das Herz sich freudig selbst verschenken.
O, hart ist unser Schicksal, teurer York,
Und ach! es ist sich leider so verwandt!
Denn beide sind wir elternlose Kinder,
In die Macht gegeben einer herrischen
Verwandtin, die uns liebend unterdrückt.
Ich kenne sie, sie fordert Sklavendienst,
Nie fühlte sie der Mutter zarte Triebe.
Nicht — — — — —
Als ihren Neffen liebt sie dich, mit heft'ger
Inbrunst den Neugefundenen umfassend.
Doch eben darum müssen wir erzittern,
Denn ihre Liebe ist gebieterisch,
Und heftig eifert sie auf ihre Rechte,
Und fördern wird sie nie, was sie nicht schuf.
Wohl hat er recht gesehen, der Verhaßte!
Dich zwingt und engt das Aug' der Herzogin,
Und deine schöne Seele ist nicht frei
In ihrer Nähe. — Zittr' ich doch wie du!
Und unsre Blicke beben einverstanden,
Wie scheue Tauben vor des Geiers — — —
    O hartes Los der Waisen,
Die aus der Liebe Armen in die Welt,
Die kalte, feindliche, hinausgestoßen,
Der fremden Großmut übergeben sind.
Schwer lastet auf der freien, edlen Brust
Die Wohlthat, die das stolze Mitleid schenkt;
Die Liebe nur versteht es, schön zu geben!
Und wo die Furcht es — — niederdrückt,
Da wagt das Herz nicht freudig aufzustreben!
Die kalte Großmut hat kein innres Leben!

O Richard! Warum mußten wir uns auch
Hier an dem stolzen Fürstenhofe finden!
Dir selbst verborgen, gingst du durch die Welt,
Mit harmlos glücklicher Unwissenheit
Dich in dem — — Menschenstrom verlierend;
Frei warst du wie der Vogel in den Lüften,
Du hattest keinen Namen, doch dein Herz war dein.
Jetzt bist du angefesselt, angeschmiedet
Mit ehrnem Kettenring an deinen Stand,
— — — — — — denn geboren
Du fandest dich und hast dich selbst verloren!
O warum mußtest du deinen Stand erfahren!
O hätten wir uns, ewig unbekannt,
Dort unter einem niedern Dach getroffen!
Da hätten unsre Herzen uns vereint,
Den Glanz der Größe hätten wir entbehrt
In sel'ger Blindheit und das Glück gefunden!
    Doch warum schelt' ich das Geschick?
Dort in der Dunkelheit hätte ich dich nie gefunden.
Gepriesen sei mir des Geschickes Gunst,
Das dich dir selber, das den verlornen Namen
Dir wiedergab, dich an das Licht der Welt
Herfür zog, es führt uns ja zusammen!

Zum zweiten Aufzug.

Erster Auftritt.

1. Dienerscene.

Erster Entwurf.

Der zweite Akt fängt gleich damit an, daß Warbeck die
übernommene Fürstenrolle verwünscht und sich Mut macht,
sie fortzuspielen. „Welches Elend, ein Fürst zu sein! Aber
vorwärts! du hast es angefangen, vollende!"

Er fordert seine Hofdiener; sie lassen sich's zwei-, dreimal sagen, eh' sie kommen, thun ihren Dienst lässig und
mürrisch und schätzen ihn gering. Wie seine Geduld reißt,
so muß er Insolenzen hören. Diese schlechte Begegnung
erfährt er nicht etwa, weil man ihn als Betrüger kennt,

sondern bloß, weil man ihn für einen armen, hilflosen Prinzen hält.

Aber es gibt auch unter seinen Dienern einen, der ihm in die Karte sieht und sich deswegen alles gegen ihn heraus= nimmt, weil er ihn für seinesgleichen, ja für schlechter hält. Warbeck will gegen diesen letzten sein Ansehen behaupten; er kommt in den Fall, ihn strafen zu müssen.

———

Warbecks Scene mit einem seiner Diener, der ihm klagt, daß er seines Herrn wegen viele Kränkungen auszustehen habe, daß er sich schlagen müsse ꝛc.

Monolog des Kammerdieners, worin er sich vornimmt, dem Warbeck den Dienst aufzukünden. Warbeck kommt dazu, aber jener fühlt unwillkürlich eine gewisse Ehrerbietung.

———

Es ist darzustellen, wie der Betrüger außer den Mo= menten der Repräsentation in eine völlige Nullität übergeht. Er ist bloß wie ein Geräte, heilig, solang' es bei Aufzügen dient, und ganz nichts, wenn die Parade vorbei ist*). Aber gerade in solchen Momenten tritt der Charaktergehalt des Betrügers ein.

„Wir wollen Euch Respekt bezeugen öffentlich,“ sagt die Livree, „aber unter vier Augen ist's was anderes“**).

———

Zweiter Entwurf (Antichambrescene).

Die Diener Warbecks, Erichs und der Herzogin streiten unter sich, und jene müssen von diesen sich verachten lassen. Eine Antichambrescene. Warbeck kommt dazu***), sein Kammerdiener beschwert sich bei ihm und will ihm nicht mehr

---

*) Diese Bemerkung kann er selbst machen.
**) „Was ist das!“ ruft er. Warbeck verliert die Geduld und will den Un- verschämten in den Stock werfen lassen.
***) (Andere Fassung:) Warbeck sieht sich unter seinen Leuten nach einem Freund um und findet keinen. Ein einziger treuherziger Kerl, der ihn für den wahren York hält, zeigt ihm auf eine naive Weise, daß ein Bettelprinz eine dürftige Figur spiele.
Warbeck kommt dazu, wenn die dreierlei Dienerschaft beisammen sitzt. Sie stehen nicht einmal vor ihm auf, und als er ihnen ihre Unverschämtheit verweist, so sagt einer, sie hätten Befehl, ihn öffentlich zu respektieren, aber unter vier Augen sei's was anderes.

bienen. Einer seiner Diener glaubt, einem wahren und nur
armen Prinzen zu dienen, ein andrer aber hält ihn für einen
Betrüger und läßt es ihn fühlen. Der letzte verteidigt ihn
aber viel lebhafter gegen die Lästerzungen, da der erste sich
bloß darüber desoliert, daß sein Herr verachtet wird. — Die
Bedienten, wenigstens einer davon, können öfters in dem
Stück vorkommen.

Der Haushofmeister der Herzogin bringt einem Offizianten
des Warbeck das Geld, welches ihm ausgesetzt worden. Er
gibt es mit mauvaise grace und schilt über den Aufwand.
Warbeck hat nie genug und gibt als ein Fürst weg. Der
Offiziant, der seine Kasse führt, verteidigt seinen Herrn und
hält mit Eifersucht über seine Ehre, muß aber viele Kränkungen erfahren.

2. Warbeck und Belmont.

Warbeck kommt im Gespräch mit Belmont und macht
der Antichambrescene ein Ende. Belmont macht auch einen
kleinen Tyrannen gegen Warbeck und sieht auf ihn herab.
Sein Betragen gegen denselben ist trocken, kurz weg und hat
etwas stolz Ministerielles. Man will ihn los sein. Herzogin
läßt ihm seine Abreise befehlen, er soll den guten Willen
und den Beutel des Hereford benutzen, er soll an den Hof
des schottischen Königs gehen.

Er ist ihr vor der Welt der Nächste, unter vier Augen
der Gleichgültigste. Hierbei bemerkt er, wie es ihr doch nur
möglich sei, gar nichts für ihn zu fühlen und sich doch vor
der Welt den Schein der innigsten Zärtlichkeit zu geben;
ob nicht wenigstens die Gewohnheit, zu s c h e i n e n, ein
Wohlwollen für ihn bei ihr erwecken könne, ob nicht bloß
die Gewalt der Verstellung ihr etwas von Gefühlen auf-
nötige, welche sie heuchle. Aber er bedenkt nicht, daß Verstellung ihr Element ist.

„Sie kann sich auf einmal alle Last der Verstellung
erleichtern und den Schein der Wahrheit aufs Höchste treiben
— sie schenke mir ihr Herz, sie habe für mich die mütter-
lichen Gesinnungen wirklich, die sie vor der Welt zu bekennen
sich auferlegte; sie vergesse, wer ich war, sie nehme mich an
zu ihrem Neffen, und ich will es sein, ich will freudig alle

Gefühle der Dankbarkeit, der Ehrfurcht, der Pietät für sie
annehmen, und die Wahrheit wird mir einen Schwung geben,
den keine Macht der Verstellung je hervorbringen kann.
Kann alle die Liebkosung, die sie mir vor der Welt erzeigt,
kein Wohlwollen für mich in ihrem Busen aufwecken? Ich
trage das Angesicht ihres Geschlechts. Sie findet in meinen
Zügen ihren Verwandten: glaube sie doch ihren Augen, die
äußere Bildung wird der Ausdruck der inneren Gesinnung
sein. — Ich — ich fühle, daß ich ihr nicht fremd bin. Mit
dem Namen, den ich annahm, habe ich wirklich ein kindliches
Pflichtgefühl für sie angenommen, und wenn sie mich vor
der Welt umarmt, wenn ich ihre Hand mit meinen Thränen
netze, so sind es wahre Thränen, und mein Herz ist mit
dabei. — Ich soll ein Fürst sein, ich soll ihresgleichen und
soll ihres Geschlechts erscheinen; aber ein Fürst und York
muß sich fühlen können, er muß mit Mut und Zuversicht
in seinen Busen greifen. Sie befreie mich von allem, was
mich einengt, erniedrigt, zu Boden drückt! Sie lasse mir
das Herz groß werden 2c., so werde ich s c h e i n e n, weil ich
b i n. Aber das Gefühl der Lüge und des Nichts, das sie
in mir ewig wach erhält, ertötet allen Mut. Ich habe
meinen vorigen Stand weggeworfen wie ein fremdes Kleid;
ich habe i h r, aber sie nicht m i r Wort gehalten. Ich spiele
nicht bloß die Person ihres Neffen, nein, ich denke (ich darf
es sagen), wie er denken würde; ich fühle sein Herz in meiner
Brust, wie ich seine Züge an mir trage."

In eben dieser Scene mit Belmont beklagt er sich über
die schändlichen Aufträge, die man ihm gebe (er soll den
englischen Flüchtlingen ihr Geld abschwatzen, ihre Redlichkeit
hintergehen, er soll noch andere Unwürdigkeiten ausüben).
Er bittet, ihm die schwersten Abenteuer aufzulegen, aber ihn
mit Schändlichkeiten zu verschonen u. s. w. Selbst das
Wiederholen seiner fabelhaften Geschichte ist ihm peinlich).

————

Wie sich Warbeck über die Kränkung beklagt, die ihm
erwiesen werde, sagt Belmont: „Ein — — wie Ihr muß
keine so kitzliche Haut haben, er muß etwas vertragen
können."

————

3. Monolog Warbecks.

„O elendes Schicksal!" ruft er aus. „Da ich noch der vorige, unbedeutende Mensch war, da war mein Wille mein, da hatte ich Freunde, da wurde mir Liebe zu teil, da genoß ich um meiner selbst willen Achtung und Ehre — was habe ich jetzt? O, ich will sie zerreißen, diese Fesseln 2c.!" Und nun kommt die Gesandtschaft der Prinzessin, welche ihm Unterstützung anbietet.

———

Warbeck strebt selbst aus Brüssel weg; aber die Liebe zur Prinzessin hält ihn zurück. Er möchte nur einmal eine Erklärung mit ihr haben und weiß nicht, wie er die Prinzessin zu sprechen bekommen kann, weil alle seine Schritte ausgespäht werden, seine Hofdiener lauter Wächter sind. Was gäb' er nicht um eine Stunde allein mit der Prinzessin! Er sieht sich nach einem vertrauten Menschen um, und der einzige, zu dem er ein Herz hat, — —

Zweiter Auftritt.

1. Adelaides Botschaft.

Man sieht den Warbeck auf dem Punkt stehen, seine unerträgliche Betrügerrolle zu verlassen, als er überzeugende Beweise von der Liebe der Prinzessin erhält. Wie gelangt er zu diesen Beweisen? Sendet sie zu ihm? Hat sie eine vertraute Person? Wie weit erlaubt ihr die Sittsamkeit, gegen ihn Schritte zu machen?

Er kann die Neigung der Prinzessin aus dem Mund der Feinde selbst, des dummen Erich, erfahren.

Sie kann ihm ein schönes, zartes Mitleid zeigen; sie will ihm etwas schenken, weil sie weiß, er ist im Mangel.

Sie kann seine Hilfe gegen den verhaßten Freier aufrufen.

———

Ein Gärtnerknabe bringt dem Prinzen ein Bouquet, darin ist ein Brief der Prinzessin. Er ist ganz glücklich durch diesen Beweis ihrer Neigung, er ist auf dem Gipfel der Hoffnung; der Gärtnerknabe ist ein verkleidetes Mädchen, der Prinzessin attachiert. In dieser süßen Stimmung, wo er sich selbst vergißt, wird er auf eine schmerzliche Art an seine Rolle erinnert.

2. Warbeck und Stanley.

Stanley wendet sich an Warbeck selbst, um zu versuchen, ob er ihn nicht bereden kann, seine Rolle aufzugeben und sich dem König von England in die Arme zu werfen. Er weiß einen Teil von Warbecks Geschichte (dies gibt Gelegenheit, diese zu exponieren); er weiß, daß er durch Künste und zum Teil durch Zwang hinein betrogen und getrieben worden, daß er durch das Verhältnis gedrückt wird. Er trifft wirklich das Wahre, aber Warbeck ist zu sehr York, um nicht jedes Bündnis mit den Lancasters zu abhorrieren. Dieser Erbhaß gegen Lancaster und zum Teil die Liebe zur Prinzessin machen ihn taub gegen die sehr annehmlichen Vorstellungen Stanleys. „Und wenn ich auch Yorks niedrigster Diener wäre, so sollte doch jedes Haar in mir gegen Lancaster aufstehen."

Diese Scene mit Stanley erweckt eine günstige Meinung von Warbeck, weil man sieht, wie er verführt worden; auch dadurch, weil er nicht nachgibt und fest bleibt.

Neue Gliederung von Auftritt 1—6 des zweiten Aufzugs.

1. Warbeck soll fort, alles ist bereitet; er kann den Ort nicht verlassen, wo seine Liebe ist, die Prinzessin nicht ohne Erklärung verlassen — und doch keine Möglichkeit sie allein zu sprechen!

2. Er wird von den Dienern, die ihm die Herzogin gesetzt, vernachlässigt, weil sie ihn entweder für arm oder für einen Betrüger halten.

3. Er klagt es dem Bischof von Ypern, der dazu kommt. Große Explikation mit diesem.

4. Explikation mit Stanley.

5. Monolog des Betrügers *).

---

*) (Hierher mag man folgende Notiz ziehen, die Schiller noch ohne Rücksicht auf die Stelle im Drama, wo sie verwendet werden sollte, niedergeschrieben hat:)
Monolog Warbecks, wo sich seine kühne Glücksritterschaft ausspricht. Man sieht, daß er sich dem Strom der Verhängnisse überlassen hat, daß er sich selbst ge-

6. Hereford zu ihm.
7. Erich zu ihm.
8. Der Subornierte.

Zu Aufzug III, Auftritt 2.

Bürger, vor dem Zweikampf sich unterredend.
A. Wenn aber beide wahre Prinzen wären?
B. Dann wird Gott sie schützen.
A. Oder beide Betrüger?
B. Dann wird der Tapferste das Feld behalten.
C. Ich wette hundert Kronen auf den Richard.
A. Ich auf den Clarence.

Zu Aufzug III, Auftritt 3.

Ehe Warbeck zum Kampfe geht mit Simnel, und wie er seine Zuversicht zeigt, erinnert ihn einer (etwa Belmont) an seine böse Sache. — Sein kurzes Gespräch mit der Prinzessin, die mit seiner unwürdigen Behandlung inniges Mitleid zeigt. — Erichs Schadenfreude.

Zu Aufzug IV, Auftritt 7 und 8.

Er wird, im vierten Akt, an ein furchtbares Verbrechen hinangetrieben, das er nicht begehen und auch nicht umgehen kann, denn alles spitzt sich zuletzt auf das schreckliche Dilemma: Er oder Plantagenet. Um sich, den falschen York, zu behaupten, muß er das Blut des wahren vergießen. — „O hätte ich nie diesen furchtbaren Namen angenommen, der jetzt wie das Hemd des Nessus auf mir liegt und mich zerfleischt, wenn ich ihn abzureißen strebe!"

Nach Warbecks Scene mit Plantagenet hat er einen leidenschaftlichen Monolog, worin wir ihn auf der ganzen Höhe seiner Gefahr, seines Verbrechens und seines Unglücks sehen und zu denken veranlaßt werden, daß ein Verbrechen ein andres fordere, daß der Betrug zum Mord führen könne, daß Warbeck selbst auf diesem Wege vielleicht sei. —

geheimnisvoll vorkommt; es ist, als ob er sich unter den Flügeln eines Genius wüßte. „Glück! in deine Hände werf' ich mich, ich bin dein Sohn, vollende deine angefangne Schöpfung!"

Und jetzt eben tritt Stanley zu ihm, ihn zu versuchen. Er schlägt dieses zwar aus, aber man weiß nicht ganz positiv, ob er die That selbst oder nur den Gehilfen abhorriere. Er geht in dieser Seelenstimmung ab, und Erich tritt nun zu dem Stanley, wodurch man auf die nachherige Katastrophe mit Plantagenet vorbereitet wird. — Wenn man den jungen York vermißt, so zeigt sich Warbeck zugleich in einer verdächtigen Gemütsstimmung, er wird mit verdächtigen Waffen gesehen.

Versuch einer anderen Lösung des Konflikts zwischen Warbeck und Adelaide.

(Früherer Entwurf von Aufzug IV, Auftritt 3, 4 und Aufzug V, Auftritt 1, 2).

Warbeck entdeckt der Prinzessin freiwillig den Betrug, vorher eh' er von der Herzogin des Mordes bezichtigt wird. Sie vergibt, aber entsagt ihm zugleich.

(Kildare muß dem Warbeck als ein drohendes Gespenst erscheinen und schon von fern her ihn schrecken. Seine Ankunft muß daher gut vorbereitet sein und als eine Hauptbegebenheit behandelt werden. Die Prinzessin ist's, die ihn herbeiruft, und indem er der Gegenstand ihrer Sehnsucht ist, ist er dem Warbeck ein Gegenstand des Grauens.)

Prinzessin*) setzt zwar voraus, daß Warbeck ein Fürst ist, und daß er Richard von York ist. Sie hätte ihn nicht bemerkt, nicht auf ihm verweilt, wenn sie ihn nicht in dieser Sphäre gefunden, ja das Interesse an seinen Schicksalen als York hat einen großen Anteil an ihrer Neigung für ihn. Uebrigens aber ist ihre Liebe ganz nur dem Menschen, nicht dem Fürsten gewidmet, und nachdem er einmal Besitz von ihrem Herzen genommen, kann er nicht mehr daraus vertrieben werden. Die Entdeckung des Betrugs kann sie unglücklich machen, aber nicht gleichgültig gegen ihn: und auch nur deswegen unglücklich, weil sie ihn für einen Nichtswürdigen zu halten gezwungen wird. Fände sich, daß er zu

---

*) Die Prinzessin steht rein und schuldlos zwischen zwei schuldigen Naturen, mit welchen das Schicksal sie verwickelt hat. Sie erhält sich auch durchaus rein und handelt und fühlt immer als eine schöne Seele. Das Mitleid ist das mächtigste Motiv ihrer Neigung, daher auch die Entdeckung ihre Neigung nicht zerstört, weil Warbeck dann am mitleidswürdigsten erscheint.

entschuldigen wäre, so würde sie nichts verloren zu haben glauben. Nur achten will sie ihn, um ihn zu lieben. Daß sie nur seine Person liebt und nur in der Liebe ihr Glück findet, hat sie schon früher geäußert, wo sie wünscht, daß er unbekannt geblieben wäre und nur für sie gelebt hätte*).

Wenn die Prinzessin die Wahrheit erfahren, so fühlt sie sich unübersehbar unglücklich, weil der Gedanke eines Betrugs, einer so ungeheuren Frechheit zu ihrem Gefühle für Warbeck den ungeheuersten Absatz macht. Sie muß also verstummen und kann nichts als sich entfernen.

Wenn sie aber nachher wieder erscheint**), so hat indes die Liebe gewirkt, sie hat Entschuldigungsgründe für Warbeck gesucht und zum Teil gefunden; selbst der Gedanke, daß sie Warbeck nie gesehen haben würde, wenn er sich nicht zum York gemacht hätte, wirkt zu seinem Vorteil. Sie ist jetzt nicht mehr ganz trostlos, sie hofft, ihn weniger schuldig zu finden ꝛc. In dieser Stimmung kommt sie mit ihm zusammen, sie erträgt es ihn zu sehen, Kamill***) kann etwa der Vermittler dabei sein.

Warbeck verhehlt nichts von seiner Geschichte, er macht die Liebe zu seiner Richterin. Adelaide wird bewegt, sie fühlt sich unfähig, ihn zu verdammen, zugleich aber auch genötigt, ihm zu entsagen. Sie spricht ihm von der furchtbaren Ankunft des Grafen Kildare, welche sie selbst beschleunigt, und bittet ihn, diese schreckliche Entscheidung nicht abzuwarten.

Sie selbst will ihm zur Flucht behilflich sein. Er ist in einer finstern Verzweiflung; da er sie verliert, so ist ihm alles andere gleichgültig. Sein wahrer Schmerz erregt ihr ganzes Gefühl; sie läßt ihn merken, daß er ihr auch noch jetzt teuer sei, ob sie gleich entschlossen ist, oder vielmehr überzeugt ist von der Unmöglichkeit, ihn zu besitzen.

Diese rührende Scene wird durch die Nachricht unterbrochen, daß Kildare da sei.

Prinzessin treibt ihn zu fliehen, er verschmäht es, er will nicht als ein Feiger aus Brüssel gehen†).

Sie fragt ihn, ob er es darauf ankommen lassen wolle, öffentlich entlarvt zu werden?

---

*) Am Ende des 1. Aufzugs. (A. d. H.)
**) Zu Anfang des 5. Aufzugs. (A. d. H.)
***) Warbecks Vertrauter, dessen Rolle Schiller, wie es scheint, später fallen lassen wollte. (A. d. H.)
†) Er verläßt sich darauf, daß er den rechten York in seiner Gewalt hat.

Er antwortet, er wolle sich mit Gewalt behaupten und in seinem eigenen Namen*). Er zählt auf seinen Anhang, auf seine Verzweiflung; er will mit den Waffen in der Hand fallen und seine Unternehmung auf England hinaus= führen.

Prinzeffin entsetzt sich über seine Kühnheit.

Indessen tritt die Herzogin herein mit Kildare und Gefolge.

Zu Aufzug V, Auftritt 5.

Nichts gleicht der Empfindung Warbecks, wenn er sich als einen geborenen York erkennt und die unerträgliche Last der lang getragenen Lüge nun auf einmal von sich werfen kann. An dem heftigen Grad seiner Freude erkennt man erst, wie unerträglich ihm der Betrug bisher gewesen sein mußte. Er eilt fort, umsonst sucht ihn Kildare zurück= zuhalten. Er eilt zu den Engländern, die er hereinruft und in freudiger Verwirrung entdeckt, daß er nicht Richard sei und dennoch ein York sei. Er rennt nun fort, man weiß nicht wohin, und läßt jene voll Erstaunen stehen.

---

*) In dieser Scene handelt das Yorkische Blut in ihm, und die Entdeckung seiner Geburt erklärt sein jetziges Betragen ganz.

Die Prinzessin von Celle.

Personen:

Der Herzog von Hannover Ernst August
Der Erbprinz Georg
Die Herzogin von Hannover Sophia
Die Erbprinzessin Sophia Dorothea
Der Herzog von Celle Georg Wilhelm
Die Herzogin von Celle Madame d'Olbreuse
Der Graf von Königsmark
Der Graf von Platen
Die Gräfin von Platen
Die Baronesse von Moltke
Die Gräfin von Wick.

Da es dieser Geschichte an einem prägnanten dramatischen Momente und überhaupt an sogenannten äußeren
Handlungen fehlt, so sind diese zu suchen und aus dem
Stoffe herauszuwickeln. Vor allen Dingen muß die Handlung prägnant und so beschaffen sein, daß die Erwartung
in hohem Grade gespannt und bis ans Ende immer in Atem
gehalten wird. Es muß eine aufbrechende Knospe sein, und
alles, was geschieht, muß sich aus dem Gegebenen notwendig
und ungezwungen entwickeln. Daher müssen alle Partien
in höchster Einheit verschlungen sein, und alle bewegenden
Kräfte auf einen einzigen Punkt hindrücken.

Alles steht in Korrelation: die königliche Hoffnung
und die niedrige Abkunft der Prinzessin; die zwei fürstlichen Gattinnen, nämlich die Herzoginnen; die zwei Maitressen*); der blühende Königsmark und der alte Herzog;
der feurige Freund und der kaltsinnige brutale Gatte.

---

*) Die Gräfinnen von Platen und von Wick. (A. d. H.)

188

Damit die Geschichte rasch zu einer Katastrophe sich ab=
rolle, muß gleich anfangs ein lebhafter Stoß hineingebracht
werden, es muß alles gleich so anfangen, daß eine Krise
erwartet wird. Gleich die erste Scene muß leidenschaftlich
und entweder selbst That oder doch unmittelbare Wirkung
davon sein. Das schlimme Verhältnis der Ehegatten expo=
niert sich schnell, aber zugleich müssen sich mehrere andre
Verhältnisse exponieren, daß man in ein rasches und reiches
Leben sogleich versetzt wird.

Aus diesem Stoff kann eine Tragödie werden, wenn
der Charakter der Prinzessin vollkommen rein erhalten wird
und kein Liebesverständnis zwischen ihr und Königsmark
stattfindet.

Das tragische Interesse gründet sich auf die peinliche
Lage der Prinzessin im Hause ihres Gemahls und am Hof
ihrer Schwiegereltern *). Mit einem Herzen, welches Liebe
fordert, und im Hause ihrer Eltern einer zärtlichen Behand=
lung gewohnt, ist sie an den Hof zu Hannover unter Men=
schen gekommen, welche für nichts Sinn haben, als für ihre
Fürstlichkeit und für die Vergrößerung ihres Hauses. Als
die Tochter einer bloßen Abligen (denn ihre Mutter war
nicht fürstlichen Geblüts) wird sie an dem stolzen Hof zu
Hannover mit Verachtung angesehen. Ihr Gemahl hat sie
nicht selbst, viel weniger aus Liebe gewählt; bloß um die
Erbschaft des Herzogtums Celle sich nicht entgehen zu lassen,
hat die Herzogin ihre Abneigung gegen ein solches Miß=
bündnis überwunden und die Prinzessin ihrem Sohn zur
Gemahlin gegeben. Für ihre Person ist sie also unwill=
kommen in diesem Fürstenhaus; ihrem Gemahle, der sie nicht
gewählt hat und der schon in der Gewalt einer Maitresse
ist, ist sie gleichgültig und wird ihm bald durch ihre Em=
pfindlichkeit lästig.

---

*) Prinzeß zeigt das mutige Streben eines freien Charakters gegen Borniert=
heit und Gemeinheit. Prinzessin stellt dar eine edle Natur, welche gemeinen Ver=
hältnissen und Absichten aufgeopfert worden, sich mit allen Waffen der Unschuld
und Natur dagegen vergebens wehrt.

Von den Hauptpersonen verachtet, steht sie sich verlassen von den Höflingen
und insultiert von den frechen Bublerinnen ihres Gemahls und ihres Schwieger=
vaters. Sie kennt ihre Pflichten, und ob sie gleich ihren Gemahl nicht aus Liebe
wählte, so ist es ihr doch ein Ernst, ihm zu leben und den Namen seiner Gattin
im ganzen Umfang zu verdienen.

Die zurückgesetzte Gemahlin, die beleidigte Frau, die gereizte Fürstin stellen
sich in der Prinzessin dar. (Aus anderen Entwürfen.)

Die Prinzeſſin iſt in einer Lage, worin viele ihres Standes ſich befinden. Es blieb ihr alſo eins von dieſen beiden zu thun: entweder ſich mit Klugheit der Verhältniſſe Meiſter zu machen, in denen ſie einmal iſt, und folglich jene Menſchen nach ihrer Weiſe zu beherrſchen, oder, wenn ſie dazu nicht den Charakter hatte, ſich mit der gewöhnlichen Paſſivität und Ergebung in dieſen Zuſtand zu reſignieren. Eins von beiden würde jede gemeine Weltnatur gewählt haben; aber für das erſte denkt ſie zu ſtolz und zu edel, und für das zweite iſt ſie zu lebhaft. Sie hat im väter-lichen Haus die Behandlung eines geliebten einzigen Kindes erfahren, ſie iſt ſich ihrer Vorzüge bewußt, und die Ver-nachläſſigung, die ſie erfährt, kränkt ſie aufs tiefſte. Und eben weil ſie eine edle Natur iſt, ſo verſchmäht ſie es, ſich zu der Armſeligkeit der Menſchen, mit denen ſie zu thun hat, herabzulaſſen; ſie pocht auf ihr Recht, ſie hüllt ſich bloß in ihre Unſchuld und natürliche Würde, wofür jene keinen Sinn haben. Ihr lebhafter Verſtand läßt ſie die Gemein-heit um ſich herum lebhaft fühlen, und ſie ſchont ſie nicht; dadurch aber bringt ſie nur Haß und Erbitterung hervor *).

Sophie iſt eine edle Natur, in gemeine, kleinliche, herz-loſe Verhältniſſe geworfen. Sie würde das Glück eines edeln Mannes gemacht haben, aber das Schickſal hat ſie zur Gattin eines gemeinen Alltagsmenſchen gemacht, der für ihren Wert keinen Sinn hat, der in den Schlingen einer ſchlechten Perſon iſt, dem jede ſchöne, freie Menſchlichkeit fremd iſt.

Ihr erſter Gedanke iſt, da ſie es an dem Hof zu Han-nover nicht mehr ertragen kann, ſich in die Arme ihrer Eltern zu werfen. Dieſe befinden ſich eben auf einem Be-ſuch zu Hannover, wo die politiſche Vergrößerung dieſes Hauſes ſoeben alle Gemüter beſchäftigt. Denn der Kaiſer hat dem Herzog die Kurwürde zugeſagt, und in England hat man die Herzogin von Hannover zur Succeſſion in dieſem Königreich berufen **). Beide Ereigniſſe werden als höchſt erfreulich gefeiert, und ein glänzendes Hoffeſt iſt des-

---

*) Kurz ſowohl ihre ſchöne edle Natur widerſtrebt dieſem Zuſtand, als auch ihre verzeihliche Eigenliebe und ihr Stolz können ſich nicht leidend darein ergeben. Dazu kommt, daß eine beredte Zunge, die ihrer Hofdame und noch mehr die ihres Freundes, ihren Unwillen ſchüren. (Aus einem anderen Entwurf.)
**) Dazu bedarf es aber der Vergrößerung, und es kommt doppelt darauf an, alle Beſitzungen des Hauſes Hannover und Celle zu vereinigen, welche zu trennen von anderen gearbeitet wird. (Aus einem anderen Entwurf.)

halb veranstaltet. Aber selbst dieses fröhliche Familien=
ereignis führt eine Kränkung der Prinzessin herbei. Denn
die Herzogin von Hannover, ganz von königlichen Hoffnungen
trunken, macht ihr ein Verbrechen aus ihrer Gleichgültigkeit
und läßt sie fühlen, daß sie sie des sie erwartenden Glücks
für unwürdig halte, und wirft einen beleidigenden Seiten=
blick auf ihre Geburt. Sophia fühlt bei dieser öffentlichen
Freude nur ihr häusliches Unglück, denn eben jetzt ist ihr
von ihrem Gemahl und seiner Maitresse eine empfindliche
Kränkung widerfahren.

Eben jetzt also, wo ihr die schönsten Hoffnungen zu
blühen scheinen, wo das Haus Hannover dem höchsten Glanz
entgegengeht, überrascht sie ihre Eltern mit der unerwarteten
Bitte, sie wieder bei sich aufzunehmen. Dieser Widerspruch
ihres Zustandes mit dem öffentlichen gibt eine tragische
Situation: verlassen will sie dieses Haus gerade in dem
Momente, wo es das höchste Glück scheint, ihm anzugehören,
und ohne daß sie für Glanz und Größe unempfindlich wäre.

Ihrem Vater thut sie zuerst dieses Geständnis, und
wie sie ihn unbeweglich findet, dann bestürmt sie das mütter=
liche Herz. Aber ihre Mutter hat sich vergebens ihrer bei
dem Vater angenommen. Der Herzog von Celle steht unter
der höhern Influenz der Herzogin von Hannover und ist
selbst gegen seine Gemahlin diesmal streng und hart. Mutter
und Tochter vermischen ihre Thränen, und die Prinzessin
muß ihre Eltern abreisen sehen*).

Wenn diese weg sind und die Feinde der Prinzessin
über sie zu triumphieren glauben, so rafft sie sich zu einem
edeln Entschluß zusammen. Sie will ihren Gemahl zurück=
führen, sie will ihn gewinnen oder doch von seinem Unrecht

*) (Aus anderen Entwürfen:) Die Eltern aus Celle, besonders der Vater,
freuen sich der künftigen Erhebung ihrer Tochter, und in ihrem Erstaunen und
Schmerz will sie ins väterliche Haus zurück.
   Prinzessin will anfangs ihren Eltern nicht die Confidence machen, sondern
ihren Verdruß allein tragen, aber es wird zu arg, und ihre Empfindlichkeit ist
stärker als ihr Entschluß, zu schweigen. Noch in Anwesenheit der Eltern erfährt
sie eine ihr unerträgliche Begegnung. (Die Gräfin Platen bietet der Prinzessin
etwas ganz Unerträgliches.)
   Herzogin von Celle antwortet ihrer Tochter (welche sagte, daß sie, die
Herzogin, doch durch Liebe sei beglückt worden, daß ihr Mann ihr den Fürstenhut
zu Füßen gelegt habe), sie sehe an ihrem Beispiel, daß Heiraten der Liebe doch
nicht glücklich enden, daß sie, die Herzogin, jetzt eine ganz andere Begegnung von
ihrem Gemahl erfahre — dulden sei des Weibes Los, es sei doppelt das Los der
Fürstentochter.
   Wehmut der Prinzessin, wenn sie ihre Eltern fortreisen sieht.
   Jetzt ist sie ganz ihren Feinden preisgegeben und muß ihren Hohn, ihren
Triumph erfahren.

überzeugen. In dieser Absicht sucht sie ihn auf und sucht sich ihm zu nähern. Sie schmückt sich, um ihre Schönheit geltend zu machen, um ihre Nebenbuhlerinnen zu verdunkeln, um seine Eitelkeit zu reizen. Auch trägt sie wirklich einen Triumph davon und ist nahe daran, seine Neigung zu erobern.

Königsmark wird von dem Liebespfeil getroffen, der auf ihren Gemahl gerichtet war.

Der Triumph der Prinzessin macht ihre Feindinnen nur desto erbitterter gegen sie. Sie bringen den Erbprinzen dahin, daß er seine Gemahlin empfindlich beleidigt, und gerade in dem Moment, wo sie sich ihm aufrichtig nähern wollte*).

Nach der Mißhandlung, die sie von dem Erbprinzen erfahren, ist ihr Herz ganz von ihm abgewendet. Aber gerade jetzt fängt das seinige an, sich ihr zuzuwenden. Die Scham, das Mitleid, die Reue thun diese Wirkung. Doch da sie weit entfernt ist, dies zu ahnen, so benutzt sie diesen Moment nicht, und ihre Feindinnen haben Zeit, ihn fruchtlos zu machen.

Auch die junge Prinzeß kann dazu dienen, den Vater zu rühren.

Den Erbzprinzen inkommodieren ihre Ansprüche auf sein Herz. Er meint, sie habe genug, daß sie seine Hand und seine Würde besitze. Er hat sie ohne Neigung geheiratet.

Nachher aber wirft er sich doch sein hartes Betragen vor und glaubt ihr zuviel gethan zu haben. Diese Stimmung ist ihren Feinden, der Familie Platen, gefährlich, und sie müssen alles anwenden, um eine Versöhnung unmöglich zu machen. Jetzt bedienen sie sich des Motivs der Eifer-

---

*) (Aus anderen Entwürfen:) Worin besteht die Beleidigung, die der Prinzessin von ihrem Gemahl und von den Maitressen widerfährt?
Es wird ihr einmal verboten, an einem gewissen Ort zu erscheinen, jemandes Besuch anzunehmen, einen gewissen Schmuck zu tragen.
Eine Person, welche sie beschützt, wird beleidigt.
Ein unschuldiges Vergnügen wird ihr verkümmert.
Sie sieht sich beleidigt.
Gräfin Platen muß eine Ursache haben, der Prinzeß übel mitzuspielen, sie muß von ihr beleidigt sein.
Maitresse des Prinzen Georg ist weniger thätig, nicht sie ist's, welche von der Prinzessin am meisten gehaßt wird.

sucht, denn da er anfängt eine gewisse Neigung für die
Prinzessin zu fühlen, so ist er auch der Eifersucht desto
fähiger.

Der Fürstenstolz des Erbprinzen kehrt sich auch einmal
gegen seine Maitresse, und er sagt ihr einige harte Dinge,
indem er sie neben seiner Gemahlin herabsetzt.

———

Aber er kann sich darum doch aus dem Netz der Buhlerin
nicht loswickeln, weil sie seine ganze Schwäche kennt und zu
benutzen weiß. Sein beharrlicher Charakter ist f ü r sie, bloß
die augenblickliche edle Anwandlung g e g e n sie. Hingegen
ist bei der Prinzessin der beharrliche Charakter edel und nur
die augenblickliche Anwandlung zuweilen weibliche und mensch=
liche Schwäche.

Interessant ist die anfangende Neigung des Prinzen
zu seiner Gemahlin, von der sie nichts ahnt. Er verliert
das schöne Glück, dessen er nicht wert ist, und fällt zu der
Buhlerin zurück, was er wert ist.

———

Die Herzogin von Hannover erscheint der Prinzessin in
einem Augenblick als eine hilfreiche Freundin, wo sie sich
ganz verlassen sah. Sie irrt sich aber, wenn sie etwas von
dem Herzen der Herzogin hofft, die nur für die Verhältnisse
handelt. Auch diese Täuschung ist tragisch*).

Unter diesen Umständen ist Königsmark für die Prin=
zessin eine sehr gewünschte Erscheinung. Sie kannte ihn
schon an ihres Vaters Hof, es ist ein freundschaftliches Ver=
trauen zwischen ihnen, sie weiß sich von ihm verstanden,
sie ist seines Anteils gewiß. Deswegen erblickt sie ihn mit
einem gewissen Grade von Leidenschaft. Ein solcher Freund
ist es ja, der ihr längst gefehlt hat.

Ihr Entschluß steht fest, Hannover zu verlassen; alle

———

*) (Aus einem anderen Entwurf:) Es ist ein Charakterzug der Herzogin
von Hannover, daß sie ihre Schwiegertochter verachtet und ihr doch mit einiger
Zartheit begegnet. Dieses thut sie aus Achtung gegen sich selbst, aus einer gewissen
vornehmen Gesinnung, auch aus Mitleiden. Zuweilen will auch die junge Prinzessin ein Herz zu ihr fassen, aber dann findet sie die Herzogin immer kalt und
verschlossen, und ihr aufwallendes Vertrauen sinkt sogleich wieder.

Bande ſind los, die ſie halten können. Aber zur Ausführung bedarf ſie eines Freundes, der Mut und Klugheit beſitzt.

Königsmark findet die Prinzeſſin ſchöner als je und in einer leidenſchaftlichen Bewegung. Das Feuer, mit dem ſie ſeine Erſcheinung ergreift, entzündet ihn.

Königsmark wird durch die Liebe an den Hof zu Han= nover zurückgeführt.

Die Beleidigung, welche ſeiner geliebten Prinzeſſin von ihrem Gemahl geboten wird, reizt ſeine chevalereske Ge= ſinnung; er will den Erbprinzen deswegen zur Rechenſchaft ziehen. Eigenes Verhältnis des freien Edelmanns zum Fürſten. Er iſt nicht hannöveriſcher Diener.

———

Königsmarks erſter Auftritt muß aufs höchſte prägnant und dramatiſch ſein. Er iſt eine chevalereske, großmütige und feurige Natur, der ſich aber doch zu ſehr in ſeiner Rolle gefällt, und der zum bloßen Freund und Helden zu zärtlich, auch zu eitel iſt.

Er tritt ſpäter in die Handlung ein*), wenn die Eltern aus Celle ſchon weg ſind, wenn die Prinzeß ſchon den ver= geblichen Verſuch auf ihren Gemahl gemacht hat, kurz wenn ſie das höchſte Bedürfnis eines Freundes empfindet.

———

Sie iſt alſo ganz hilflos, und ihr Schickſal wird vollends tragiſch, daß das Mittel, welches ſie zu ihrer Rettung er= wählt, zu ihrem Untergang ausſchlägt.

———

Ihre letzte Reſſource iſt endlich, mit Hilfe des Grafen von Königsmark in ein Kloſter in * * * zu fliehen.

———

Die rührende Situation iſt, daß ſie ſich mit einem ge= wiſſen Feuer von Vertrauen und Freundſchaft an den Grafen Königsmark anſchließt, der ſie liebt und ihrer nicht wert iſt — daß ſie, in größter Unſchuld, ſich dem ſchwerſten Ver=

———

*) Königsmark kommt erſt im Verlauf des Stücks zu der Handlung hinzu und bleibt dann bis zu ſeinem Tod.
Prinz Georg iſt anfangs da und zuletzt abweſend. Ganz am Schluß, nach Königsmarks Tod, kommt er zurück.

Schillers Dram. Entwürfe u. Fragmente. 13

dacht mit ihm aussetzt, und der unwiderleglichste Anschein von Schuld auf sie fällt, indem sie rein ist wie die Unschuld.

Dieser Schritt, den sie in aller Unschuld gegen Königs= mark gethan, führt einen unglückseligen Eklat herbei, der ihren Ruf vor der Welt zu Grund richtet.

Ein Maskenball ist einzuführen, auf welchem Irrungen möglich werden. Die Prinzessin verkleidet sich auf demselben zweimal und hat mit ihrem Gemahl, ohne daß er sie kennt, eine Scene.
Gräfin Platen kommt mit Königsmark zusammen. Königsmark sucht ein tête-à-tête mit der Prinzessin*).

Eine Cour oder kleinere Assemblee, den Abend vorher ehe Königsmark die geheime Zusammenkunft mit der Prin= zessin hat. In dieser Gesellschaft fragen ihn ihre Augen, ob alles zu ihrer Flucht veranstaltet.

Prinzessin hat einen großen Skrupel über die nächtliche Zusammenkunft, die sie dem Königsmark bewilligt.
Geschichte mit dem nachgemachten Billet.

Königsmarks letzte Scene, wo er ihr seine Liebe zeigt.
Königsmark will die Prinzessin bewegen, noch in der nämlichen Nacht sich zu flüchten. Seine heftige Leidenschaft schreckt sie, und die Binde fällt ihr von den Augen.

Scene nach dessen Ermordung und Arrestation der Prin= zessin.
Ungewißheit über Königsmarks Schicksal.

---

*) Indem die Maitresse des Erbprinzen von ihm beleidigt ist, ist die Buhlerin des Herzogs von dem Königsmark beleidigt worden.
Davon, daß beide Schwestern sich in Vater und Sohn teilen, ist auszugehen Sie werden dadurch unüberwindlich.

Von der Arretierung der Prinzessin an bis zum Schluß des Stücks verstreicht noch einige Zeit.

Vorzüglich ist auf eine dramatischere Katastrophe und einen echt tragischen Ausgang zu denken, wo Unglück und Größe vereinigt sind. Die schlechten Menschen triumphieren, aber Unschuld und Seelenadel bleiben doch ein absolutes Gut. Das Edle siegt, auch unterliegend, über das Gemeine und Schlechte.

Die höchste Verlassenheit und Einsamkeit der Prinzessin, die nun nichts mehr hat als das Bewußtsein ihrer Unschuld und die Würde der Tugend.

Die Katastrophe muß das Gefühl des Unherstellbaren geben. Entschiedene Verachtung der Prinzessin gegen ihren Gemahl. „Er hat eine Krone gewonnen, aber er hat ein edles Herz verloren. Entweder bin ich seiner nicht wert oder er nicht meiner."

Die Volksliebe zu der Prinzessin wird auf eine mutige und rührende Art laut bei ihrem Unglück.

Sie hat noch einen standhaften Willen in ihrem letzten Abschied, den sie durchsetzt.

Trennung von der Baronesse; von ihrem Kind soll sie nicht mehr Abschied nehmen; Trennung von ihrer Dienerschaft, welche sie beschenkt. Frohe Trennung von den verhaßten Mauern. Ein Porträt, welches sie zurückläßt. Es ist von ihrer Mutter.

Wenn die That geschehen, in derselben Nacht kann der Erbprinz zurückkehren. Er ist unwillig über den Eklat der Sache; aber jene Kaltsinnigkeit und Gravität, die ihn als Mensch und Gatte Mangel an Empfindung zeigen ließ, hat nun auch wieder das Gute, daß sie ihn das Gewaltsame verabscheuen lehrt. Doch will er seine unglückliche Gemahlin nicht mehr sehen, er willigt in ihre Einsperrung, denn er hält sie für schuldig, wenigstens einer zu großen Begünstigung des Grafen. Diesen haßt er.

Die Malteser.

Vorgeschichte.

Malta ist von der ganzen Macht Solimans belagert, der dem Orden den Untergang geschworen. Mit den türkischen Befehlshabern Mustapha und Bialy sind die Korsaren Uluzzialy und Dragut und die Algierer Hascem und Candelissa vereinigt. Die Flotte der Türken liegt vor den beiden Seehäfen, und ohne eine Schlacht mit ihr zu wagen, kann kein Entsatz auf die Insel gebracht werden. Zu Lande haben die Türken das Fort St. Elmo angegriffen und schon große Vorteile darüber gewonnen. Der Besitz dieses Forts macht sie zu Herren der zwei Seehäfen und setzt sie in stand, St. Ange, St. Michael und Il Borgo anzugreifen, in welchen Plätzen die Stärke des Ordens enthalten ist. La Valette ist Großmeister von Malta. Er hat den Angriff der Türken erwartet und sich darauf bereitet. Die Ritter sind nach der Insel citiert worden und in großer Anzahl darauf erschienen. Außer ihnen sind noch gegen 10000 Soldaten auf derselben, Kriegs- und Mundvorrat genug, die Festungswerke in gutem Stand. Aber demungeachtet ist auf einen Entsatz von Sizilien gerechnet, weil die Feinde durch ihre Menge und Beharrlichkeit die Werke zu Grund richten und die Mannschaft aufreiben müssen. In jedem Angriff gehen Ritter und Soldaten zu Grunde, und wenn also kein Succurs ankommt, so muß es, wenn die Türken aushalten, doch zuletzt an Verteidigern fehlen. Ebenso ist es mit den Festungswerken, welche einer fortgesetzten Bestürmung nicht widerstehen können.

La Valette hat alle Ursache, einen Entsatz von Sizilien aus zu hoffen, da der Untergang von Malta die Staaten

des Königs von Spanien in die größte Gefahr setzt. Philipp
der Zweite hat ihm daher auch alle Unterstützung zugesagt
und seinem Vizekönig zu Sizilien deshalb Befehle gegeben.
Eine Flotte ist in den Häfen dieser Insel zum Auslaufen
fertig, viele Ritter und andere Abenteurer sind herbeigeströmt,
sich auf derselben nach Malta einschiffen zu lassen, die Ge=
schäftsträger des Großmeisters sind bei dem spanischen Vize=
könig unermüdet, um das Auslaufen dieser Flotte zu be=
schleunigen.

Aber die spanische Politik ist viel zu eigennützig, um
an diese große Sache etwas Großes zu wagen. Die Macht
der Türken schreckt die Spanier, sie suchen Zeit zu gewinnen,
wollen mit dem Angriff warten, bis die Türken geschwächt
sind, und sich nicht in Gefahr setzen. Es liegt ihnen nichts
daran, ob der Orden seine Kräfte dabei zusetzt, wenn er
nur nicht ganz untergeht, und die Tapferkeit der Ritter ist
ihnen Bürge, daß sie den Türken schon zu schaffen machen
werden. Ihre Hoffnung ist, daß die Türken durch den
Widerstand des Ordens nach und nach so geschwächt werden
sollen, daß sie entweder die Belagerung von selbst aufgeben
oder zuletzt mit weniger Gefahr aus dem Felde geschlagen
werden können. Der Viceroy von Sizilien hält also den
Orden mit Succursversprechungen hin, aber er leistet nichts.

Unterdessen daß er zögert und La Valette unaufhörlich
in ihn drängen läßt, wird das Fort St. Elmo von den Türken
immer heftiger bedrängt. Das Fort ist an sich selbst kein
sehr haltbarer Platz, wegen des engen Terrains hat man nicht
Werke genug anbringen können. Es kann außerdem nicht
viel Mannschaft fassen, und da diese sich bei jedem Angriff
der Türken vermindert, so sind immer neue Zuflüsse nötig.
Die Türken haben schon einige Außenwerke im Besitz, ihr
Geschütz beherrscht die Wälle, und viele starke Breschen sind
schon geschossen. Die Besatzung wird durch die Werke nicht
beschützt und ist, aller ihrer Tapferkeit ungeachtet, ein leichter
Raub des feindlichen Geschützes.

Unter diesen Umständen suchen die Ritter dieses Postens
bei dem Großmeister an, sich an einen haltbarern Ort zurück=
ziehen zu dürfen, weil keine Hoffnung da sei, Elmo zu be=
haupten. Auch die übrigen Ritter stellen dem Großmeister
vor, daß er die Elmoischen Ritter ohne Nutzen aufopfere,
daß es nicht gut gethan sei, die Kraft des Ordens durch
eine hoffnungslose Verteidigung eines unhaltbaren Platzes

nach und nach zu schwächen; besser wär' es, die ganze Stärke desselben an dem Hauptort zu konzentrieren. Die Türken selbst könnten nichts so sehr wünschen, als daß sich der Groß= meister entetiere, seine besten Ritter nach und nach auf diesem entblößten Posten hinzuopfern.

Diese Gründe sind sehr scheinbar, aber der Großmeister denkt ganz anders. Ob er selbst gleich überzeugt ist, daß St. Elmo nicht behauptet werden kann, und die Ritter schmerz= lich beklagt, die dabei aufgeopfert werden, so halten ihn doch zwei Gründe davon ab, den Platz preiszugeben: 1. liegt alles daran, daß sich Elmo so lang' als möglich halte, um der sizilischen Hilfsflotte Zeit zu verschaffen, heranzukommen; denn ist jenes Fort in den Händen des Feindes, so kann dieser beide Seehäfen verschließen, und der Entsatz ist schwerer; auch würden die Spanier dann, wie sie gedroht, zurück= segeln. 2. Ist Elmo über, so kann der Feind seine ganze Stärke konzentriert auf das Zentrum des Ordens richten und, indem er ihm den Succurs von außen abschneidet, ihn nach und nach in Kämpfen erschöpfen. Zwingt man die Türken aber, Elmo im Sturm zu ersteigen, so wird: 1. ihre Macht geschwächt, und sie sind zu großen Unternehmungen auf den Hauptort weniger fähig, und 2. (was für den poetischen Gebrauch das Wichtigste ist) man erschreckt sie durch dieses Beispiel verzweifelter Gegenwehr schon an der ersten Instanz und gibt ihnen einen solchen Begriff von der christlichen Tapferkeit, daß sie die Lust verlieren müssen, dieselbe auf neue Proben zu setzen.

Der Großmeister hat also überwiegende Gründe, einen Teil seiner Ritter, die Verteidiger des Forts St. Elmo, der Wohlfahrt des Ganzen aufzuopfern. So grausam dieses Verfahren ist, so würde es doch nicht mit den Gesetzen des Ordens streiten, da jeder Ritter sich bei der Aufnahme an= heischig gemacht, sein Leben mit blindem Gehorsam für die Religion hinzugeben. Aber zu einer blinden Unterwerfung unter ein so grausames Gesetz gehört der reine Geist des Ordens, weil die Unterwerfung von innen heraus ge= schehen muß und nicht durch äußere Gewalt kann erzwungen werden. Es gehört dazu: 1. eine blinde Ergebung in den Schluß des Großmeisters, also die Ueberzeugung von seiner Gerechtigkeit und Weisheit, 2. eine fromme, religiöse, von allen andern, menschlichen Interessen abgezogene Denkart, verbunden mit einem hohen Heroismus.

Aber dieser reine Ordensgeist, der in diesem Augenblick so notwendig ist, fehlt. Kühn und tapfer sind die Ritter, aber sie wollen es auf ihre eigene Weise sein und sich nicht mit blinder Resignation dem Gesetz unterwerfen. Der Augenblick fordert einen geistlichen (idealistischen) Sinn, und ihr Sinn ist weltlich (realistisch); sie sind von ihrem ursprünglichen Stiftungsgeist ausgeartet, sie lieben noch andere Dinge als ihre Pflicht, sie haben ein Interesse gegen die Pflicht des Augenblicks. Sie sind Helden, aber nicht christliche, nicht geistliche Helden. Die Liebe, der Reichtum, der Ehrgeiz, der Nationalstolz rc. bewegen ihre Herzen.

Die Unordnungen im Orden haben im Moment der Belagerung ihren höchsten Gipfel erreicht. Viele Ritter überlassen sich offenbar den Ausschweifungen, denn La Valette, der eine liberale Denkart besitzt und selbst von gewissen Menschlichkeiten sich nicht frei weiß, hat durch die Finger gesehen. Jetzt aber, da aus diesen Unordnungen sich gefährliche Folgen erzeugen, da sie zu Spaltungen und innerem Krieg in dem Orden Anlaß geben, sieht er sich genötigt, den Orden zu reformieren und in seiner ersten Reinheit herzustellen. Er verbietet die Glücksspiele, die Pracht in Kleidern und die Gelage und bringt durch diese Reformen die Ritter gegen sich auf, die sein Betragen willkürlich und tyrannisch finden und behaupten, daß jetzt keine Zeit sei, sie einzuschränken, daß der Krieg und die Gefahr die Freiheit begünstige *).

Entwicklung der Handlung bis zur Peripetie.

La Valette, der Großmeister	Graff
Romegas, der Admiral	Cordemann
Biron, sein Nebenbuhler	Haide
Montalto, der Verräter	Becker
Crequi } Ritter, die sich lieben	Dels
St. Priest }	Jagemann
Castriot, der Ingenieur.	
Ramiro, Wortführer von St. Elmo	Benda
Miranda, Botschafter aus Sizilien	Ehlers
Der Renegat	Genast

---

*) Das Stück fängt damit an, zu zeigen, daß die Ritter alles andere als idealistische Personen und kriegerische Mönche sind. Nur der Buchstabe der Regel ist sichtbar. Der Großmeister muß den Orden erst erschaffen.

Alter Christensklav
Der türkische Dolmetscher
Lascaris, der griechische Ueberläufer   Unzelmann
Chor, die geistlichen Ritter   Haide, Brandt, Eilenstein, Genast
Die alten Ritter   ⎫
Türkischer Herold   ⎬ stumme Personen.
Irene, die griechische Gefangene   ⎭

Die Scene ist eine große, offene Halle.

Romegas und Biron streiten*) um eine gefangene
Griechin. Biron hat sie im Besitz, Romegas will sich ihrer
bemächtigen. Jeder wird von seiner Zunge soutentiert, die
Parteien verstärken sich, Degen werden gezogen, verworrenes
Geschrei: „Zu Boden mit den Provençalen, nieder mit den
Kastiliern!"

I.

Im heftigsten Gemeng hört man die Töne, die den Chor
ankündigen. Er kommt alsbald selbst auf die Bühne, aus
sechzehn geistlichen Rittern bestehend, in ihrer langen Ordens-
tracht. Er bildet zwei Reihen, die sich auf beiden Seiten
des Theaters stellen und so die übrigen umgeben. Der
Chor schilt die Ritter, daß sie sich selbst befehden in diesem
Augenblick, da Malta von dem Feind der Christen um-
zingelt sei. Die zwei streitenden Parteien wollen den Chor
zu ihrem Schiedsrichter wählen und tragen ihre Sache vor.
Romegas beruft sich auf das Recht des Kriegs, er habe die
Schöne auf der See erbeutet, Biron beruft sich auf die
Neigung der Schönen. Der Streit erneuert sich.

Chor weist beide ab; in diesem schrecklichen Augenblick
sei an Privatstreitigkeiten und vollends von so strafbarer
Natur nicht zu denken.

Die zwei Ritter sprechen mit Verachtung von der Gefahr und verspotten die Zaghaftigkeit des Chors, der den
halben Mond noch nie gesehen; sie aber seien oft dagewesen
und fürchten die Türken nicht.

Chor verbreitet sich über die furchtbare Macht des
Feindes, Zahl ihrer Schiffe, ihrer Anführer; er nennt ihre
Namen, bezeichnet sie mit kurzen Prädikaten und erweckt ein
furchterregendes Bild von ihrer Uebermacht.

*) Gleich an der Spitze steht ein Faktum der zerstörten Disziplin, des Zungen-
haßes, der Gewaltthätigkeit, der Ruhmsucht.
Biron ist zu charakterisieren und von Romegas zu unterscheiden. Dieser ist
stolz und gewaltthätig, imperiös und eifersüchtig. Biron ist ausschweifend, ein
Verschwender und Spieler. Er will Freiheit, jener will Vorzüge.

Ritter zeigen die Hilfsmittel des Ordens, Zahl der Zungen, der Ritter, der Soldaten, Festigkeit der Werke, Tapferkeit des Ordens, Genie des Großmeisters.

Chor erwähnt des bedenklichen Zustandes von St. Elmo.

Ritter zählen auf die nahe Ankunft der sizilianischen Flotte. Interesse des Vizekönigs von Sizilien, daß Malta nicht in feindliche Hände falle.

Chor wirft ein Wort hin von der Unsicherheit der Hoffnungen, die man auf andre baue, und von der Unzuverlässigkeit spanischer Versprechungen.

II.

La Valette kommt mit Miranda, dem spanischen Botschafter aus Sizilien. Er kündigt den Rittern an, daß sie nicht mehr auf spanische Hilfe hoffen, nicht mehr nach Sizilien hinübersehen sollen. Der Orden sei ganz allein auf sich selbst reduziert. Er läßt den Miranda seine Botschaft wiederholen, deren Inhalt ist, daß der Vizekönig seine Flotte nicht wagen wolle, wenn St. Elmo, das den Hafen beherrsche, in den Händen der Türken sei. Allgemeiner Unwille der Ritter über die spanische Eigennützigkeit und treulose Politik bricht aus. Miranda, als ein loyaler Chevalier, bittet, bleiben zu dürfen und an der Verteidigung von Malta teilzunehmen.

III.

Montalto bringt einen alten Christensklaven, dem die Augen verbunden sind; ihn sendet Mustapha an den Großmeister unter dem Vorwand, zu unterhandeln, eigentlich aber um die Kommunikation mit einem Verräter zu eröffnen. La Valette will nichts von Unterhandlung hören, zwischen den Rittern und den Ungläubigen dürfe nie ein Vertrag stattfinden. Er droht, den Christensklaven und jeden künftigen Herold töten zu lassen. Christensklave klagt über sein hartes Los; man trägt ihm an, ob er bleiben wolle; er zieht vor, in seine harte Gefangenschaft zurückzugehen, weil er überzeugt ist, daß Malta doch fallen werde*).

IV.

Eine Deputation der Elmoischen Ritter erklärt die Unhaltbarkeit des Forts und bittet, daraus abgeführt zu werden.

---

*) Eh' er abgeht, läßt er eine Warnung vor Verrätern fallen.

Der hoffnungslose Zustand des Forts wird einleuchtend ge=
macht; aber La Valette besteht darauf, daß es behauptet
werde *). Nachdrückliche Remonstrationen der andern Ritter
zu gunsten der Elmoischen. La Valette bedauert die letztern,
bleibt aber unerbittlich. Die Gründe der Ritter sind rea=
listisch; er setzt ihnen aber idealistische entgegen**), fordert
Gehorsam und geht ab mit den ältern Rittern.

V.

Die Elmoischen Deputierten bleiben mit dem jüngern
Teil der Ritter***) zurück und nehmen von diesen einen
ewigen Abschied, sagend, daß der Großmeister sie zum Tode
bestimme. Unwille der jungen Ritter, besonders Crequis,
der um das Leben seines Geliebten besorgt ist. Er fragt
mit leidenschaftlichem Interesse nach diesem jungen Chevalier,
freut sich über seine heroische Tapferkeit, aber zittert bei
seiner Gefahr †).

Montalto, der von Begleitung des Christensklaven zu=
rückkommt, findet die Ritter sehr aufgebracht über den Groß=
meister, stimmt in ihren Ton ein, erbittert sie noch mehr,
indem er böse Winke über die Parteilichkeit, Härte und Will=
kürlichkeit des Großmeisters hinwirft.

VI.

Chor solus spricht von dem strengen Beruf des Ordens. —
Lage von Malta, Charakter dieser Insel und Charakter des
Ordens. Dessen Stellung gegen die ganze christliche Welt
und gegen die Türken. — Geschichte des Ordens in fünf
Hauptperioden bis zu seiner Niederlassung auf Malta ††).

VII.

La Valette kommt zu dem Chor und gießt gegen den=
selben seinen Kummer aus, den er über Spaniens eigen=

---

*) Romegas ist jetzt noch auf La Valettes Seite.
**) Crequi steht um Erlaubnis, nach St. Elmo gehen zu dürfen. Es wird
ihm abgeschlagen.
***) Montalto. Ramiro. Crequi. — Biron. Romegas. Miranda.
†) Die Elmoischen Ritter gehen ab. Vorher aber könnte La Valette, der sich
seines Sohns wegen ängstigt, noch eine Unterredung mit ihnen haben, bei welcher
Crequi zugegen ist.
††) 1. Unkriegerischer Anfang. Christliche Charité. 2. Edelleute treten dazu
und ergreifen das Schwert. 3. Rivalität mit dem Tempelorden 4. Palästina
geht verloren, Ritter gehen aufs Meer. 5. Wohlstand und Macht des Ordens
führt sie ins Saeculum zurück, und Laster reißen ein, Stolz, Schwelgerei und
Pracht.

nützige Politik, über die harte Notwendigkeit und über die
Widersetzlichkeit des Ordens empfindet *).

Chor tadelt seine Indulgenz gegen die Ausschweifungen
der Ritter und schildert die Verderbnisse im Orden, des heu=
tigen Streits über die Griechin gedenkend.

La Valette gesteht seinen Fehler und entschuldigt sich wegen
der Notwendigkeit. Doch erklärt er, daß er jetzt ernstlich an
die Reform des Ordens gehen wolle und mit Wegschaffung
der griechischen Gefangenen bereits den Anfang gemacht habe.

Chor lobt ihn deswegen.

La Valette läßt merken, daß noch schlimmere Laster als
die angeführten im Orden sich eingeschlichen. Er hat eine
Spur von Verräterei **).

VIII.

Romegas und Biron kommen und beklagen sich heftig
über Wegführung der Griechin. La Valette dringt auf die
Disziplin. Sie setzen ihm die lange Observanz, das Gesetz
der Natur, die Freiheiten des kriegerischen Lebens entgegen
und fordern Indulgenz. Er erinnert sie an ihre Gelübde,
hält ihnen eine strenge Strafpredigt über die Verletzung
derselben in allen Teilen, erklärt seinen Entschluß, zu refor=
mieren. Sie erhitzen sich, er spricht als Herr und Superior
mit ihnen und geht ab.

IX.

Beide suspendieren nun ihre Eifersucht und Privat=
streitigkeiten, um sich gegen den Großmeister, den sie einer
willkürlichen Herrschaft beschuldigen, zu vereinigen ***). „Nur
unsre Trennung", sagt Biron „macht ihn so mächtig; erst
laßt uns die Freiheit des Ordens gegen den Tyrannen be=
haupten, und dann wollen wir wieder von unsern Privat=
händeln reden" †).

---

*) Er bittet den Chor, für ihn zu beten, daß er Stärke genug haben möge,
auf dem Notwendigen zu beharren. „Sie widersetzen sich mir," sagt er, „und
wissen nicht, daß ich weit mehr mit meinem eigenen Herzen als mit ihnen zu
kämpfen habe."

Darf er dem Chor entdecken und wann, daß sein eigener Sohn sich auf
St. Elmo befinde? Er braucht ihn aber nicht gleich näher zu bezeichnen.

**) Crequi und der Großmeister. Die Rede ist von St. Priest. Crequis be=
wegliche Bitten und La Valettes gütiges, aber standhaftes Betragen.

***) Creaul kann seines Geliebten wegen nicht ruhig sein.

†) Unterdessen muß sich etwas ereignet haben, das den Abzug der Elmoischen
Ritter dringender und die Beharrlichkeit des Großmeisters verhaßter macht. Das
Ravelin ist erobert, viele Ritter sind tot oder verwundet, die Verzweiflung hat sich
aller bemeistert. Es kommen mehr Umstände zusammen, die ein gehässiges Licht
über ihn verbreiten.

X.

Indem nun die zwei Kommandeurs auf diesem Weg gegen den Großmeister in Harnisch gebracht werden, hat es sich auf St. Elmo zunehmend verschlimmert, und die Beharr= lichkeit des Großmeisters, dieses Fort zu behaupten, wird für die grausamste Härte gehalten. — Ein schwerverwundeter Ritter wird herübergebracht, der die Gemüter zum Unwillen aufreizt, er geht ab, um sich in die Kirche bringen zu lassen. Eine neue Gesandtschaft von St. Elmo begleitet ihn mit einem nachdrücklichen Auftrag der dortigen Besatzung, daß sie entweder abgeführt sein oder in einem Ausfall umkommen wolle*).

XI.

Unter dieser Gesandtschaft ist St. Priest, Crequis Lieb= ling und der Günstling (oder Anverwandte) des Großmeisters. Sein Ansehen, hofft man, werde den Großmeister eher zur Einwilligung vermögen. Crequi tritt mit ihm auf, voll Leidenschaft, entschlossen, sich von dem Geliebten nicht los= zureißen. Seine schwärmerische Freundschaft führt ihn weit über die Grenzen der dem Großmeister schuldigen Ehrfurcht hinaus, er fordert leidenschaftlich alle Ritter auf, sich dem Großmeister zu widersetzen. Montalto schürt durch boshafte Verhetzungen dieses Feuer noch mehr an, und da er auch den Biron und Romegas in die Faktion zieht, so verbindet er den ganzen Orden in ein furchtbares Bündnis gegen seinen Chef. Die Stimme des Chors, der ihn zur Pflicht zurückführen will, wird von dem gesamten Haufen der Ritter als ohnmächtig verspottet.

XII.

Chor ist wieder allein und verbreitet sich in seinem Ge= sang über die Gelübde des Ordens, die eingerissenen Ver= derbnisse 2c. — Fall des Tempelordens.

---

*) La Valette weigert sich, die neuen Deputierten von Elmo vor sich kommen zu lassen. Die wahre Ursache dieser Weigerung ist, daß er sich nicht Festigkeit genug zutraut, seinen Sohn zu sehen, von dem er sich im Herzen mit großem Kampf schon geschieden hat. Seine Weigerung erscheint hart und grausam, ob sie gleich eine Wirkung seiner Weichheit, seines Gefühls ist. Aber dem Zuschauer darf es ahnden, daß hier etwas anderes im Spiel ist; und indem der ganze Orden sich über seine Unempfindlichkeit entrüstet, fühlt der Zuschauer, daß der Großmeister nur zu tief und zu heftig bewegt ist, und wieviel ihn diese Weigerung kostet. Je mehr sich alles für den herrlichen Jüngling interessiert, weil seine Tapferkeit seiner Schönheit gleich ist, desto auffallender und gehäßiger ist die Weigerung des Groß= meisters, ihn zu sehen. — Eben diese Weigerung bringt die Ritter so weit, daß sie dem Großmeister sich in plena widersetzen wollen.

XIII.

La Balette redet dem Montalto ins Gewissen und läßt merken, daß er um seine Verräterei wisse. Dieser bleibt verstockt, antwortet trotzig und glaubt in der Güte des Großmeisters nur die Furcht und die Ohnmacht zu sehen.

XIV.

St. Priest kommt und entdeckt mit kindlicher Aufrichtig= keit dem Großmeister alle aufrührerischen Verhandlungen und Verabredungen des Ordens. La Balette lobt die Loyauté des Jünglings, gibt ihm väterliche Lehren und erteilt ihm die nötigen Aufträge. Der Jüngling geht mit kindlicher Ehrfurcht und Bewunderung von seinem Meister.

XV.

La Balette wendet sich in seiner Bedrängnis an den Chor, der, obgleich unkriegerisch und ohnmächtig, sich ihm bereitwillig anbietet. Miranda kommt, sich anzubieten.

XVI.

Der ganze Orden kommt in pleno, das Gesuch der Elmoischen Ritter erst mit Vorstellungen, dann durch Autori= tät zu unterstützen. La Balette bleibt fest und will das Gesetz geltend machen. Jetzt werden die Ritter kühn und sprechen als Empörer. Sie wollen, daß er den türkischen Herold*) anhöre; er erklärt ihnen, daß er ihn habe enthaupten lassen. — La Balette läßt sie reden, ohne ihnen gleich zu antworten; wenn aber gesagt worden, daß der Großmeister

---

*) (Aus einer späteren Notiz:) Der alte Christensklav warnt den Groß= meister vor Verrätern, seine Worte, welche nicht deutlich genug sind, scheinen un= bemerkt zu bleiben, aber La Balette hat sie wohl gehört.

Nachher kommt ein Renegat, wieder mit Vorschlägen, obgleich La Balette alle Verhandlungen abgebrochen. Dieses fällt ihm auf; er erinnert sich des Worts, das der Sklav von Verrat hatte fallen lassen, und fällt auf den Gedanken, daß diese Sendung nur ein Vorwand sein könne, um eine Kommunikation mit dem Feind zu eröffnen. Er befiehlt, den Renegaten zu enthaupten; man findet Briefe bei ihm an Montalto, die alles ans Licht bringen. Auf Montalto hat La Balette schon von selbst Verdacht geworfen, aber sich niemandem entdeckt und ihn bloß still bewacht.

Die Türken haben einige Ritter zu Gefangenen gemacht. (Edle That des Ritters — —, der den Feinden einen falschen Rapport macht und sein Leben darüber verliert.) Der Vorwand der Sendung ist die Loszgebung der Ge= fangenen; der übrige Orden, der einmal gegen den Großmeister aufgebracht ist, findet es hart, daß er die Ritter nicht auslösen wolle, und will ihn dazu nötigen. Seine Antwort ist die Enthauptung des Heroldes, wodurch alle Verhandlungen abgeschnitten werden.

den Orden durch seinen Eigensinn zum Untergang führe, so
hält er sich nicht länger. Der Orden, sagt er, sei unter-
gegangen, jetzt in diesem Augenblick sei er nicht mehr. Nicht
die Macht der Muselmänner, sondern die Insubordination
hat ihn zerstört u. s. f. Er heißt die Ritter seine Befehle
erwarten und entfernt sich mit dem Chor.

XVII.

Sein und des Chors Verschwinden, seine letzte mächtige
Rede und die Reflexion über das, was sie gethan, bekonzertiert
die Ritter. Sie werden unter sich uneins, es gibt zwei
Parteien, einige meinen, man müsse dem Großmeister gehorchen. Indem sie noch zweifelhaft und bestürzt dastehen,
wird Montalto mitten unter den Rittern als Verräter
arretiert.

Biron und Ramiro für   } den Großmeister.
Romegas und Crequi wider }

Sie geraten in das höchste Erstaunen und wollen, da
Montalto Schutz bei ihnen sucht, gegen die Tyrannei des
Großmeisters aufbrausen, als sie erfahren, daß er den Orden
an den Feind verraten habe. Der junge Ritter ist's, der
diese Kommission ausführt. Jetzt fangen ihnen die Augen
an über ihr Unrecht aufzugehen.

XVIII.

Miranda kommt gewaffnet. Ritter fragen, wozu; er
antwortet nicht. Castriot kommt; Ritter wollen von ihm
wissen, wie er die Werke zu Elmo gefunden, er erklärt sich
nicht. Es kommen die ganz alten Ritter in weißen Haaren,
es kommen die ganz jungen Ritter, die noch halb Knaben
sind, und alle sind bewaffnet. Endlich kommt der Chor in
seiner geistlichen Tracht mit Speeren bewaffnet. Alle schweigen,
und das Erstaunen der Empörer wächst mit jeder neuen
Erscheinung.

XIX.

Zuletzt kommt La Valette, auch bewaffnet, und gibt den
Aufschluß über alles. Er läßt den Castriot zuerst Bericht
abstatten, und wie derselbe erklärt, daß das Fort sich mög-
licherweise noch eine Zeit lang halten könne, so fragt er die
jungen Ritter, dann die ganz alten Ritter, endlich den Chor
und zuletzt den Miranda, ob sie die Verteidigung des Forts

unter seiner Anführung übernehmen wollen. Ein Teil nach
dem andern antwortet mit ja, und nun bewilligt er den
Elmoischen den Abzug. Ein tiefes Stillschweigen herrscht,
solang' er spricht. Er heißt nun alle Aufrührer abtreten
und befiehlt dem Romegas, zu bleiben.

XX.

Jetzt hält er diesem den Spiegel über sein Betragen
vor. Zuerst spricht er als ein Abscheidender von seinem letzten
Willen und erklärt, daß er ihn, den Romegas, zum Nach=
folger bestimmt und ihm die Vota aller alten Kommandeurs
im voraus verschafft habe. Nur Romegas, der den Orden
ins Verderben gestürzt, sei im stande, ihn zu retten. Jetzt
aber, da sich Romegas als Chef ansehen muß, läßt er ihn
das Verderbliche seines bisherigen Betragens aus dem höhern
Standpunkt ansehen, daß Romegas sich selbst darüber ent=
setzt und ergriffen von Scham, hingerissen von La Valettes
Großmut, sich vor ihm demütigt und ihm Abbitte thut.

XXI.

*) Die aufrührerischen Ritter kommen in flehendem Auf=
zug, La Valette um Verzeihung ihres Fehlers und um die
Verteidigung von Elmo zu bitten. Er läßt sich nicht gleich
erweichen, bis er ganz entschiedene Proben ihrer Reue hat,
und bis ihre Sinnesänderung vollkommen ist.

Notizen zur Fortsetzung aus früheren Entwürfen.

Vorstellungen des ganzen Ordens, La Valette zurück=
zuhalten. — Demütigung und Fußfall der Ritter von St. Elmo.
Er willigt endlich ein. — Abschied der Ritter und letzte
Umarmung**). Abschiedsscene zwischen Crequi und St. Priest
— zwischen diesem und La Valette ***).

Im Chor vor dem letzten Akt muß der erhabenste
Schwung sein und die moralische Gesinnung in ihrer

---

*) Die Elmoischen Abgesandten kommen von ihren Kommittenten zurück.
Sie bringen La Valettes Sohn mit.
**) (Im ältesten Entwurf:) Abschied der Ritter auf St. Elmo von den übrigen.
Sie gehen (oder kommen) vom Abendmahl.
***) Wiederherstellung des Ordens in seine ursprüngliche Simplicität. „Wir
stehen vielleicht am Rand unsers Untergangs. Laßt uns endigen, wie wir an=
fingen." Versöhnung der Ritter. Brüderliche Eintracht.

ganzen Glorie erſcheinen.   Zugleich wird hier der große
Lohn der erfüllten Pflicht von ferne gewieſen.   Religion.

———————

(Zum letzten Akt im allgemeinen.)

Keiner weiß, daß La Valette am meiſten auf dem
Spiel hat, nämlich ſeinen eigenen Sohn, den Chevalier
von St. Prieſt.   Dies erfährt man erſt im letzten Akt, wo
das Opfer von ihm gebracht iſt.   Sein kurzer Abſchied von
St. Prieſt wirft einen Funken Licht auf dieſes Geheimnis.
Ganz entdeckt es ſich aber erſt in einer Scene La Valettens
mit Crequi, wo er ſeine Vaterliebe auf dieſen überträgt.
Der gerührte Crequi rechtfertigt des alten Mannes Schmerz
und wird ſein Tröſter.   Groß und erhaben iſt es, wie ſich
der Privatſchmerz des Großmeiſters in der Empfindung für
das Allgemeine verliert.   Der Leichnam des St. Prieſt wird
aus den Wellen aufgefangen.   Hier an der Leiche des
St. Prieſt geloben ihm die Ritter unbedingte Achtung gegen
ſeine Befehle.   La Valette überführt die Ritter, wie viel mehr
Gehorſam wert iſt als Tapferkeit.   Er zeigt ihnen, daß ſie
über ihr Leben nicht disponieren können.   „Ihr müßt leben,
wenn es das Geſetz will, und ſterben, wenn es das Geſetz
will.   Euer aller Leben iſt ein Gut der Kirche, und ich bin
der Verwalter dieſes Guts.   Ihr habt darüber keine Stimme.“
Chor über den Gehorſam und die Pflicht.   Strenge
Moral ohne Religionströſtungen.   Chor über Leonidas.
Deſſen Geſchichte.

———————

(Zu einzelnen Scenen des letzten Aktes.)

Sobald die Ritter St. Elmo erreicht haben, wird die
Kommunikation abgeſchnitten.   Sie ſind völlig verlaſſen.

———————

Wenn Crequi alles gethan, um ſich gegen ſeinen Freund
auszutauſchen, muß er ihm freiwillig in den Tod nachfolgen.

———————

Elmo wird mit Sturm erobert.   Der halbe Mond
flattert auf der Feſtung.   Die Leichname der Ritter vom
Meerſtrom herüber geführt.   Schmerz des Großmeiſters.
Die Leiche ſeines Sohnes. — Ankunft der ſpaniſchen Flotte.

———————

Erscheinung des griechischen Jünglings, der die Kata-strophe erzählt und zugleich eine schöne Wirkung derselben ist. La Valette überläßt sich erst dem Schmerz über den Verlust so vieler trefflicher Ritter. — Nachricht von dem Gang der Belagerung und dem Fortgang der Stürme.

___

„Ich hätte keinen Sohn?" sagt La Valette am Ende. „Ich habe hundert Söhne. Ich soll keinem näher an-gehören, ich soll ein Vater sein für alle. Umarmt mich, umarmt euren Vater!" 2c. (Das Stück schließt mit dieser Gruppe.)

___

Versuch einer Umgestaltung der Peripetie.

Zwei Aufgaben sind noch zu lösen:
1. Der würdigste und treffendste Gebrauch von dem Motiv der Liebe der beiden jungen Ritter in seinem ganzen Umfang. 2. Ein handelndes Motiv, wodurch La Valette die Empörung dämpft und unter den Rittern rein, groß und gerechtfertigt dasteht. Es muß so beschaffen sein, daß es ihn auf einmal von dem Verdacht der Willkür, Härte, Parteilichkeit befreit und seine väterliche Gesinnung für den Orden, Gerechtigkeit, Güte und hohe Tugend versichtbart, zugleich einen Ordens-Enthusiasmus entflammt und die Gemüter zu einer begeisterungsvollen Nachfolge hinreißt. Die Ritter müssen mit einer schmerzlichen Selbstverdammung gewahr werden, daß sie sich an dem gütigsten Vater und einem schon blutenden Herzen vergangen haben. Er muß zugleich ein Gegenstand ihres zerfließenden Mitleids und ihrer erstaunensvollen Bewunderung sein, und die Scham, das Gefühl ihrer begangenen Verletzung, ihrer Schuld muß ihr Herz zerreißen.

Der Pivot des ganzen Stücks ist, daß La Valette durch das strenge Gesetz, das er durchsetzt, selbst am schmerz-lichsten leidet, daß er seinen Sohn hingibt. Aber in diesen zerreißenden Schmerz des Vaters mischt sich zugleich ein herrliches Freudengefühl an der heroischen Gesinnung des Jünglings, der wie ein Engel trefflich und edel sich zu dem Opfer schmückt.

La Valette hat sich dem Jüngling bisher nicht als Vater zu erkennen gegeben und auch durch keine väterliche

Parteilichkeit ihn unterschieben. Seine Regierung war über=
haupt väterlich gegen alle Ritter, besonders gegen die jüngeren,
und die allgemeine Zuneigung zu St. Priest, welcher sich
vor allen Rittern seines Alters auszeichnete, verbarg die
Ursache des besondern Interesses, das er für diesen liebens=
würdigen Jüngling zeigte. Nur der Chor mußte oder er=
fährt im Stücke früher als der übrige Orden das Ge=
heimnis *).

St. Priest ist im Anfang der Handlung noch auf St. Elmo,
und es ist bloß die Rede von ihm. Crequis Leidenschaft
bezeichnet ihn. Im Verlaufe des Stücks aber kommt er
selbst nach Borgo mit anderen Deputierten; man hatte ihn
vorzüglich miterwählt, um durch den Anblick des liebens=
würdigen Jünglings La Valette desto eher zum Nachgeben
zu bewegen. (Er selbst denkt aber ganz anders als seine
Kommittenten, und er vertraut dem La Valette, daß er
keineswegs zurückberufen zu sein wünsche.)

Seine persönliche Erscheinung, welche im höchsten Grade
vorbereitet sein muß, ist für zwei Personen, für seinen
Vater und für seinen Liebhaber, von der höchsten Bedeutung
und führt zwei ganz verschiedene, aber hochpathetische Situa=
tionen herbei. Der Liebhaber darf seine Zärtlichkeit laut
zeigen, obgleich sie verdächtig scheinen könnte; der Vater
muß seine rechtmäßige und natürliche Empfindung zurück=
halten. (Er kann deswegen dem Crequi nicht gram sein,
daß er sich gegen ihn selbst, den Großmeister, vergißt, denn
er thut es aus Liebe zu demselben Gegenstand, der auch
dem La Valette das Teuerste ist.)

Es ist schön, daß unter allen widerspenstigen Rittern
La Valettes Sohn gerade allein pflichtmäßig bleibt, und
daß er seinem Vater, den er nicht kennt, mit kindlich offenem
Vertrauen und naiver Ehrfurcht begegnet. Nachher, wie
St. Priest in dem Großmeister seinen Vater erfährt, wird
sein Benehmen gegen ihn in nichts geändert, außer daß es
noch respektvoller wird, aber sein Heroismus steigt zu einer
bewundernswürdigen Höhe, und er hat eine Ungeduld, sich
dem Gesetz zu opfern.

Die aufrührerischen Ritter, die schon durch Montaltos

*) Dem Chor als einer geistlichen Person, der die Kirche vorstellt, kann er
das Geheimnis unter dem Siegel der Beichte vertraut haben. (Er spielt einmal
darauf an, wenn er seine Indulgenz gegen die Liebe entschuldigt: „Du weißt es,"
sagt er zu dem Chor, „daß auch mich in den Zeiten der raschen Jugend die Leiden=
schaft besiegte."

entdeckte Verräterei und La Valettes mächtige Worte zer=
knirſcht ſind, erfahren nun das ganze Geheimnis von dem
Chor und überraſchen den Großmeiſter in dem Tête-à-tête
mit ſeinem Sohn, eben wie es die höchſte Bewegung er=
reicht hat. Indem ſie gerührt ſeiner Weisheit und Tugend
Gerechtigkeit widerfahren laſſen, verlangen ſie, daß St. Prieſt
von St. Elmo zurückbleibe, und jeder andere will für ihn
hinübergehen. Edler Wettſtreit. Aber La Valette will keine
Ausnahme, keine Parteilichkeit, und da der Orden ihn
zwingen will, ſetzt der junge St. Prieſt ſich heroiſch dagegen.
Die zwei Freunde.

Man hat dem La Valette geſucht eine ſchlimme Meinung
von der Liebe der zwei Ritter beizubringen, er hat ſie aber
gegen dieſen niedrigen Argwohn verteidigt, und nun recht=
fertigen ſie wirklich durch einen herrlichen Heroismus ſeine
günſtige Meinung von ihrem Verhältnis. Ihre Liebe iſt
von der reinſten Schönheit, aber doch iſt es nötig, ihr den
ſinnlichen Charakter nicht zu nehmen, wodurch ſie an der
Natur befeſtiget wird. Es darf und muß gefühlt werden,
daß es eine Uebertragung der Geſchlechtsliebe, ein Surrogat
derſelben und eine Wirkung des Naturtriebes iſt, aber in
ſeiner höchſten und reinſten Bedeutung, ſo wie er die Be=
dingung alles Lebens und alles Schaffens und alles Accom=
pliſſement iſt*). St. Prieſt heißt der ſchöne Ritter, und
ſeine Schönheit gibt ihm gleichſam die Qualität eines
Mädchens; er flößt einigen gemeinen Naturen entweder
Begierden oder doch eine böſe Vermutung ein.
Montalto hat ſich umſonſt um den Jüngling beworben; der
Chor gehört zu denen, welche Schlimmes vermuten.

———————

Die Frage iſt: 1. Können beide Motive, La Valettes
Selbſtaufopferung und die Hingebung ſeines Sohnes, zu=
ſammen gebraucht werden? 2. Wenn das Hauptmoment,

*) (Aus früheren Entwürfen:) Die Liebe der zwei Ritter zu einander muß
alle Symptome der Geſchlechtsliebe haben, und ſie muß eben durch dieſen ihren
Charakter auf die Haupthandlung einfließen. Doch iſt nur einer, der Liebhaber,
der Handelnde; der jüngere und geliebte verhält ſich leidend. Aber der Liebhaber
handelt mit einer blinden Paſſion, die ganze Welt um ſich her vergeſſend, und geht
bis zum Kriminellen. Er will den vermeintlichen Tyrannen, den Großmeiſter, er=
morden, er iſt ein blindes Werkzeug in Montaltos Hand.
Liebe der griechiſchen Jünglinge zu einander; Notwendigkeit eines ſolchen
Gefühls zwiſchen jungen fühlenden Seelen, die das andere Geſchlecht nicht kennen,
denn eine edle Seele muß etwas leidenſchaftlich lieben, und das Feurige ſucht das
Sanfte auf.

wie billig, darin liegt, daß La Valette seinem strengen Gesetz selbst das größte Opfer in seinem Sohn bringt, und
daß die Ritter dadurch überwältigt werden, kann alsdann
die Hauptscene mit Romegas noch stattfinden? und wie
kann sie auf eine so entscheidende Situation, als die zwischen
La Valette und seinem Sohn war, folgen? Sie fällt weg,
wenn La Valette nicht mehr entschlossen ist, selbst nach Elmo
zu gehen.

Letztes Schema des Dramas in vier Handlungen.

A.

1. Romegas und Biron. Streit um das Mädchen,
   Zungen legen sich darein, Bürgerkrieg im Orden.
2. Chor kommt, die Einschließung der Insel und die
   drohende Gefahr verkündigend — schilt die Ritter,
   daß sie sich selbst befehden in diesem Augenblick —
   Mut und Vertrauen der Ritter — Furcht des
   Chors — Gehoffter Entsatz von Sizilien.
3. La Valette und Miranda. Vereitelte Hoffnung
   des Entsatzes. Notwendigkeit, das Fort St. Elmo
   bis auf den letzten Mann zu behaupten. Unwille
   der Ritter gegen Spanien. Loyauté des Miranda.
4. Der alte Christensklave.
5. Die Elmoische Gesandtschaft. Schlechter Zustand
   der Werke und Bitte der Besatzung. La Valette
   besteht auf der Verteidigung, obgleich die Ritter
   schmerzlich bedauernd. Noch ist Hoffnung, daß
   Elmo sich halten könne.
6. Die Elmoischen Deputierten klagen bitter darüber,
   daß man sie hingegeben habe. Erstes Murren gegen
   den Großmeister und Montaltos böse Insinuationen.
7. Crequi kommt in großer Bewegung, sich nach seinem
   Geliebten zu erkundigen, der auf St. Elmo mit-
   kämpft. Ramiro sagt ihm, daß St. Priest einen
   ewigen Abschied von ihm nehme. Crequis heftiger
   Schmerz und Entrüstung über den Großmeister.
   Montaltos böser Einfluß.
8. Der Chor allein.

B.

9. La Valette und Castriot. Er erkundigt sich sehr angelegentlich, ob das Fort haltbar. Er kommt mit bekümmertem Herzen und schüttet es gegen den Chor aus. Ihn drückt Spaniens Treulosigkeit, die harte Notwendigkeit, seine Ritter aufzuopfern, und die Insubordination im Orden. Chor wirft ihm, mit Ehrerbietung, seine Indulgenz vor. Er verteidigt sich, sagt aber, daß er andere Maßregeln zu ergreifen angefangen. Läßt einen Wink von Verräterei fallen.

10. La Valette, Biron, Romegas. Sie klagen über Wegführung der Griechin, fordern Indulgenz. La Valette zeigt ihnen den Gebieter.

11. Biron. Romegas. Chor. Die zwei Ritter ver= söhnen sich, um gegen den Großmeister zu agieren.

12. Crequi. Biron. Romegas.

13. Montalto, die Vorigen. Er meldet eine neue Deputation an, von Elmo. Crequi eilt ihr entgegen.

14. Crequi und St. Priest. Scene des Liebhabers mit dem Geliebten.

15. Freude des ganzen Ordens an dem schönen, tapfern Ritter.

16. La Valette will die Gesandtschaft nicht vor sich lassen und hat sich eingeschlossen. Wut der Ritter und Ausbruch der Verschwörung*). Chors Stimme wird nicht gehört.

17. Chor solus.

C.

18. La Valette. Chor. Bitte des Chors**).
19. La Valette. Montalto***).
20. La Valette. St. Priest.
21. La Valette. Die Aufrührer.
22. Vorige ohne La Valette.
23. Montaltos Verräterei entdeckt sich†).
24. St. Priest kommt begeistert und nimmt von Crequi Abschied.
25. La Valette erscheint wieder und findet die Ritter

---

*) Romegas stellt sich an die Spitze. Montaltos Thätigkeit.
**) Castriot.
***) Miranda. Enthauptung des Renegaten.
†) Er wird zur Strafe bloß verstoßen.

von Neue gebeugt. Er will nebst seinem Sohn Elmo verteidigen, er schickt die Ritter hinweg.

26. La Valette und Romegas.

27. Die reuenden Ritter wollen alle statt St. Priests nach Elmo. Hohe Begeisterung des Jünglings. Sein Abschied von La Valette — von Crequi — dessen Schmerz und Verzweiflung.

D.

28. Chor solus.

29. La Valette will hinüber, Flehen der Ritter, daß er bleibe.

30. Ungewisses Schicksal von der Belagerung.

31. Crequis Flucht nach Elmo.

32. Der halbe Mond flattert oben.

33. Lascaris Erscheinung.

34. La Valette unter seinen Rittern.

Die dramatische Idee und ihr Träger La Valette.

Der Inhalt dieser Tragödie ist das Gesetz und die Pflicht im Konflikt mit an sich edeln Gefühlen, so daß der Widerstand verzeihlich, ja liebenswürdig, die Aufgabe hart und unerträglich erscheint. Diese Härte kann nur ins Erhabene aufgelöst werden, welches, freiwillig und mit Neigung ausgeübt, das höchste Liebenswürdige ausmacht. — La Valette mag also im Laufe der Handlung hart erscheinen, zuletzt wird er durch den Zusammenhang seiner Natur ganz legitimiert. Die Tugend, welche in dem Stücke gelehrt wird, ist nicht die allgemein menschliche oder das reine Moralische, sondern die zum Moralischen hinauf geläuterte spezifische Ordenstugend *).

Die Aufgabe wäre also die Verwandlung einer strengen pflichtmäßigen Aufopferung in eine freiwillige, mit Liebe und Begeisterung vollführte. Es ist also eine Stimmung hervorzubringen, welche dieser Empfindungsart Raum gibt;

---

*) Behauptung der Ordenstugend gegen die Natur selbst.
Das Unmögliche muß geschehen, aller Kalkul menschlicher Kräfte muß aufgehoben werden, die Tapferkeit der Ritter muß absolut und unbedingt erscheinen. Darum ist nötig, daß das äußerste Werk wie das innerste mit der Totalität verteidigt werde, es muß nur mit der letzten Kraft fallen.

der Großmeister muß der Urheber davon sein und zwar durch seinen Charakter und dadurch, daß er selbst ein solcher ist.

Eine moralische Festigkeit bei aller Fühlbarkeit, und bei allen Anlässen, dieser die Oberhand zu verschaffen und jene zu erschüttern, ist der Inhalt.

Die Existenz des Moralischen kann nur durch die Totalität bewiesen werden*) und ist nur durch diese schön und das Höchste. In Begleitung jener Festigkeit sind also Zartheit, lebhafte Beweglichkeit, Wohlwollen, Mäßigung, Weichheit, Milde, kurz alle schönen menschlichen Tugenden. Ihre Verbindung macht den Großmeister zu einem liebenswürdigen und wahrhaft großen Menschen. — Auch muß Gelegenheit gegeben werden, seine Verstandesklarheit, seine Penetration und Klugheit zu zeigen, die ihn allen überlegen macht**).

Vollkommen faßliche Exposition der Notwendigkeit seines harten Verfahrens. Das Schicksal der Insel, ja des Ordens selbst, ist gefährdet, wenn wegen Elmo nachgegeben wird; der Orden muß an den Orden gewagt werden.

———————

Es muß vollkommen einleuchten, warum La Valette den Orden gerade jetzt reformieren will. Ad extra wirkt schon das Argument der Religion, daß sie sich von ihren Sünden reinigen müssen, um auf die göttliche Hilfe Anspruch machen zu können. Die Religion ist aber bei La Valette nur die Sprache und die Formel zu einer höheren und helleren Weisheit. Er reformiert den Orden, um den idealistischen Sinn und die Exaltation möglich zu machen, welche jetzt so notwendig sind, das Außerordentliche zu leisten. Auch um die innere Spaltung des Ordens zu heben, um die Eintracht und Gehorsam hervorzubringen, hält er für dringend notwendig, alle Ursache des Streits und der Widersetzlichkeit zu entfernen.

La Valette soutenient mit Festigkeit ein hartes, aber notwendiges und heiliges Gesetz gegen den ganzen empörten

———

*) Sorge des Großmeisters für die Leidenden und Bedürftigen. Er hat seine Augen überall.
**) Sein Verstand zeigt sich besonders in der glücklichen Wahl einfacher und entscheidender Mittel, in der leichten Auflösung des Verwickelten, in der Durchschauung des Versteckten.

Orden, führt ihn zur Pflichtmäßigkeit zurück und vereinigt ihn in einem religiösen und heroischen Enthusiasmus, der ein Unterpfand des Sieges und der Unüberwindlichkeit ist.

Er hat alle äußeren und inneren Hindernisse zu bekämpfen und siegt über alle durch seine hohe Tugend; sein eigenes Herz muß er schweigen heißen, den Schein der fühllosesten Grausamkeit muß er bei seinem weichen Herzen ertragen, der Leidenschaft einer wütenden Menge, dem Trotz der Mächtigen, dem Ungestüm einer zügellosen Jugend, der Bosheit der Kabale, dem tobenden Widerspruch der Masse muß er die Spitze bieten. Es ist aber nicht damit gethan, daß er fest bleibt; er muß Ursache sein, daß seine Ritter umgestimmt werden, daß sie an seine hohe, reine Tugend glauben, daß sie ihr Unrecht fühlen und einsehen, daß sie von der Halsstarrigkeit, von der weltlichen, ordenswidrigen Gesinnung zur Nachgiebigkeit, zur Geschmeidigkeit und zu einer heroischen Begeisterung übergehen. Es müssen sich als Folge seines Betragens und der Umstände im Verlaufe des Stücks die wahren Ordensritter erzeugen.

La Valette ist ein Vater seines Ordens; dieses Prädikat verdient er sich in allen Teilen. Was ein Vater für seine Kinder, thut er für seine Ritter, und überall, wo eine positive Pflicht es ihm nicht verbietet, zeigt er sich sorgsam, gütig, nachsichtig, väterlich, selbst gegen die Bösen. Seine Auftritte mit den verschiedensten Charakteren, mit dem bösen Ritter, mit dem stolzen, mit dem kindlichen, mit dem heftigen. Väterlich redet er dem Verräter ins Gewissen, und erst wenn alles unnütz ist, läßt er den Gesetzen den Lauf.

Weil La Valette nicht sich selbst, sondern andere aufopfert, so könnte sein Heroismus zweifelhaft werden. Es ist also nötig zu zeigen, wie viel schwerer es ihm wird, andere als sich selbst aufzuopfern *).

———

Es muß außer Zweifel gesetzt sein, daß La Valette unter allen Rittern der tapferste ist. Tiefe Ehrfurcht aller vor dem Großmeister. Er findet nicht für gut, den jungen Rittern die Gründe seines Handelns zu detaillieren. Als er einige derselben zufällig ans Licht bringt, und die überzeugten Ritter sich merken lassen, daß sie gewiß nie wider-

———

*) Er wagt einmal sein Leben, bloß um einen einzigen Ritter zu retten.

ſprochen hätten, wenn er ihnen dieſes hätte früher ſagen
wollen, ſo äußert er, daß ſie blind zu gehorchen haben. Er
demonſtriert ihnen an einem Beiſpiel, daß die Gründe nicht
immer zu offenbaren ſind, und daß es alſo ſchlechterdings
nötig iſt, blind zu folgen.

La Valette ſteht unter den Rittern wie das perſoni=
fizierte Geſetz. Zugleich muß aber jede Gelegenheit benutzt
werden, ihn als Menſchen darzuſtellen. Zu dem Chor ſpricht
er ſogar bitter von dem Eigennutz und der ſelbſtſüchtigen
Politik der chriſtlichen Mächte und beklagt ſchmerzlich die
harte Notwendigkeit, zu der er verurteilt wäre.

———

Der Großmeiſter liebt nichts als ſeinen Orden, ſeine
Ritter, die er trotz ſeinem fühlenden Herzen aufopfern muß.
Seine Liebe zeigt ſich am lebhafteſten, wenn die Opfer zum
Tod gegangen ſind.

———

La Valette iſt ein ſchöner menſchlicher Charakter und
iſt in den Fall geſetzt, das Unerträgliche zu thun.

La Valette iſt die Seele der Handlung, er muß immer
handelnd erſcheinen; auch da, wo er nicht handelt, nicht mit
Abſicht wirkt, wirkt ſein Charakter; beſonders aber muß das
Reſultat des Ganzen, die Rückkehr der Ritter zu ihrer Pflicht
und zwar zum höchſten und ſchönſten Geiſte derſelben, ſein
Verdienſt, das Werk ſeiner hohen Tugend und Weisheit ſein.

Er erſcheint den eingenommenen Rittern, aber niemals
den Zuſchauern hart, willkürlich, ungerecht; ſeiner Tapferkeit,
Klugheit, Uneigennützigkeit laſſen ſie volle Gerechtigkeit
widerfahren.

———

La Valette hat zu kämpfen mit allen menſchlichen
Leidenſchaften: a) mit der Weiberliebe (die zwei Ritter und
die Gefangene), b) mit der Knabenliebe (die zwei Freunde),
c) mit der Vaterliebe (er ſelbſt und St. Prieſt), d) mit der all=
gemeinen Menſchenliebe (ſein Mitleid mit den aufzuopfernden
Rittern), e) mit der verſteckten Bosheit eines Verräters,
die er konfondieren muß, f) mit der Inſubordination, der
weltlichen Geſinnung, der Nationaleiferſucht ſeiner Ritter.

———

La Balette fühlt die harte Notwendigkeit, strafen zu müssen. Er versucht vorher alles andere, und wenn es unvermeidlich ist, so thut er es mit der anständigsten Schonung. Er unterscheidet Tücke von Leidenschaft, er stößt den Verräter als ein brandiges Glied ab, obgleich mit Schmerz, daß ein Ritter von St. Johann sich so tief entehrte; aber den heftigen Crequi bringt er zur Erkenntnis.

Die innere Begebenheit im Orden droht, ihn der äußern Gefahr zum Raub werden zu lassen. Aber sie löst sich durch die Seelengröße, Weisheit und Rechtschaffenheit des Chefs also auf, daß der Orden gestärkt, mächtig und unüberwindlich daraus hervorgeht und des Sieges über die äußeren Feinde gewiß ist. Diese Begebenheit dient also dazu, die Möglichkeit, ja die Unfehlbarkeit des Siegs, den der Orden in dieser Belagerung behaupten wird, zu verbürgen. Der Kampf geht eigentlich erst an, wenn das Stück aus ist; aber da die Kraft des Ordens als unbedingt und unendlich dasteht, so ist er für den Zuschauer so gut als entschieden. Ein großes Opfer, der Tod einer auserlesenen Schar, erkauft ihn; ebenso war der persische Krieg so gut als geendigt durch den Tod des Leonidas.

Die Ritter.

Chevaliers erscheinen als eine höhere Menschenart unter der übrigen Welt, weil sie künstliche Naturen sind und durch ihre Gelübde sich ausgeschlossen. Wer sich entschließen kann, weniger zu bedürfen, sich selbst weniger nachzugeben, sich mehr zu versagen und mehr aufzulegen, der ist mehr als ein gewöhnlicher Mensch. In den Stamm schießt der Saft, der sich sonst in den Zweigen erschöpft, und der Mensch kann zum Heroen und Halbgott werden, wenn er gewissen Menschlichkeiten abstirbt.

Niedrige Dienste, wozu die Ritter sich verstehen. Simplizität der ersten Stiftung. Einer der edelsten und schönsten Chevaliers erscheint als Krankenwärter. Geschichte der Stiftung des Ordens, durch den Chor lyrisch erzählt*).

---

*) Vgl. S. 202 und 204, Scene VI und XII. (A. d. H.)

Vorangeſchickt:
    Darſtellung des heiligen Landes der Erlöſung.
    Mohammedaner und Druck der Chriſten. Wallfahrten.
    Kreuzzüge. — Eroberung des heiligen Landes.

Perioden des Ordens:
1 Das Hoſpital zu Jeruſalem. Bloße Charité, Pflege.
2. Die Edelleute treten dazu, beſiegt von der Schön-
    heit dieſer chriſtlichen Pflicht. Gerard.
3. Der ritterliche Geiſt regt ſich in dieſen Edelleuten,
    ſie ergreifen das Schwert wieder. Raimund
    Dupuy.
4. Regel, Kleidung, Ordenskreuz, Gelübde.
5. Zulauf, Schenkungen, Reichtümer, Macht.
6. Rivalität mit dem Tempelorden. Tapfere Thaten.
    Kampf für die Chriſtenheit. Belagerung von Accon.
    Ende der Herrſchaft von Paläſtina.
7. Uebergang auf das Meer.
8. Rhodus. Souveränität. Höhe des Ordens.
9. Fall der Templiers. Reichtümer und Ausartung
    des Ordens. Villaret.
10. Belagerung von Rhodus und Abzug, Jsle-Adam.
11. Verpflanzung nach Malta, nach großen Schwierig-
    keiten.
12. Aktueller Zuſtand des Ordens.

Der Chor wird von den Aufrührern mit Trotz und Ge-
ringſchätzung behandelt. Sie verhehlen ihm ihre ſchlimmen Geſinnungen nicht, er weiß die Gefahr und ſieht das Schlimmſte
kommen, aber ohne es verhindern zu können.

Orden ſchildert ſeine eigene Ohnmacht, er könne nichts
als beten; Unterſchied zwiſchen geiſtlichen und weltlichen
Rittern.

Wichtigkeit der Perſon eines einzigen Chevalier. Seine
Bravour darf keine Grenzen haben. Er wiegt ganze Hunderte
anderer Männer auf.
    Deſto mehr Bedenken koſtet die Aufopferung ſo vieler

Ritter, aber hier tritt der andere Fall ein, daß an dem Gesetz, dem Rufe und der Maxime mehr liegt, als an dem bedeutendsten Leben. ———

Unter den Chevaliers sind wilde Seeleute, die alle Schliche auf dem Mittelländischen Meer kennen.

—— ——

Indem La Valette die Reinigkeit des Ordens wiederher= stellen will, kommt die ganze Degeneration desselben zur Sprache. Reichtümer, Spiel, Luxus, Weiber u. s. w., Ab= wesenheit, Courmachen an fremden Höfen, Schuldenmachen, Impietäten. Er bringt als Hauptargument, daß der Orden seinem Untergang nahe sei, weil er von innen heraus sich selbst überlebt habe.

Einwürfe der Ritter und ihre Argumente für eine laxe Observanz.

„Wann," erwidert er ihnen, „wann wurde das Un= mögliche geleistet? Da man blind gehorchte, da man ganz dem Orden ergeben war" u. s. w.

———

„Die Wälle sind zerstört. Wohinter sollen wir stehen?"
„Hinter eurer Pflicht. Euer Gelübde ist euer Wall, der Johanniter braucht keinen anderen."
„Wir sind Menschen."
„Ihr sollt mehr sein!"

———

Die Ausgelassenheit der Sitten ist zugleich als eine Folge des Kriegszustandes vorzustellen. Es ist wie beim Erdbeben, die wilde Natur ist in Freiheit gesetzt, die Augen= blicke sind kostbar, sie müssen genossen werden. „Wer weiß, ob wir morgen noch sind; so laßt uns heute noch leben!" — Auch weil die Verteidigungsanstalten alle Aufmerksamkeit auf das Äeußere richten, so meinen die Ritter, daß man ihnen in ihrem Innern nachzusehen habe. Ferner fühlen sie ihre Wichtigkeit, man braucht jetzt tapfere Leute und muß ihnen schon etwas nachsehen. Endlich fordern sie eine ge= wisse Lizenz als Entschädigung und als ein Erweckungsmittel des Muts.

———

Es hat etwas Unschickliches, daß Männer und zwar be=
jahrte Männer von reifem Geist und Charakter unter der
Zucht stehen und von ihrer Konduite Rechenschaft geben
sollen; auch releviert es Romegas. Diese Unschicklichkeit
aber ist ein mönchischer Zug und muß deswegen fühlbar
gemacht werden.

Einzelne Desiderate und Motivierungen.

Der Streit um die Griechin, die Rivalität der zwei
Ritter und ihrer Zungen muß noch eine engere Verbindung
mit der Haupthandlung haben, als bloß diese, die Insub=
ordination und verfallene Zucht darzustellen und die Un=
zufriedenheit gegen den Großmeister zu vermehren.

Auch ist Biron noch nicht beschäftigt genug im Stück
und sein Charakter noch unbestimmt. Er muß zur Totalität
notwendig sein, und wodurch ist er's? Kommt er von
St. Elmo? und wenn das ist, warum ist er nicht mit den
anderen Deputierten dahin zurück? Kommt er nicht von
St. Elmo, warum führt er eben jetzt den Raub aus, und
wo kommt er hin? Auf alles das ist zu antworten.

Was hofft Montalto durch seine Intrigue eigentlich zu
gewinnen? La Valette verhaßt zu machen und ihm Händel
zu erregen, würde für sich allein ein zu schwaches Motiv
sein. Er muß ihn härter fassen. Ist er etwa im Einver=
ständnis mit den Türken, und ist er von diesen bestochen?
Will er also den Untergang des Ordens? Will er bloß eine
Aenderung des Regiments? Aber wie kann er so etwas
gegen La Valette durchzusetzen hoffen?

Montalto will den Orden zu Grund richten und ist
schon im Einverständnis mit den Türken. Der Großherr
hat ihm eine reiche Statthalterschaft und eine Schönheit dafür
zugesagt.

Das Interesse der Ritter von La Valette=Stadt an dem
Abzug ihrer Brüder von St. Elmo ist: erstlich Menschlich=
keit und Billigkeit (ältere Ritter); zweitens bei einigen
Freundschaft (besonders Crequis gegen St. Priest); drittens
Nationalgeist, weil es sich trifft, daß unter den Aufgeopferten

eine große Majorität von einer (der spanischen oder der languedokischen) Landsmannschaft ist (Spanier); viertens Eifersucht auf ihre Ordensrechte, weil La Valettes Betragen vielen willkürlich scheint (Italiener); fünftens Unwille gegen Spanien, welchem man es beizumessen hat, daß Elmo behauptet werden muß (Franzosen).

Der Zufall oder vielmehr eine von dem Großmeister nicht abhängende Ordnung hat gerade diese Ritter und keine anderen zur Verteidigung St. Elmos bestellt. So kann sein Sohn darunter, den er bei voller Freiheit wohl nicht auf den Todesposten gestellt haben würde; dies wenigstens muß dem Urteil frei anheimgestellt bleiben. Nun, da der Posten so gefährlich worden, ist der Jüngling einmal da, und La Valette kann ihn ohne eine Parteilichkeit nicht zurücknehmen. Dieses alles spricht sich aus, ehe man noch weiß, daß es sein Sohn ist. Allenfalls kann er durch gewisse besorgte ängstliche Erkundigungen nach dem Befinden der dortigen Ritter ein näheres Interesse an einzelnen verraten.

Es ist ein Grund anzugeben, warum Crequi sich nicht auf demselben Posten befindet. Er kann bei Gelegenheit der ersten Deputation von St. Elmo sich von La Valette ausbitten, dahin gehen zu dürfen; es wird ihm abgeschlagen. Oder er kann bitten, daß St. Priest abgelöst werde, wogegen sich die übrigen setzen; indessen wird dadurch St. Priests erwähnt. Nachher, wenn La Valette weggegangen, erkundigt sich Crequi bei den Elmoischen Deputierten sehr leidenschaftlich nach seinem Geliebten.

Crequi ist eine heftig passionierte Natur, die in ihrem Gegenstand ganz lebt, ihn mit der ganzen Gewalt der Natur umfaßt und keine Grenzen, kein Maß kennt. Besser, wenn er ein Italiener wäre oder auch ein heißblütiger Sizilier. Seine Leidenschaft ist wahre Geschlechtsliebe und macht sich durch eine kleinliche zärtliche Sorge, durch wütende Eifersucht, durch sinnliche Anbetung der Gestalt, durch andere sinnliche Symptome kenntlich. Auch die Geringschätzung, welche er gegen Weiber — und Weiberliebe bei Gelegenheit der Griechin zeigt, und der Vergleich, den er damit zum

Vorteil seines Geliebten anstellt, gibt den Geist seiner Liebe
zu erkennen. Seine Eifersucht erstreckt sich selbst auf La
Valette, den er beschuldigt, daß er den St. Priest aus Rache
aufopfern wolle, weil er von ihm verschmäht worden. Wenn
er sich von Ramiro erzählen läßt, wie es St. Priest ergehe,
und dieser leidenschaftlich von ihm spricht, so erwacht seine
Eifersucht auch gegen diesen. Er beneidet die Elmoischen
Deputierten, weil sein Geliebter dort ist. St. Priest ist ein
jugendlicher Rinaldo, seine Schönheit ist mit furchtbarer
Tapferkeit gepaart, er übertrifft alle anderen Ritter an Mut
sowie an Schönheit. Er ist eine Geißel der Türken und
immer voran, obgleich man ihn zu schonen suchte; aber es
ist, als ob eine Wache von Engeln ihn umgäbe, oder ob sein
Anblick magisch wirkte, denn mitten in Tod und Gefahr ist
er unverletzt, und sein Anblick entwaffnet den Feind, man
weiß nicht, ob durch die Schönheit seiner Gestalt oder durch
die Furchtbarkeit seines Muts.

Fragmente von Scene 1 und 2.

(Prolog und Parodos.)

Eine offene Halle, die den Prospekt nach dem Hafen eröffnet.

Romegas und Biron streiten um eine griechische Gefangene; dieser hat sie gefaßt,
jener will sich ihrer bemächtigen.

Romegas.

Verwegner, halt! Die Sklavin raubst du mir,
Die ich erobert und für mein erklärt.

Biron.

Die Freiheit geb' ich ihr. Sie wähle selbst
Den Mann, dem sie am liebsten folgen mag.

Romegas.

Mein ist sie durch des Krieges Recht und Brauch,
Auf dem Korsarenschiff gewann ich sie.

Biron.

Den roh korsarischen Gebrauch verschmäht,
Wer freien Herzen zu gefallen weiß.

Romegas.

Der Frauen Schönheit ist der Preis des Muts.

Biron.

Der Frauen Ehre schützt des Ritters Degen.

Romegas.

Saint Elme verteidige! Dort ist dein Platz.

Biron.

Dort ist der Kampf und hier des Kampfes Lohn.

Romegas.

Wohl sicherer ist es, Weiber hier zu stehlen,
Als männlich dort dem Türken widerstehn.

Biron.

Vom heißen Kampf, der auf der Bresche glüht,
Läßt sich's gemächlich hier im Kloster reden.

Romegas.

Gehorche dem Gebietenden! Zurück!

Biron.

Auf deiner Flotte herrsche du, nicht hier!

Romegas.

Das große Kreuz auf dieser Brust verehre!

Biron.

Das kleine hier bedeckt ein großes Herz.

Romegas.

Ruhmredig ist die Zunge von Provence.

Biron.

Noch schärfer ist das Schwert*).

Romegas.

———————

Ritter (kommen).

Recht hat der Spanier — der Uebermut
Des Provençalen muß gezüchtigt werden!

———————

*) (Aeltere Fassung!) Auch scharf ist sie wie ein geschliff'nes Schwert.

Andere Ritter

(kommen von der andern Seite).

Zu Hilf'! Zu Hilf'! Drei Klingen gegen eine!
Auf den Kastilier! Triff, wackrer Bruder!
Wir stehn zu dir! Dir hilft die ganze Zunge!

Ritter.

Zu Boden mit den Provençalen!

Andere Ritter.

Nieder

Mit den Hispaniern!

(Es kommen noch mehrere Ritter von beiden Seiten, in der Verwirrung des Gefechts entsteht die Griechin.)

(Chor tritt auf. Er besteht aus sechzehn geistlichen Rittern in ihrer langen Ordens-tracht und bildet zwei Reihen, die sich auf beiden Seiten des Theaters stellen und so die übrigen umgeben.

Chor.

Umrungen ist Malta, ein Gürtel von donnergeladenen
Schiffen zieht sich, schnürt sich um die Insel zu.

Alle seine heidnischen Völker, die nicht ehren das Kreuz,
gießt das ungläubige Morgenland über diese Insel aus:
alle, die das Schlangen ernährende Afrika zeugt, die die auf-
gehende Sonne umwohnen und den wachsenden Mond, den
ewig sich füllenden, zum Zeichen haben.

Wie des Hagels unendliche Schloßen, wie die Flocken
fallen im Wintersturm, also steigen Völker aus den donnergeladenen Schiffen aus einer Wolke von Heidenstämmen.
Das Wasserreich verschwindet unter ihren Flotten, fester
Boden ist die See, und das Meer, das allverbreitete, ewig
offene, ist uns geschlossen. Diese Insel ist ein Gefängnis, verriegelt ist das Meer, das ewig offene*).

---

*) (Beginn der Versifikation:)

Entladen hat sich die Donnerwolke,
Und dem Kreuz gegenüber, drohend.
Hängt der blutige, immer wachende Mond.

Entladen hat sich die Donnerwolke,
Heran, heran mit unendlichen Schiffen
Und hochragender Maste Zahl.
Zahllos wie die Wellen des Meeres,
Wie die Sterne sich streun
Die Völker unter Soleiman,
Durch die ewigen Felder des — — —

Um die bangende Insel her! Unter der
Schiffe Geschwadern schwindet die Wasserwelt.

Der Spahi tummelt fein Roß durch das Feld hin, die Cafen brennen, der Janitfchar belagert, der Minierer wühlt, alles ift gegen diefen einzigen Punkt gedrängt. Bei . . . . . Lage von Elmo. Beide Häfen *).

Den Orden, der ihnen vor allen gehäffig ift, von Grund aus zu vertilgen, das heilige Kreuz zu zerftören, kommen fie, alle zufammen in fchrecklichem Bund, eine zufammen verfchworene Völkerflut, gegen diefe einzige Infel, den Sitz des chriftlichen Ritterordens, die äußerfte Bruftwehr der chriftlichen Welt**). Wer kann ihrer Macht widerftehen? Wie follen wir gerettet werden? Die wenigen gegen fo viele? Wenn jeder unter uns — — — — —

Aber ihr vergeßt die allgemeine Gefahr, und mit graufamer Erbitterung fchlagt ihr euch felber Wunden und zücket das Schwert auf die Bruft eurer Brüder, das ihr gegen die Ungläubigen gebrauchen folltet. Draußen um die Infel ift der Krieg, und der Krieg ift im Innern. Seinem Untergang ift der Orden nahe, und ihr wütet gegen euch felbft in rafender Zwietracht. Die Schwerter find gezogen und nicht gegen den Feind, fondern gegen den Chriften, gegen den Bruder. Ihr feid nur in fieben Zungen geteilt, nach der Zahl der chriftlichen Länder***), fieben Landsmannfchaften, und doch feid ihr nicht einig. Ein allgemeiner Glaube verbindet euch, ein gleiches Zeichen des Kreuzes vereinigt euch, ein gleiches Gelübde ꝛc., und doch trennt euch die eiferfüchtig neidifche Ehrfucht, und ihr ftrebt, euch zu vertilgen untereinander.

Und die See ift, die ewig bewegliche,
Feftgezimmerter Boden!
Die allgeöffnete, Länder verbindende,
Ift uns verriegelt, und diefer Infelfels
Ift ein Gefängnis.

Eine eichengezimmerte, fchwimmende,
Und die See, die allhin verbreitete,
Ewig offene, fchließt fich zu.

*) Soleiman. Muftapha, Pafcha. — Piali, Admiral. — Uluzzialy, Kaudeliha, Mohren. — Dragut. — Hafcem.
**) (Beginn der Verfifikation:)
Die im äußerften Mittelmeer
Gegen der Heiden Land
Dafteht, die letzte, äußerfte
Chriftliche Infel!
Schanze!
Schanze des Kreuzes!
***) Nach der geheimnisvollen heiligen Zahl.

Romegas.

Höre unsern Streit und sei Richter!

Biron.

Höre mich an!

Romegas

erzählt die Eroberung des Schiffs, wo er die Griechin in seine Gewalt bekam. Die Erzählung dient dazu, eine Anschauung von dem Seekrieg der Ritter gegen die Ungläubigen zu geben. Der Ritter führte einen Convoi, er griff einen Algierer an, enterte ihn und befreite sechzig Christen; die Türken wurden statt ihrer zu Galeerensklaven gemacht.

Biron

erzählt nunmehr seine Ansprüche auf die Griechin, die sich auf ihre Zuneigung gründen. Seine Erzählung gibt eine Idee von dem Nationalunterschied in der Art zu lieben. Eifersucht des Spaniers, Zuthulichkeit des Franzosen. Darüber kam die Belagerung, Biron erhielt den Posten von St. Elmo, wodurch er von der Griechin getrennt wurde. Anlaß, der ihn herüberbrachte. Was darauf weiter erfolgt.

Chor

eifert gegen den ordenswidrigen Gegenstand des Streits noch mehr als gegen den Streit selbst. Durch dergleichen Laster sei der Zorn des Himmels gegen den Orden gereizt worden, und die weltliche Denkart der Ritter stelle sie den Ungläubigen gleich. Ein Weib sollte diejenigen entzweien, die das Gelübbe der Enthaltsamkeit abgelegt!

Romegas

meint, der Orden spreche wie ein Mönch, sie aber seien Soldaten. (Seine weltliche Denkart.)

Themistokles.

Der gediegene menschliche Inhalt dieser Tragödie ist die Darstellung der verderblichen Folgen verletzter Pietät gegen sein Vaterland. Dieses kann nur bei einer Republik stattfinden, in welcher die Bürger frei und glücklich sind, und nur von einem Bürger recht gefühlt werden, dem das Verhältnis zum Vaterland das höchste Gut war. Themistokles ist in Persien heimatlos; heiß und schmerzlich und hoffnungslos ist sein Sehnen nach Griechenland, es ist ihm nie so teuer gewesen, als seitdem er es auf ewig verloren. Ewig strebt er, sich in dieses geliebte Element zurückzubegeben.

Hier gilt es also die möglichst innige Schilderung des Bürgergefühls vis à vis eines ruhmvollen wachsenden Staats und im Kontrast mit dem sklavischen Zustand eines barbarischen, erniedrigten Volks; die Begeisterung muß für das öffentliche Leben, für den Bürgerruhm rc. erweckt werden, und allem muß eine hohe, edle, energische Menschheit zum Grund liegen.

Themistokles stirbt, wie er gelebt hat, nämlich mit einem gleichen Anteil reiner und unreiner Antriebe. Er hatte eine hohe Gesinnung, eine Begeisterung für die wahre Tugend und den wahren Ruhm; aber ihn nagte die Ehrsucht, und diese tadelhafte Leidenschaft war Ursache, daß er die Probe der wahren Tugend nicht aushielt. Und so mischt sich auch in seine heroische Selbstaufopferung der Schmerz der gekränkten Ruhmsucht; doch wird er gewissermaßen Herr über diese unreine Empfindung, oder sie läutert sich wenigstens zu einer schön menschlichen Regung, und er scheidet zuletzt als ein edler Mensch, von der Idee seines unsterblichen Nachruhms über die gekränkte Hoffnung getröstet. Mit dem Giftbecher am Munde wird er wieder zum Bürger Athens.

Themiſtokles ſoll die perſiſche Flotte gegen ſeine Mit=
bürger anführen: er hat es dem großen König verſprochen,
als er auf ſeiner Flucht bei dieſem eine gütige Aufnahme
fand und gegen ſeine undankbaren Landsleute Rache brütete.
Aber unterdeſſen iſt ihm ein anderer Sinn gekommen; er
kann es nicht über ſich gewinnen, für die Barbaren und
gegen ſein Vaterland zu fechten. Da er nun nicht länger
auf perſiſchem Gebiete bleiben, mit ſeinem Volk aber ſich
nicht mehr verſöhnen, die heiligen Obliegenheiten des Gaſt=
rechts nicht verletzen, noch weniger auf Unkoſten ſeiner Ehre
und ſeiner Vaterlandsliebe befriedigen kann, ſo entſchließt
er ſich, als ein würdiger Grieche freiwillig zu ſterben.

Das Stück enthält die geſchäftigen Anſtalten zu einer
großen Kriegsexpedition. Man erwartet eine große kriegeriſche
Handlung, und alles läuft auf nichts hinaus, da der, welcher
die Seele davon ſein ſollte, ſich tötet. Beide Anſtalten, die
der Perſer zum Feldzug und die des Themiſtokles zum Tode,
welche jene aufhebt und vernichtet, gehen miteinander fort,
und der Geiſt des Stücks iſt dieſer, daß etwas ganz anderes,
ſchlechthin anderes erfolgt, als veranſtaltet worden, und daß
etwas Ideales das Reale zerſtört und in nichts verwandelt.

Es wird dargeſtellt:

a) Der Athenienſer Themiſtokles, der hochgeſinnte Grieche
unter den Barbaren. Griechiſche und perſiſche Sitten im
Kontraſt.

b) Themiſtokles' hohes Anſehen bei den Perſern und
die Ehrenbezeugungen, die ihm von den Barbaren erwieſen
werden.

c) Die Gnade des großen Königs, deſſen großes und
unerſchütterliches Vertrauen zum Themiſtokles.

d) Joniſche Griechen, zwiſchen den europäiſchen Griechen
und den Barbaren in der Mitte ſtehend.

e) Echte Griechen, zwei wenigſtens, welche dem Themi=
ſtokles ſein griechiſches Vaterland wieder vor die Seele bringen
und eine heftige Sehnſucht danach erwecken.

f) Themiſtokles' Tochter Mneſiptoleme, die Prieſterin der
Mutter der Götter.

g) Der Neid der Perſer gegen den Themiſtokles.

h) Themiſtokles' frühere Thaten und Heldenruhm. Ge=
ſchichte ſeines Exils und ſeiner Schickſale.

i) Griechenlands Blüte und wachſender Ruhm, ſeitdem
er unter den Perſern iſt. Cimons Frühling.

k) Themistokles erinnert sich mit Begeisterung der früheren Zeit. Die Schlacht bei Salamis. Olympische Spiele.

l) Er ist dem großen König, den er verachtet, Pietät schuldig.

m) Die Griechen verachten ihn, und er liebt sie mit heftiger Sehnsucht.

n) Ein Kind oder Enkel des Themistokles ist für die Griechen begeistert.

o) Themistokles hat Sklaven und Sklavinnen. Eine hochgesinnte Jonierin ist darunter.

p) Er wird in dem Stücke selbst von dem persischen König beschenkt.

q) Er stellt ein Opfer an, unter dem Vorwand seiner Abreise in den Krieg, es ist aber sein Totenopfer.

r) Ein griechischer Philosoph.

s) Griechische Mimen; einige Scenen aus einer verloren gegangenen Tragödie des Aeschylus, die dazu geeignet sind, den Themistokles in eine rührende Begeisterung zu versetzen.

t) Ungeachtet er außer Handlung ist und sich dem Tode schon geweiht hat, so sieht man in ihm doch ganz den herrlichen Griechen, den klugen, anschlägigen Staatsmann und Feldherrn, die hohe, treffliche, unzerstörliche Natur, kurz den ganzen unsterblichen Helden. Geist fließt von seinen Lippen, Leben glüht in seinen Augen, Feuer und Thätigkeit ist in seinem ganzen Thun.

Agrippina.

Der Tod des Britannikus und der Tod der Agrippina geben beide den Stoff zu einer reinen Tragödie, und vorzüglich der letztere. In dem ersteren ist vielleicht noch zu viel von einem stoffartigen Interesse und einem sentimentalischen Mitleid zu fürchten, da der Untergang der Agrippina mehr die tragische Furcht und das tragische Schrecken erregt.

Agrippina ist ein Charakter, der nicht stoffartig interessiert, bei dem vielmehr die Kunst das stoffartig Widrige erst überwinden muß. Rührt Agrippina, versteht sich ohne ihren Charakter abzulegen, so geschieht es lediglich durch die Macht der Poesie und die tragische Kunst.

Agrippina erleidet bloß ein verdientes Schicksal, und ihr Untergang durch die Hand ihres Sohnes ist ein Triumph der Nemesis. Aber die Gerechtigkeit ihres Falls verbessert nichts an der That des Nero; sie verdient durch ihren Sohn zu fallen, aber es ist abscheulich, daß Nero sie ermordet. Unser Schrecken wird also hier durch kein weiches Gefühl geschwächt. Wir erschrecken zugleich über den Opferer und über das Opfer. Eine leidende Antigone, Iphigenia, Kassandra, Andromacha ꝛc. geben keine so reine Tragödie ab.

Der Tod der Agrippina macht Epoche in dem Charakter des Nero; hier fühlt er die letzte Scham und die letzten Schauer der Natur, er überwindet sie und hat nun alle moralischen Gefühle überwunden.

Er macht Epoche in seinem Charakter; denn solange die Mutter lebte, hatte Nero noch einen Zügel. Seine ganze Infamie und Schändlichkeit brach noch nicht ganz aus bei ihrem Leben. Wie sie tot ist, achtet er nichts mehr, und eins der ersten ist, daß er aufs Theater geht.

Es kostet dem Nero etwas, seine Mutter umzubringen;

nicht etwa aus einem Rest von Liebe, die hat er nie für sie empfunden — es ist bloß die unvertilgbare Naturstimme, die er Mühe hat zum Stillschweigen zu bringen. Diese Natur= stimme ist so allgemein, es ist ein so ewiges Naturgesetz, daß selbst ein Nero die heftigste Krise ausstehen muß, eh' er es überwindet, und er überwindet es nicht, sondern muß es umgehen.

Die Tragödie hält sich also mehr innerhalb des physischen Kreises als des moralischen auf; oder sie behandelt dasjenige Moralische, welches eine physische Macht ausübt.

Nero scheint noch verbesserlich, solang' er seine Mutter nicht getötet hat; er steht in dem Stück auf einer Grenze. Er fühlt noch Scham, er scheut noch etwas Heiliges, es ist noch nicht alle Hoffnung verloren*). Aber noch eh' er sie töten läßt, und um sie töten lassen zu können, muß er die Natur ausziehen. Diese kehrt noch einmal zurück, wenn die That gethan ist, aber ohnmächtig und ohne Folgen.

Agrippina hat ein Orakel erhalten, daß ihr Sohn herr= schen und sie töten würde. Damals war es ihr nur um ihren Zweck zu thun. „Occidat, dum imperet!"

Ihre Macht ist gesunken, sie hat ihren Einfluß auf ihn verloren und muß andere statt ihrer ihn beherrschen sehen. Dies ist ihr größtes Unglück, denn sie hatte ihm die Herr= schaft mehr verschafft um ihretwillen als um seinetwillen; aber er ist ihr entschlüpft, weil sie ihre Regiersucht nicht zu mäßigen oder zu verbergen verstand. Jetzo büßt sie es teuer durch Verlassenheit und Verachtung. Sie kann diesen Zu= stand nicht gelassen ertragen.

Sie steht zuweilen auf dem Sprung, gegen ihren eigenen Sohn zu konspirieren, und zuverlässig würde sie ihm einen Gegner erwecken, wenn sich hoffen ließe, daß sie dadurch etwas gewänne. Aber im Augenblick des gekränkten Stolzes über= legt sie nicht einmal die Folgen; sie findet eine Befriedigung darin, ihm die Macht zu nehmen, die sie nicht mit ihm teilen soll. — Durch diese Gesinnung ist sie ein gefähr= licher Charakter, kann wenigstens dem Nero so abgeschildert werden. Sie ist eine nicht verächtliche Gegnerin, Tochter eines Cäsars, Gemahlin eines Imperators und Mutter eines solchen, verbindet sie die höchste weibliche Würde auf ihrem Haupt. Sie hat in Rom einen Anhang, sie besitzt Schätze,

*) Ja, es kommt in dem Stücke selbst so weit, daß seine Mutter ihn noch einmal herumbringt.

ein großes Mancipium. — Ferner: sie kann die Rechte des
Nero an den Thron des Augustus umstürzen, sobald sie, mit
Aufopferung ihrer eigenen Ehre, die Wege bekannt macht,
durch die er zum Thron geführt worden, und von ihrer Ver=
zweiflung ist ein solcher Schritt in der That zu fürchten. Auch
hat sie schon damit gedroht. Sie hat sich fähig gezeigt zu
jedem Verbrechen, da sie Ehebruch, Blutschande und Mord
schon versuchte. Ein Beweis, wie weit sie aus Rachsucht und
blinder Regiersucht zu gehen im stande ist, war Britannikus,
den sie anfangs unterdrückte und nachher in Schutz nahm.

Am Anfang der Handlung ist Agrippina zurückgesetzt
und verlassen. Im Verfolg der Handlung erhält sie noch
einmal auf einen Augenblick die Herrschaft über ihren Sohn,
der sie schnell darauf dem Tode dahingibt.

Ihre Ermordung geschieht zweimal, da sie das erste
Mal entrinnt.

Abschied des Nero von der Agrippina, eh' sie sich auf
das Schiff begibt, wo sie der Tod erwartet.

Die eigentliche letzte Gewalt gegen Agrippina wird
schon mehr durch den Drang des Augenblicks als aus Be=
sonnenheit beschlossen. Nero fürchtet ganz ernstlich für sein
Leben, besonders da er den großen Zulauf zu der geretteten
Augusta erfährt.

Der Aberglaube der Römer muß in der Schilderung
besonders hervorspringen. Das Nativitätstellenlassen ist ein
Regal; es ist ein kapitales Verbrechen, die Magie über die
Zukunft zu fragen.

Ein geheimes Ereignis zwischen dem Nero und seiner
Mutter flößt ihr die Hoffnung ein, daß sie ihn entweder noch
herumbringen, oder daß er sie doch nicht töten werde. Nichts=
destoweniger nimmt sie die äußersten Vorsichtsmaßregeln gegen
einen mörderischen Angriff.

Soll Oktavia, Neros Gemahlin, in die Handlung ver=
flochten werden?

Seneka erscheint nicht zu seinem Vorteil und zeigt einen
zweideutigen Charakter. Burrhus ist ein fester Charakter, ein
Weltmann und Krieger, und steht mit Achtung da zwischen
dem Laster und der Tugend.

Agrippina macht einen Versuch, die Begierden des Nero
zu erregen, soweit dies nämlich ohne Verletzung der tragischen
Würde sich darstellen läßt. Es wird, versteht sich, mehr er=
raten als ausgesprochen.

Agrippina beschützt die gute Sache gegen den Nero, wie sie schon bei Britannikus gethan hat. Dies gibt Gelegenheit, einen schönen Charakter einzuführen, ohne dem Geist des Ganzen zu widersprechen, denn dieser gestattet nicht, daß das Gute dem Bösen, sondern will, daß Böses dem Bösen entgegenstehe.

Agrippina muß in dem Stücke nichts gegen den Nero thun, obgleich sie zu allem fähig wäre; diesen Grad der Unschuld muß sie, ihm gegenüber und in diesem letzten Verhältnis, haben, das erfordert das tragische Gesetz. Sie muß als Mutter gegen den Sohn dastehen. Zwar als eine sehr schuldige Mutter, aber nicht gegen den Sohn schuldig.

Nero ist eitel auf seine Talente, er hat nur kleinliche Neigungen, durchaus nichts Großes oder Edles ist in seiner Natur. Er hat eine gemeine Seele; daher kennt er auch keine Großmut in seiner Rache, und alles haßt er, was edel und achtungswürdig ist in Rom. Er ist dabei im höchsten Grad feigherzig, argwöhnisch, leicht aufzuschrecken, schwer zu versöhnen. Er ist habsüchtig, wollüstig, liederlich.

Elfride.

Wann Ethelwold seiner Gemahlin die Entdeckung des gespielten Betrugs macht — gesetzt daß er sie machte — so muß es in einem Moment geschehen, wo diese Eröffnung die fatalste Wirkung thut und die höchste tragische Furcht erweckt.

Der Reiz, Königin zu werden und durch Schönheit sowohl als Größe alle anderen zu überstrahlen, wirkt um so mächtiger, da Elfride die Eingeschlossenheit schon müde ist. Aller Pflichten gegen den Gemahl glaubt sie sich quitt, seines Raubes wegen. Fragt sich nun: hat sie ihn geliebt? Hat sie ihn nur als Mittel zu einem anderen Zweck gebraucht (ohne es nämlich selbst zu wissen)? Ist das letztere, wo liegt denn alsdann das Tragische?

Ist sie selbst dabei geschäftig, dem König bekannt zu werden, oder auch nur aus weiblicher Eitelkeit nicht ganz ohne Anteil daran?*)

Ethelwold fürchtet mehr den Verlust seiner Gattin als seines Lebens. Die Eifersucht muß in ihm so heftig sein, daß sie mit der Heftigkeit seiner Leidenschaft übereinstimmt, welche nötig war, um ihn zu dem Betrug zu verleiten.

Situationen sind: 1. Wie er ihr das Geheimnis entdeckt. 2. Ihre Zusammenkunft mit dem König. 3. Seine Eifersucht und Verzweiflung. 4. Königs Ankunft auf dem Schloß. 5. Königs Leidenschaft. 6. Elfride hält es mit dem König gegen ihn. 7. Ethelwold aufgeopfert. 8. —. 9. —. 10. —.

Das Tragische beruht auf Ethelwold und nicht auf der Elfride. Er wird unglücklich durch Leidenschaft und Verhängnis, sie aber folgt bloß ihrer Natur. Ethelwold ist

*) Die Eitelkeit ist grausam und ohne Liebe.

schön, jung, leidenschaftlich, glänzend und mächtig, also mußte er der einfachen, eingeschlossenen, wenig Ansprüche machenden Elfride gefallen. Er ist der erste Mann, den sie eigentlich kennt, und ihre Empfindung für ihn ist Vergnügen, aber keineswegs Liebe. Dieser Leichtsinn, diese Selbstsucht stellen sich gleich anfangs dar; man sieht, daß die Liebe ihr nicht alles ist, daß also die Person ihres Gemahls ihr doch gewissermaßen gleichgültig ist und das, was er ihr ist, sich leicht auf einen anderen übertragen läßt.

Anfangs sieht man beide in einem scheinbar glücklichen Zustand und in völligem Einverständnis, was eine glückliche Wechselliebe scheinen kann. Elfride lebt auf dem Landsitz ihres Gemahls, in einer mäßigen Entfernung von dem königlichen Hoflager, aber in tiefster Abgeschiedenheit. Noch hat sie keine eigentlichen Wünsche außer dem Besitz ihres Gemahls, aber doch ein gewisses unbestimmtes Verlangen, den Hof zu sehen, sich auch von anderen bewundern zu lassen ihrer Schönheit wegen, sich beneiden zu lassen ihres Gemahls wegen. Dann beunruhigt sie auch diese sorgfältige Einschließung und die Aengstlichkeit ihres Gemahls, sie vom Hof entfernt zu halten, und es regt sich einige Eifersucht. Auch das Nitimur in vetitum wirkt; eben darum möchte sie ihn an den Hof begleiten, weil er es nicht wünscht.

Weil seine Besuche mit Schwierigkeit und Heimlichkeit verbunden sind, so haben sie dadurch einen gewissen Reiz mehr und nähern sich mehr den Bewerbungen des Geliebten, mehr dem Raube als dem Besitz. Er hat eine vertraute Person um seine Gemahlin, welche über Befolgung seiner Befehle zu wachen hat. Alter Diener.

Welche Gründe führt er ihr an wegen ihrer Entfernung vom Hoflager? Sie wird aber nicht dadurch befriedigt. Eine junge Person ist um sie, welche ihr den Reiz des Hoflebens schildert und sie gegen ihren Gemahl aufhetzt.

Könnte sie nicht mit dem König einmal unvermutet zusammen kommen, ohne ihn zu kennen?

Wie wird dem König Ethelwolds Verräterei entdeckt? durch Zufall oder durch Intrigue seiner Neider?

Liebe des Königs für den Ethelwold ist sehr feurig und charakterisiert ihn als eine passionierte Natur. Auch wird dadurch Ethelwolds Verräterei desto krimineller.

Elfride meldet ihrem Gemahl höchst vergnügt die angekündigte Erscheinung des Königs.

Zwei höchst leidenschaftliche Männer, davon der eine mit dem Recht des Gatten, der andere mit der absoluten Gewalt ausgerüstet ist, kollidieren in der Liebe zu einer schönen, aber eiteln und lieblosen Frau. Sie folgt natürlich dem Glanz und der Macht des letztern und verrät — aus bloßer Lieblosigkeit und Eitelkeit — die Pflicht und die Treue der Gattin.

Sowie Elfride das Geheimnis von ihrem Gatten erfahren, ist es dem Zuschauer fast gewiß, daß sie ihn aufopfern wird.

Wenn Elfride quasi über dem Leichnam ihres Gemahls zum Thron geht, so ändert sich ihr Charakter, und ihre eigenen Diener verabscheuen sie.

Zwischen der entdeckten Verräterei Ethelwolds und seinem Tod verstreicht eine Zeit, verläuft eine Handlung *). Zwar ist es zwischen Elfride und dem König stillschweigend ausgemacht, daß Ethelwold untergehen muß. Warum? Des Königs Leidenschaft kann nicht weichen, und ihre Wünsche kann sie nicht aufgeben. Ethelwold aber kann seine Gattin nur durch den Tod aufgeben. Also muß er aus dem Wege.

Elfride, Ethelwold, Edgar stehen im Interesse vollkommen gleich. Sie hat die Schönheit, Ethelwold die Leidenschaft und den Besitz, Edgar die Leidenschaft und die Gewalt.

Edgars Liebe für den Ethelwold. — Ethelwolds Verlegenheit. — Elfridens Leichtsinn und Untreue. — Edgars Leidenschaft für Elfriden. — Ethelwolds Eifersucht und Qualen. — Elfridens und Edgars Verständnis. — Ethelwolds Tod. — Elfridens Erhöhung zur Königin. — Reue des Königs und sinistre Aspekten.

Ist's prämeditierter Plan oder Zufall, was den König von der Wahrheit unterrichtet? Besser ist der Zufall als die Absicht.

Hat Ethelwold Feinde um den König, und was wirken diese bei der Sache?

———

Elfride war in einem Zustande der Einschränkung und Entbehrung, als Ethelwold sie zu seiner Gemahlin machte. Diese Heirat war glänzend und gewinnreich für sie. Um so mehr blendet sie nun der Glanz des Thrones.

———

*) Es entsteht eine Hoffnung und eine Furcht.

Der Graf von Devon, ihr Vater, muß, wenn er vorkommt, eine würdige Rolle spielen. Er fühlt zwar den höchsten Unwillen über Ethelwolds Verräterei, aber seine stolze Rechtschaffenheit verabscheut ebensosehr die Verräterei seiner Tochter.

Elfride kann ebensogut in die Nähe des Königs als er in die ihrige kommen. Sie könnte z. B. aus weiblicher Lägeretö und Neugier sich unbekannt dahin begeben, wo sie ihren Gemahl und den König beisammen findet, Ethelwold erblickte sie, und so entstünde eine sehr pathetische Situation durch seine Furcht; doch müßte er diesmal noch glücklich davonkommen Die Schönheit der Elfride rührte den König auf das lebhafteste, und so wäre die Katastrophe schon avanciert, ehe sich Ethelwolds Verräterei entdeckte.

Ethelwold, wenn er anfangen muß, an der Liebe und Treue seiner Gemahlin zu zweifeln, wird dem Grafen Devon als seinem letzten Trost in die Arme getrieben.

Was hindert den König, daß er den Ethelwold nicht gleich seiner Rache aufopfert, da Leidenschaft und Vorteil ihn gleich stark dazu antreiben? a) Edgar ist kein schlimmer Fürst und zur Güte mehr geneigt als zur Ferocität. b) Edgar liebte den Ethelwold wirklich und in einem solchen Grade, daß er mehr Schmerz über den Verrat als Wut wegen seines Verlustes empfindet. c) Edgar fühlt im ersten Moment noch nicht die ganze Gewalt der Passion für Elfriden. Es fordert einige Zeit, bis diese Leidenschaft sich völlig entwickelt, und dann freilich sind ihre Folgen tödlich. d) Ethelwolds Demütigung und Reue entwaffnen auch im ersten Augenblicke seinen Zorn.

Die Gräfin von Flandern.

Eine regierende Gräfin von Flandern wird von ihrem Volk und ihren Großen genötigt, binnen einer kurzen Frist die Wahl eines Gatten zu treffen, der sie lang auszuweichen gewußt hat. Fünf mächtige Freier machen Ansprüche auf sie, ein spanischer Prinz, Prinz Erich von Gotland, Graf Robert von Artois und zwei ihrer vornehmsten Vasallen, Graf Montfort und Graf Aremberg*). Sie liebt keinen und fürchtet jeden. Die fremden Prinzen machen ihre Geburt, ihre Macht, ihre Reichtümer geltend; die einheimischen Freier prävalieren sich ihrer persönlichen Vorzüge und des Staatsvorteils; die ersten suchen ihren Zweck durch Trotz, die anderen durch Ränke zu erreichen. Die Gräfin ist ganz ohne Stütze; ihre Freunde sind ohnmächtig, ihr Volk verlangt ihre Heirat und wird von den Großen aufgereizt; sie hat keine anderen Waffen als Klugheit und List, sich der verhaßten Wahl zu entledigen. Ihre Abneigung dagegen gründet sich nicht bloß auf ihre Gleichgültigkeit und ihren Widerwillen gegen die Freier. Ihr Herz ist schon für einen anderen interessiert, einen jungen Damoiseau an ihrem Hof, der nicht im stande ist, sie zu schützen, der keine Ansprüche an sie machen und den sie nicht wählen kann, ohne sich selbst und ihn zu Grunde zu richten.

Florisel ist der jüngere Sohn eines sehr edeln, aber herabgekommenen Geschlechts; er hat nichts als seine Ahnen und muß am Hof seiner Fürstin von seinen treuen Diensten sein Glück erwarten; aber er ist liebenswürdig, tapfer, verständig und hochgesinnt und seiner Gebieterin mit einer Neigung, die an Anbetung grenzt, ergeben. Von dem Vorzug,

---

*) Die falsche Gravität, der Hochmut, die Herrschsucht und die Ungeschicklichkeit repräsentieren sich in dem spanischen Prinzen, dem Grafen von Artois, dem Grafen Montfort und dem Prinzen von Gotland. (Aus einem anderen Entwurf.)

den ihm die Gräfin gibt, weiß er nichts, und ob er gleich für keine andere Dame Augen hat als für sie, so ist ihm doch der Gedanke nie gekommen, sie zu besitzen. Selbst die bevorstehende Heirat der Gräfin beunruhigt ihn nur insofern, als er ihre Abneigung dagegen bemerkt und keinen der Bewerber für würdig genug hält, sie davon zu tragen.

Die Aufgabe des Stücks ist also eine doppelte: erstlich die zudringlichen Freier zu entfernen, zweitens dem Geliebten einen unwidersprechlichen Anspruch an ihre Hand zu erwerben. Diese zweifache Aufgabe wird dadurch in eine verwandelt, daß Florisel, indem er durch seine Wachsamkeit, Treue und Tapferkeit die Unternehmungen der Freier vereitelt, sich zugleich das höchste Verdienst um das Land und die Fürstin erwirbt und sich als den würdigsten Gegenstand ihrer Liebe darstellt. Aber erst nach den bänglichsten Proben und Verwicklungen trägt die List, der Mut und die Liebe diesen Sieg davon.

Erster Akt.

Erste Scene.

Schloßhof.

<small>Man hört blasen. Hofdiener treten auf. Gleich darauf Stallmeister.</small>

Hofdiener.

Hört ihr, sie sind's! Sie sind zurück vom Jagen.

Andere.

--- -- --

Stallmeister.

Sie lebt! Sie ist gerettet!

Hofdiener.

Wer? Was gibt's?

Stallmeister.

Bald kam sie uns nicht lebend mehr zurück!

Hofdiener.

--- -- --

Stallmeister erzählt dem Hofgesinde das Abenteuer der Gräfin auf der Jagd, welches durch eine abgeschmackte Maskerade des Prinzen von Gotland veranlaßt wurde, ihre Gefahr und ihre Rettung durch Florisel, den Damoiseau der Gräfin. Alle, die zuhören, freuen sich und ergießen sich in Florisels Lob.

Zweite Scene.

Gräfin kommt in Jagdkleidern mit ihrem Gefolge, worunter Florisel, mit einem Schleier der Gräfin, den er bei der Gelegenheit habhaft geworden. Man lacht über den vermummten Erich, man rühmt den Damoiseau, und die Gräfin gibt ihm ihr Wohlwollen lebhaft zu erkennen. Er steht da, überschüttet und überglänzt von der Gnade seiner Gebieterin. Noch scheint es nur Gnade; er der Diener und sie die Fürstin. Unter diesem Gesichtspunkte betrachten es alle und gönnen ihm, dem armen Edelmann, dieses Glück.

Dritte Scene.

Wenn die Gräfin fort ist, kommt ein Abgeordneter von dem spanischen Prinzen, welcher dem Florisel ein reiches Geschenk von spanischen Dublonen überbringt. Der hochmütige Prinz will dadurch, daß er den Retter der Gräfin fürstlich belohnt, eine Galanterie gegen diese zeigen und seinen Stolz dadurch kitzeln. Florisel verteilt das Geschenk, obgleich ohne Stolz zu zeigen, unter die anwesenden Hofdiener, welche sich um ihn versammelt haben. Ihn beglückt bloß der Schleier der Gräfin.

Vierte Scene*).

Der Bischof prophezeit ihm sein Glück, weil er die Gnade Gottes und ein kindliches Herz besitze. Eine kurze

---

*) (Aeltere Fassung:)

Vierte Scene.

Florisel hat mit Rosmarin, einem alten Escudero, einem Erbstück seines Hauses, seinem Diener und Mentor, ein Gespräch, wodurch man in seine Herkunft und Personalien rührend zurückgeführt wird. Er ist von einem sehr edeln aber armen Geschlecht, seine Mutter lebt noch auf einem kleinen Stammschloß, er ist ihre einzige Hoffnung.

Fünfte Scene.

Der Bischof von Ypern, Beichtvater der Gräfin, segnet den jungen und frommen Damoiseau und verheißt ihm alles Schöne und Herrliche von der Gnade des Himmels.

Dieser läßt ihn große Hoffnungen fassen und stellt ihm gleichsam seine Nativität für die Zukunft, der Diener deutet rückwärts auf seine Kindheit und seinen Ursprung.

Schillers Dram. Entwürfe u. Fragmente.   16

Erwähnung feiner Mutter und der Notwendigkeit, in der er
fich befindet, durch Verdienfte feinen Weg zu machen.

Fünfte Scene.

Gräfin von Flandern und von Megen kommen im Ge=
fpräch. Sie haben Florifels Edelmut erfahren und loben
ihn. Jene ift gütig, diefe fchmeichelnd gegen ihn. Er ant=
wortet groß und fürftlich, wie ein Menfch, der nur von den
höchften Gefühlen belebt ift. Er wünfcht ein Ritter zu fein.
Er fpricht der Gräfin von feiner Mutter, fie äußert eine
lebhafte Begierde fein Gefchlecht zu kennen.

Gräfin, von den Freiern und ihren eigenen Unterthanen
gedrängt, fpricht ihm von ihrem Widerwillen gegen eine
Wahl, von dem Zwang, den man ihr anthun will. Florifel
zeigt ihr ein glühendes Devouement, läßt aber merken, daß
er Montfort für den Begünftigten halte, weil diefer felbft
es behaupte. Fräulein Megen hält nur den Grafen Arem=
berg ihrer Hand würdig. Florifel meint, daß keiner feine
Gräfin verdiene, und fie felbft gibt zu erkennen, daß fie
keinen liebt; dennoch fcheint fie kein freies Herz zu haben.
(Florifel betet feine Gebieterin an, aber er hat fich die Natur
feiner Gefühle noch nicht geftanden; er hält fie bloß für
Ehrfurcht und Dienfteifer; er hat noch keinen Gedanken an
den Befitz der Gräfin, und felbft ihre Heirat beunruhigt ihn
nur um ihretwillen. Gräfin ift über ihre eigenen Gefühle
fchon viel entfchiedener, aber eben darum hat fie auch mehr
Herrfchaft über die Aeußerung derfelben.)

(6) Freier treten auf und bekomplimentieren die Gräfin
über ihre Erhaltung; dies veranlaßt fie, Florifels Verdienft
zu rühmen. Sie bittet den Prinzen von Spanien, ihm den
Ritterfchlag zu geben; diefer, dadurch gefchmeichelt, thut es
mit felbftzufriedener Gravität. Die andern fchmücken und ehren
den neuen Ritter dem Herkommen gemäß.

(7) Nun thut der Kanzler den Vortrag wegen der Wahl
eines Gatten — Staatsurfachen und der Wille des Volks,
daß es gefchehe. Man will ihr die Wahl laffen, aber fie
foll wählen. Er nennt einen jeden einzeln und feine An=
fprüche. Um die fremden Freier los zu werden, bedient fich
die Gräfin mit vieler Klugheit der einheimifchen. Diefe

haben ein Interesse, die ausländische Heirat zu verhindern, und obgleich das Volk jene begünstigt und die Großen selbst aus Neid gegen ihre mächtigen Mitvasallen lieber einen Fremden als einen Unterthanen zum Herrn haben wollen, so weiß die Gräfin doch sich der einheimischen Freier so geschickt zu bedienen, daß die ausländischen das Feld räumen müssen.

Die Gräfin erklärt sich gegen die ausländischen Freier, welche auf ihre Geburt stolz thun, daß sie darauf keinen Wert lege, daß sie ihre Hand nur dem persönlichen Verdienst schenken würde. Dadurch bereitet sie die Erhebung ihres Geliebten vor; die einheimischen Freier aber unterstützen diese Gesinnung aufs lebhafteste, weil sie dadurch zu gewinnen hoffen. Der Stolz des einen Prinzen läßt sich dadurch wirklich rebutieren; er räumt das Feld ganz und ohne Rancune. Aber der andere, der die Länder der Gräfin zu seinem Augenmerk gemacht hat und vom Geiz beherrscht wird, gibt seine Entwürfe nicht so leicht auf: Artois spricht hochmütig und läßt Drohungen einfließen.

(8) Florisel, der neue Ritter, behauptet mit edlem aber festem Anstand die Freiheit seiner Gebieterin. Artois erstaunt über diese Kühnheit eines neugemachten Ritters.

Montfort und Aremberg treten auf Florisels Seite und loben ihn. Fräulein Megen bewundert ihn, und ihre Liebe zu ihm nimmt zu. Artois entfernt sich drohend.

Wie er sieht, daß er seinen Zweck nicht auf eine rechtmäßige Art erreichen kann, so beschließt er per nefas sich in den Besitz der Gräfin und ihrer Staaten zu setzen. Er ist ferox und gewaltthätig; voll Rachsucht geht er, um als Feind zu erlangen, was er als Freund nicht gewinnen kann.

(9) Prinz Erich wird von Montfort spottweise nach einer fabelhaften Braut ausgeschickt; er nimmt es in seiner krassen Unwissenheit für Ernst auf und beurlaubt sich.

Jetzt also bleiben vorderhand nur die einheimischen Freier auf dem Kampfplatz. Montfort hat die scheinbarsten Ansprüche und triumphiert voreilig über die abgefertigten unglücklichen Liebhaber, indem er sich schon als den Gemahl der Gräfin betrachtet. Er hat zahlreiche Vasallen, große Schätze, machtgebende Hof- und Staatsämter, ist tapfer und kühn und glaubt noch persönliche Vorzüge zu besitzen. Auf ihm ruht der Stolz einer alten mächtigen Familie, er verschlingt in Gedanken schon die Staaten der Gräfin, und es wird ihm sogar schwer, die humble Miene eines Freiers anzunehmen. Seine Nebenbuhler verachtet er und möchte wütend werden, daß die Gräfin, um seinen Stolz zu demütigen, mit Achtung von seinem Nebenbuhler spricht.

Aremberg ist gleichfalls der Erbe eines großen Hauses, und mehr die Eifersucht auf seinen Mitbewerber und die Nötigung seiner Familie als eigener Stolz oder Liebe zur Gräfin führen ihn auf die Arena. Vielmehr hat seine Neigung sich für eine andere edle Dame am Hof der Gräfin entschieden, welches der Gräfin nicht unbekannt und eine Ursache mehr ist, daß sie sich mit weniger Zurückhaltung gegen ihn beträgt. Um sich den Nötigungen des Volkes zu entziehen und Frist zu gewinnen, gibt sie sich also den Schein, als ob sie den Grafen von Aremberg begünstige. Auch beim Abgehen nimmt sie seinen Arm an und läßt Montfort stehen.

(10) Dieser fühlt seinen Stolz sehr gekränkt und ist wütend. Erich kommt noch einmal zurück, ihn wegen der fabelhaften Prinzessin noch um etwas zu befragen, welches in diesem Augenblick eine empfindliche Persiflage seiner eigenen getäuschten Erwartung ist.

(11) Montfort geht voll Zorn, und Erich beschließt den Akt oder die Scene.

––––––––––

Die Geliebte des Grafen von Aremberg, die Gräfin von Megen, hat auch eine zarte Neigung zu Florisel, welche sie weniger verbirgt als ihre Gebieterin. Sie kann frei über ihre Hand gebieten, sie kann ihrem Herzen folgen und sie ist dazu entschlossen. Nachdem Florisel Ritter geworden und Aufmerksamkeit erregt hat, so gewinnt sie Mut, einen Schritt gegen ihn zu thun, um ihm ihren Besitz im Prospekt sehen zu lassen.

Fräulein von Megen bewillkommt Florisel, den neuen Ritter, zeigt ihm einen zärtlichen Anteil und bringt ihn auf die Liebe. Er dürstet nach Thaten, um etwas Großes, um seiner Gebieterin würdig zu werden.

(12) Gräfin und Fräulein haben sich eine Confidence zu machen. Die Rede ist von Aremberg und Florisel. Fräulein läßt ihre Parteilichkeit für letzteren merken. Gräfin zeigt Eifersucht darüber und wird beinahe empfindlich über ihre Freundin, doch weiß sie ihr Geheimnis noch ziemlich vor

ihr zu verbergen. Aremberg kommt, und das Fräulein ent=
fernt sich.

(13) Gräfin spricht dem Aremberg von seiner Bewerbung
um sie, zeigt ihm, daß sie ihn hochschätzt, aber daß sie recht
gut wisse, daß nicht seine eigene Neigung, nur die Rivalität
mit Montfort und die Instigationen seiner Partei ihn auf
den Kampfplatz gestellt. Sie sagt ihm, sie wisse wohl, daß
er sie nicht liebe, er liebe das Fräulein von Megen. Sie
gibt ihm ihr Wort, daß Montfort nie ihre Hand erhalten
werde, daß er also seiner Bewerbung quitt sei. Sie ver=
spricht ihm ihre Dienste bei dem Fräulein, beide scheiden als
die besten Freunde, und Montfort, der am Schluß hereintritt,
sieht den dankbaren Grafen ihre Hand mit Leidenschaft küssen.

Montfort und Aremberg.

Dieser läßt den stolzen Gegner in seinem Irrtum, als
ob er von der Gräfin begünstigt wäre, und geht ab.

Montfort *).

Zweiter Akt.

(14) Das Fräulein hat unterdessen einen entscheidenden
Schritt gethan, dem Florisel Hoffnung auf ihre Hand zu
geben**). Rosmarin, der alte Diener Florisels, ist über das
glänzende Glück seines Herrn ganz außer sich***), denn das
Fräulein ist nach der Gräfin die erste Partie in Flandern
und dabei voll persönlicher Vorzüge.

Gräfin von Flandern ist von dem Schritt ihrer Neben=
buhlerin unterrichtet worden und fürchtet alles. Sie ist hier
nicht bloß Weib, sondern eine empfindliche Souveräne und
will es den Florisel fühlen lassen.

Man ist in einem Garten. Die beiden Gräfinnen sind
auf einerlei Art angezogen. Rosmarin, im Wahn daß er
die Gräfin von Megen vor sich habe, sagt der Gräfin von
Flandern, daß Florisel gleich da sein werde. Dies bringt

---

*) Montfort und Florisel? M. weit entfernt, diesen für seinen Nebenbuhler
zu halten, sucht ihn sich zu attachieren. Er möchte ihn gegen Aremberg aufbringen,
wozu F. nur zu sehr geneigt ist, aus heimlicher Eifersucht; darin bestärkt ihn der
erhaltene Befehl, an den **Hof zu gehen.
**) Weil sie zu hoch über ihm sieht, als daß er um sie werben könnte, so
steigt sie zu ihm herab und läßt ihn, entweder durch den Bischof oder durch seinen
Diener Rosmarin, erfahren, daß er geliebt sei, und daß ihre Hand erlangen könne.
Gräfin von Megen schickt dem Florisel ihre Farbe. (Aus einem anderen Entwurf.)
***) Monolog des Alten, wenn er seinen jungen Ritter erwartet.

sie nun natürlich auf den Gedanken, sich für jene auszu=
geben, um hinter das Geheimnis Florisels und ihrer Neben=
buhlerin zu kommen.

(15) Florisel glaubt mit dem Fräulein zu sprechen und
schlägt ihre Hand aus. Die Aehnlichkeit des Anzugs und
der herabgezogene Schleier täuscht ihn; auch ist er nicht frei
und unbefangen genug, um scharfsichtig zu sein. Die Stimme
der verschleierten Dame entdeckt ihm zuletzt die Gräfin, er
erschrickt, und da sich das Fräulein nun zugleich nähert, so
entfernt er sich schnell.

(16) Das Fräulein durchdringt zugleich den gespielten
Betrug und das Herzensgeheimnis der Gräfin, sie beträgt
sich dabei zart und großmütig edel; Gräfin fühlt sich zugleich
beschämt und gerührt, ihre Herzen ergießen sich, das Fräulein
erscheint im schönsten Licht einer edeln, uneigennützigen Freun=
din; sie gibt den Wünschen der Gräfin nach, Aremberg glück=
lich zu machen. Ueber die Mittel, Florisel empor zu bringen,
wird deliberiert und seine Entfernung an einen berühmten
Hof beschlossen, wo er sich Ruhm erwerben soll.

Dritter Akt.

(17) Dem Montfort fällt ein Billet der Gräfin an
Aremberg in die Hände, worin sie ihm sein Glück verkündigt
und ihn zu einer Zusammenkunft einlädt *). Montfort, in
eifersüchtiger Wut, entschließt sich zu horchen und läßt sich
von einer treulosen Kammerfrau im Kabinett der Gräfin
verstecken.

(18) Gräfin mit ihrem Kanzler, der auf den Einfall
kommt, sie für verliebt in seinen Sohn zu halten.

(19) Gräfin. Fräulein von Megen. Aremberg. Dieser
empfängt von der Gräfin die Hand des Fräuleins, sein Glück.
Gräfin segnet diese Verbindung und spricht von ihrer eigenen
Lage mit Wehmut.

(20) Montfort stürzt hervor zu ihren Füßen. Sie flieht
erschreckt, er hält sie, ihr Schrecken macht dem Unwillen Platz.
Er entschuldigt seine Zudringlichkeit mit der Stärke seiner
Liebe, sie bleibt unversöhnlich; er erniedrigt sich, sie zeigt

---

*) Florisel ist sich jetzt seiner Leidenschaft für die Gräfin bewußt worden.

ihm nichts als Verachtung und schickt ihn fort*). Er ist glücklich und unglücklich zugleich; jenes, weil er Aremberg nicht mehr zum Nebenbuhler hat. Florisel kommt dazu. Montfort sucht sich der Gräfin durch eine Gunst oder eine bisher verweigerte Gerechtigkeit, die er diesem erzeigt, gefällig zu machen. Florisels edles Benehmen gegen den Grafen.

(21) Florisel erhält, nachdem Montfort weg ist, Befehl von der Gräfin, sich an den **Hof zu begeben. Er ist trostlos, daß er aus ihren Augen verbannt werden soll, und es beruhigt ihn nicht, daß er Zeichen von ihrer Gnade erhält, daß sie ihn als einen Mann und Herrn behandelt; vielmehr ist ihm diese Veränderung ihres Betragens von der schlimmsten Vorbedeutung.

(22) Fräulein Megen macht sich anfangs eine mutwillige Freude daraus, ihn zu necken, bald aber rührt sie der Ernst seines Schmerzes, und sie sucht ihm Trost einzusprechen.

(23) Der Kanzler kommt mit seinem Sohn und gibt ihm Lehren wegen seiner künftigen Erhebung. Ein komisches Intermezzo. Gräfin hat dem Sohn des Kanzlers Florisels Stelle gegeben, dieses hält der alte bonhomme für ein acheminement zu der Heirat, und beide machen sich durch ihren eiteln Hochmut lächerlich.

(24) Florisels leidenschaftlicher Abschied von dem Ort seiner Liebe. Rosmarin ist bei ihm.

(25) Abschied der Gräfin von Florisel. Sie zeigt ihm ihre Liebe. Er ist auf dem Gipfel seines Glücks.

(26) Ihre Verzweiflung, wenn er weg ist; sie zeigt ihre ganze weibliche Schwäche. Nun will sie sich vor Montfort in Sicherheit setzen und einen anderen Aufenthalt wählen; aber sie entdeckt, daß sie so gut als eine Gefangene ist und in Montforts Gewalt. Sie will als Souveräne mit ihm sprechen, aber er eludiert ihre Erklärung und bedeckt seine Gewaltthätigkeit mit der Pflicht seines Amts, mit der Sorge für ihre Person und für die Ruhe des Staats.

Ihre eigenen Diener gehorchen dem Montfort mehr als ihr selbst. Aristokratische Unterdrückung. Sie sucht vergebens, aus seiner Gewalt zu entfliehen.

---

*) Ihr ist dieser Anlaß zum Bruch sehr willkommen. — Ein dritter, etwa der Kanzler, kann dazu kommen, sie erklärt in dessen Gegenwart, daß Montfort nichts zu hoffen habe, daß sie nicht mißhandelt sein wolle. (Aus einem anderen Entwurf.)

Aremberg und ihre anderen Freunde erbieten sich zwar,
sie in Freiheit zu setzen, aber sie fürchtet die gewaltsamen
Folgen und untersagt es ihnen. Die Rede ist von einer
Appellation an das Volk; sie fürchtet es. Endlich nimmt sie
ihre Zuflucht zur Verstellung. Sie nimmt sich in acht, den
Montfort zu sehr zu reizen, und folgt ihm gutwillig in der
Hoffnung, sich dieses verhaßten Zwanges auf eine andere
Art zu entledigen.

Das lächerliche Mißverständnis des Kanzlers vermehrt
ihre Verwirrung, da es sich ihr in einem Augenblick entdeckt,
wo sie Schutz und Rat verlangte.

(28) In diesem Zeitpunkt geschieht der feindliche Ein=
fall Roberts von Artois.

Montfort als Feldherr muß in den Krieg, die Staaten
der Gräfin zu verteidigen. Eh' er geht, wendet er noch
alles an, sich der Hand der Gräfin zu versichern; da sie aber
standhaft bleibt, so läßt er sie so gut als eine Gefangene
zurück und geht, um gegen den Feind zu marschieren.

Florisel, nach seiner Trennung von der Gräfin, wird
schnell zum Ritter ausgebildet, thut große Thaten und er=
wirbt sich Länder und Ehre. Er sammelt Ritter, wird ihr
Anführer und befindet sich so im stand, die geschlagene Armee
des Montfort zu verstärken.

Vierter Akt.

(29) Die Bürger von Gent sprechen von dem Krieg;
der Krieg geht unglücklich. Montfort wird geschlagen. Artois
macht reißende Fortschritte und bedroht Gent, indem er zu=
gleich durch seine Emissärs einen Volksaufstand zu erregen
sucht. Die Furcht vor Montfort macht dem größeren
Schrecken vor dem Feinde Platz. Das Volk erobert das
Schloß *), wo Montforts Diener die Gräfin gefangen halten;
diese aber stürzt von der aristokratischen Tyrannei unter die
demokratische. Sie soll dem Artois ihre Hand geben, bleibt
aber standhaft. Komisch=fürchterliche Scenen der Volksherr=
schaft. Gräfin unter den Bürgern. Ein Volksanführer.
Lächerliches Betragen des Pöbels **), Klugheit der Gräfin.

---

*) Man kündigt der Gräfin die Freiheit an, aber sie vertauscht nur die
Sklaverei mit einer anderen.
**) Es werden doch Excesse begangen.

Sie sucht umsonst, einen aus dem Volk zu bestechen; ihre Flucht mißlingt.

(30) Die Bürgerwache in den vornehmen Zimmern. Aremberg hat sich entschlossen, auf dem Schloß in der Nähe der Gräfin zu bleiben, um sie zu verteidigen. Montfort erscheint wieder in Gent, nachdem er geschlagen. Auf einmal kommt Nachricht von einer Niederlage des Feindes und einer völligen Endigung des Kriegs durch den Tod des Artois. Die lächerliche Furcht der Bürger.

(31) Florisel ist's, der an der Spitze von fünfhundert Edelleuten den Sieg entschieden; die flüchtige Armee des Montfort sammelt sich unter seinen Fahnen; er ist im Anzug gegen Gent. Gunst der Soldaten. Ein Offizier des Florisel bringt dem Fräulein diese Nachricht*).

(32) Aber in eben dieser Nacht ist die Gräfin und der Graf von Aremberg unsichtbar worden**). Das Rätselhafteste daran ist, daß das Fräulein von Megen nichts davon weiß, sonst könnte man glauben, daß Aremberg sich mit der Gräfin durch die Flucht gerettet. Aber warum hätte ihr Geliebter, hätte die Gräfin sie zurücklassen sollen? Montfort ist gegenwärtig; auf ihn kann daher der Verdacht nicht wohl fallen.

(33) Siegender Einzug der Armee. Militärische Obergewalt. Florisel als Feldherr richtet die Rebellen und erscheint als höchste Obrigkeit, man sieht ihn anticipando als Grafen von Flandern.

(34) Sein treuer Diener berichtet ihm die Verschwindung Arembergs und der Gräfin und zeigt einen bösen Verdacht.

(35) Seine Zusammenkunft mit dem Fräulein von Megen. Ihr stummer Schmerz klagt die Gräfin mehr an als Rosmarins Zunge. Er leidet tief, kann aber die Gräfin nicht für schuldig halten. Er entfernt sich heimlich mit seinem Diener, sie aufzusuchen. Sein Gelübde, wenn der Himmel sie ihn finden läßt.

Fünfter Akt.

Schicksale der beiden Verlorengegangenen.
Die Gräfin und Florisels Mutter kommen zusammen.

---

*) Der Zuschauer ist auf dem Gipfel der Freude und wird auf einmal zurückgestürzt.
**) Montfort vollendet diese Entführung.

Gräfin gibt sich dieser nicht gleich zu erkennen — eine äußerst rührende Situation.

Florisel kommt zu seiner Mutter, ohne zu ahnen, daß die Gräfin dort sein werde. Er erfüllt die kindliche Pietät.

Aremberg ist auch von der Gräfin getrennt und sucht sie.

Gräfin ist durch ihre Klugheit oder auch durch ein wunderbar glückliches Ereignis aus den Händen ihres Räubers entkommen.

Montfort und Florisel geraten aneinander, fürchterliche Wut; Montfort soll dem Florisel den Aufenthalt der Gräfin entdecken, aber er stirbt, ohne es zu thun.

Ein Troubadour kommt vor.

Eine Jagd.

Aremberg ist verwundet und gefangen. Die Gräfin ist auf eins von Montforts Schlössern gebracht, wo man ihr heftig zusetzt, dem Montfort ihre Hand zu geben.

Schicksale des Florisel, der die Gräfin aufsucht.

Gemütszustand eines unglücklich Liebenden.

Verkleidung.

Vereinigung der Liebenden und glückliches Ende. Die Zurückkunft muß ein Freudengenuß, ein Fest sein, es muß zu dem langen Streben und Ausharren ein Verhältnis haben. Oberons Schluß. Das zieht den Wagen; den Verbrechern wird verziehen. Florisel begrüßt mit Rührung die bekannten Orte, ist freundlich gegen die, die vorher seinesgleichen waren, der Bischof überreicht ihm die Insignien, er kniet nieder davor. Florisel hat in der Angst um die Gräfin ein Gelübbe gethan, welches die Entwickelung auf eine interessante Art verzögert und eben dadurch rührender und reizender macht. Die Aremberg empfängt ihre Freundin.

———

Zu erfinden ist: 1. Wie die Gräfin mit Aremberg verschwindet. 2. Wo sie beide in der Zwischenzeit hinkommen, daß ihre Spur sich nicht findet (Aremberg muß, anstatt dadurch zu verlieren, sehr gewinnen). 3. Was Florisel, sie suchend, unternimmt. 4. Montforts Katastrophe. 5. Florisels frommes Gelübbe. 6. Erichs Ungeschicklichkeit am Anfang und Florisels Verdienst um die Gräfin.

———

Florisel gelangt auf seinem eigenen Weg zu Gütern und Land und Titeln, er heißt am Ende Graf und ist der Gräfin nun an Reichtum so nahe gekommen als Aremberg; von Montforts Besitzungen nimmt er nichts an, er erlangt seine Güter auf einem viel schönern Weg. Seine schöne Kindlichkeit gegen seine Mutter. Seine Frömmigkeit und Andacht. Aber auch furchtbar und streng zeigt er sich einmal, wenn er Richter ist, kühn gegen Artois, schrecklich gegen Montfort.

Eine höhere Hand ist im Spiele, deren Organ ein Mönch ist, Träume und Visionen. —

Das Chevalereske in Florisels Erziehung.

Die Polizei.

— —

I. Das Trauerspiel.

Die Handlung wird im Audienzsaal des Polizeilieutenants eröffnet, welcher seine Commis abhört und sich über
alle Zweige des Polizeigeschäfts und durch alle Quartiere der
großen Hauptstadt weitumfassend verbreitet. Der Zuschauer
wird sonach schnell mitten ins Getriebe der ungeheuren
Stadt versetzt und sieht zugleich die Räder der großen
Maschine in Bewegung. Delatoren und Kundschafter aus
allen Ständen.

Die Polizei wird durch jemand aufgefordert, sich zu
Entdeckung irgend einer Sache in Bewegung zu setzen; der
Fall ist äußerst verwickelt und scheinbar unauflöslich, aber
der Polizeilieutenant, nachdem er sich gewisse Data hat geben
lassen, verspricht im Vertrauen auf seine Macht einen glücklichen Erfolg und gibt sogleich seine Aufträge.

Es ist eine ungeheure Masse von Handlung zu ver-
arbeiten und zu verhindern, daß der Zuschauer durch die
Mannigfaltigkeit der Begebenheiten und die Menge der
Figuren nicht verwirrt wird. Ein leitender Faden muß da
sein, der sie alle verbindet, gleichsam eine Schnur, an welche
alles gereiht wird; sie müssen entweder unter sich oder doch
durch die Aufsicht der Polizei miteinander verknüpft sein,
und zuletzt muß sich alles im Saal des Polizeilieutenants
wechselseitig auflösen.

Die eigentliche Einheit ist die Polizei, die den Impuls
gibt und zuletzt die Entwickelung bringt. Sie erscheint in
ihrer eigentlichen Gestalt am Anfang und am Ende; im
Laufe des Stücks aber handelt sie zwar immer, aber unter
der Maske und still. Die Offizianten und selbst der Chef

der Polizei müssen zum Teil auch als Privatpersonen und als Menschen in die Handlung verwickelt sein.

Argenson hat die Menschen zu sehr von ihrer schändlichen Seite gesehen, als daß er einen edeln Begriff von der menschlichen Natur haben könnte. Er ist ungläubiger gegen das Gute und gegen das Schlechte toleranter geworden; aber er hat das Gefühl für das Schöne nicht verloren, und da, wo er es unzweideutig antrifft, wird er desto lebhafter davon gerührt. Er kommt in diesen Fall und huldigt der bewährten Tugend. — Er erscheint im Lauf des Stücks als Privatmann, wo er einen ganz anderen und jovialischen, gefälligen Charakter zeigt, und sich als feiner Gesellschafter, als Mensch von Herz und Geist Wohlwollen und Achtung erwirbt. Ja er kann trotz seiner strengen Außenseite liebenswürdig sein; er findet wirklich ein Herz, das ihn liebt, und sein schönes Betragen erwirbt ihm eine liebenswürdige Gemahlin.

Paris, als Gegenstand der Polizei, muß in seiner Allheit erscheinen und das Thema erschöpft werden. Ebenso muß auch die Polizei sich ganz darstellen und alle Hauptfälle vorkommen. Dies mit den einfachsten Mitteln zu bewerkstelligen, ist die Aufgabe. Die Geschäfte der Polizei sind: 1. für die Bedürfnisse der Stadt so zu sorgen, daß das Notwendige nie fehle, und daß der Kaufmann nicht willkürliche Preise setze. Sie muß also das Gewerb und die Industrie beleben, aber dem verderblichen Mißbrauch steuern. 2. Die öffentlichen Anstalten zur Gesundheit und Bequemlichkeit. 3. Die Sicherheit des Eigentums und der Personen. Verhütend und rächend. 4. Maßregeln gegen alle die Gesellschaft störenden Mißbräuche. 5. Die Beschützung der Schwachen gegen die Bosheit und die Gewalt. 6. Wachsamkeit auf alles, was verdächtig ist. 7. Reinigung der Sitten von öffentlichem Skandal. 8. Sie muß alles mit Leichtigkeit übersehen und schnell nach allen Orten hin wirken können. Dazu dient die Abteilung und Unterabteilung, die Register, die Offizianten, die Kundschafter, die Angeber. 9. Sie wirkt als Macht und ist bewaffnet, um ihre Beschlüsse zu vollstrecken. 10. Sie muß oft geheimnisvolle Wege nehmen und kann auch nicht immer die Formen beobachten. 11. Sie muß oft das Ueble zulassen, ja begünstigen und zuweilen ausüben, um das Gute zu thun oder das größere Uebel zu entfernen.

Poetische Schilderung der Nacht zu Paris, als des eigentlichen Gegenstandes und Spielraums der Polizei.

Wenn andere Menschen sich der Freude und Freiheit überlassen, an großen Volksfesten u. s. w., dann fängt das Geschäft der Polizei an.

Der Mensch wird von dem Polizeichef immer als eine wilde Tiergattung angesehen und ebenso behandelt.

Scene Argensons mit einem Philosophen und Schriftsteller, sie enthält eine Gegeneinanderstellung des Idealen mit dem Realen. Ueberlegenheit des Realisten über den Theoretiker. Diskussion der Frage, ob man die Wahrheit laut sagen dürfe.

Argenson macht sich wenig aus den Individuen, aber sobald die Ehre der Polizei im Spiel ist, dann ist ihm das unwichtigste Individuum heilig und fordert alle seine Sorgfalt auf.

Ueber die Freiheit der S a t i r e. Xenien. Geheime Gesellschaften.

Das delikate Kapitel von dem Unterschied der Stände. Der Adel ist als ein Besitztum zu respektieren wie der Reichtum, aber persönliche Achtung kann er nicht erwerben. Argenson hängt ein klein wenig nach dem Volk. Scene mit einem Edeln, Scene mit einem Bürger.

Charakter eines Pariser Schmarotzers, eines Ubique, der wirklich auch überall vorkommt, dem man überall begegnet.

Die bekannte Replik: „Ich muß aber ja doch leben," sagt der Schriftsteller. „Das seh' ich nicht ein," antwortet Argenson.

In der Suite der Handlung treten auf: 1. Der Sohn der Familie, debauchiert, zur Verzweiflung gebracht, aber noch davon gerettet. 2. Die fromme Tochter. 3. Der Vater aus der Provinz. 4. Der biedre aber arme Noble. 5. Der übermütige, schlechtdenkende reiche Roturier. 6. Der mutwillige Mousquetaire. 7. Der Fat als Parlamentsrat. 8. Der Schmarotzer Ubique. 9. Die Courtisane. 10. Der Escroc und Filou in allen Gestalten. 11. Der Broschürenschreiber. 12. Der Philosoph. 13. Die Savoyarden. 14. Die Devote. 15. Der Abbé oder Ludwigsritter. 16. Der Polizeiminister. 17. Der Mörder. 18. Der Exempt. 19. Der Höfling. 20. Der wohldenkende Bürger von Paris. 21. Der Porte-faix, Fiaker, Suisse. 22. Der

Schreiber oder Clerc. 23. Die Ehfrau und der Ehmann. 24. Der Ausländer. 25. Die Scharwache. Guet. 26. Marchande de Modes. 27. Poissarden. 28. Der Jlluminat und geheime Gesellschafter. 29. Der Mönch. 30. Der Duc und die Duchesse. 31. Der Bettler. 32. Der kleine Dieb und seine Gehilfen.

Eine Gewaltthat wird in einem der Polizei schwer zugänglichen Hause verborgen. Man unterdrückt darin eine Unschuld.

Ein Leichnam wird von jungen Aerzten gestohlen. Ein künstlich veranstalteter Leichenzug. Ein Testament.

Der Polizeiminister kennt, wie der Beichtvater, die Schwächen und Blößen vieler Familien und hat, ebenso wie dieser, die höchste Diskretion nötig. Es kommt ein Fall vor, wo jemand durch die Allwissenheit desselben in Erstaunen und Schrecken gesetzt wird, aber einen schonenden Freund an ihm findet. Er warnt auch zuweilen, die Unschuld sowohl als die Schuld. Er läßt nicht nur den Verbrechern, sondern auch solchen Unglücklichen, die es durch Verzweiflung werden können, Kundschafter folgen. Ein solcher Verzweifelnder kommt vor, gegen den sich die Polizei als eine rettende Vorsicht zeigt.

Ein anderes Verbrechen wird verhütet, ein anderes wird entdeckt und bestraft. Die Polizei erscheint hier in ihrer Furchtbarkeit, selbst der Ring des Gyges scheint nicht vor ihrem alles durchdringenden Auge zu schützen. Ein Mörder wird so von ihr durch alle seine Schlupfwinkel aufgejagt und fällt endlich in ihre Schlingen.

Argenson verliert nach langem Forschen die Spur des Wildes und sieht sich in Gefahr, sein dreist gegebenes Wort doch nicht halten zu können. Aber nun tritt gleichsam das Verhängnis selbst ins Spiel und treibt den Mörder in die Hände des Gerichts.

Auch die Nachteile der Polizeiverfassung sind darzustellen. Die Bosheit kann sie zum Werkzeug brauchen, der Unschuldige kann durch sie leiden, sie ist oft genötigt, schlimme Werkzeuge zu gebrauchen, schlimme Mittel anzuwenden. — Die Verbrechen ihrer eigenen Offizianten haben eine gewisse Straflosigkeit. Argensons Strenge gegen seine eigenen untreuen Werkzeuge.

Ein verloren gegangener Mensch beschäftigt die Polizei. Man kann seine Spur vom Eintritt in die Stadt bis auf einen gewissen Zeitpunkt und Aufenthalt verfolgen, dann aber verschwindet er.

Ein ungeheures, höchst verwickeltes, durch viele Familien verschlungenes Verbrechen, welches bei fortgehender Nachforschung immer zusammengesetzter wird, immer andere Entdeckungen mit sich bringt, ist der Hauptgegenstand. Es gleicht einem ungeheuren Baum, der seine Aeste weitherum mit anderen verschlungen hat, und welchen auszugraben man eine ganze Gegend durchwühlen muß. So wird ganz Paris durchwühlt, und alle Arten von Existenz, von Verderbnis ꝛc. werden bei dieser Gelegenheit nach und nach an das Licht gezogen. Die äußersten Extreme von Zuständen und sittlichen Fällen kommen zur Darstellung und in ihren höchsten Spitzen und charakteristischen Punkten. Die einfachste Unschuld wie die naturwidrigste Verderbnis, die idyllische Ruhe und die düstre Verzweiflung.

Notizen aus Merciers Tableau de Paris.

Abbés, Courtisanen, Ludwigsritter, Rentierer, Mousquetaire, Advokaten, Autoren, Exempts, Lakaien, Savoyarden, Portefaix, Fiakers, Wasserträger, Fats, Devotes, ein Duc oder Comte, Parlamentsräte, Bijoutier, Kontrebandier.

Druck geheimer Schriften unter den Holzbeigen. Drucker als Holzsäger. Feuerwerk. Unglück dabei

Paris der Frauen Paradies, der Männer Fegefeuer, Hölle der Pferde. Mortalität zu Paris jährlich 20000. Schneller Volkszusammenlauf, schneller Ablauf. Promenade zu Long-Champ. Paris unterhöhlt, die Steine sind über der Erde, es steht auf Höhlen. Aussicht vom Turm Notre-Dame. Paris ist ein Gefängnis, es ist in der Gewalt des Monarchen, er hat hier eine Million mit seinem Schlüssel. Fiakers sind numeriert Was man darin liegen läßt, ist wieder zu bekommen. — Pontneuf. Hier lauern die Mouchards. Wer in einigen Tagen hier nicht gesehen wird, ist nicht in Paris. Hier die Statue Henri IV.

Unaufhörliche Verkleidungen der Polizeispione: Degen und Rabat — Ludwigskreuz — Marmiton — taciturne Gäste in den Kaffeehäusern — Colporteurs. Polizeispione werden wieder durch andere beobachtet. Escroc, Filou. Das Signalement eines Menschen, den die Polizei aufsucht, ist bis zum Unverkennbaren treffend. Haß der Sozietäten gegen die Werkzeuge der Polizei. Bureau de sûreté. Man duldet kleine Filous und läßt unbedeutendere Diebstähle geschehen, um den größeren auf die Spur zu kommen.

Vaudeville.

Ein Reicher ist an ein Mädchen attachiert, er wünscht, daß die Kinder, die sie ihm gibt, einen Namen und Rang haben möchten. Er sucht also einen armen Edelmann aus der Provinz auf, daß dieser das Mädchen heirate, wofür ihm eine Pension bezahlt wird. Dieser muß sich aber anheischig machen, seine Frau nie als einen Augenblick vor dem Altar und den vier Zeugen zu sehen, wo die Trauung geschieht, sodann muß er gleich fort in die Provinz und darf seine Frau nicht wieder sehen.

Savoyarden, die Schlotfeger und Kommissionärs zu Paris, machen ein eigen Corps aus, das sich nach eigenen Gesetzen selbst richtet. Sie schicken alljährlich von ihrer Ersparnis an ihre armen Familien. Sie sind in ihren Bestellungen sehr treu.

Die Tagesstunden:

Früh 7.

— 9. Friseurs, Limonadejungen.

— 10. Schwarzer Zug von Justizoffizianten nach dem Palais und dem Chatelet.

— 11—1. Agioteurs, Wechselagenten strömen nach der Börse, die Müßigen nach dem Palais royal. Das Quartier St. Honoré, wo die Finanziers und hommes en place wohnen, ist sehr besucht von Sollicitanten ꝛc.

Nachmittags 2 Uhr. Les dineurs en ville, aufgestutzt, ziehen auf den Fußspitzen fort, Fiakers rollen.

3. Augenblickliche Ruhe in den Straßen.

5 Uhr. Ungeheures Gewühl und Geräusch, man eilt nach den Spectacles ꝛc.

7 Uhr. Wieder Ruhe, fast allgemein, die Pferde an den Kutschen stampfen den Boden. — Gefahr dieser Stunde im Herbst. Es dunkelt dann schon, und die Nachtwache ist noch nicht aufgezogen.

8 Uhr. Heimziehende Handwerker.

9 Uhr. 10. Lärm hebt wieder an. Man kommt aus den Spectacles. Man gibt kurze Visiten vor dem Abendessen. Stunde der Courtisanen.

11 Uhr. Neue Stille. Souper. Die Scharwache reinigt die Straßen von den liederlichen Dirnen.

12 Uhr. Heimkehrende Gäste, die nicht spielen.

1 Uhr nachts kommen 6000 Bauern mit Gemüs, Früchten, Blumen nach der Halle. Hier ist niemals Stille des Nachts. Erst die Maragers, dann die Poissonniers, dann Coquetiers ꝛc. — La hotte. — Der vielzüngige Lärm, der des Nachts hier tobt, kontrastiert mit der allgemeinen Stille, in der noch die übrige Stadt liegt.

6 Uhr gehen die Handwerker, Taglöhner ꝛc. an ihr Tagwerk, kommen die Libertins aus den Freudenhäusern, die Spieler aus ihren Winkeln ꝛc.

Schillers Dram. Entwürfe u. Fragmente.   17

Die Polizei besoldet Masken an den Festen, um ein Schau=
spiel der öffentlichen Freude zu geben, besonders wenn ein öffent=
liches Unglück befürchten läßt, daß das Volk von selbst sich still
verhalten werde.

II. Das Lustspiel.

Allgemeine Umrisse der Handlung.

Polizei kann entweder etwas Abhandengekommenes
aufsuchen oder dem Thäter einer Uebelthat nachspüren oder
einen Verdächtigen beobachten oder gegen Gefahr und zu
befürchtende Verbrechen Maßregeln nehmen.

Ob es nicht gut wäre, wenn man das Lustspiel davon aus=
ginge, daß man die Spuren eines Kapitalverbrechens auf=
sucht (z. B. eines Mordes, sei es nun eines geschehenen
oder vorhabenden) und auf lustige Verwickelungen stößt,
und das Trauerspiel davon, daß man etwas Verlorenes
aufsucht, was keine kriminelle Bedeutung hat, und auf diesem
Weg zu Entdeckung einer Reihe von Verbrechen geführt
wird? Letzteres gibt der Fatalität mehr Raum. Ersteres
erleichtert im Lustspiel die Mittel der Polizei, welche sonst
zu brutal handeln müßte.

Es kann die Furcht in eine kleine Stadt während der
Messe kommen, daß sich eine Bande Räuber darin aufhalte.

Der Leser muß niemals Furcht empfinden, er muß
immer wissen oder ahnen, daß für niemand zu fürchten ist:
aber den Augen der Polizei oder ihrer Diener müssen die
Uebelthaten und Verbrechen immer zu wachsen scheinen.

Es geht ein Mensch verloren, er hat viel Geld gezeigt
an einem öffentlichen Ort (er ist aber plötzlich unsichtbar
geworden, man findet Spuren von Blut irgendwo), man
findet ein blutiges Werkzeug. Der Gastwirt oder sonst eine
dabei interessierte Person klagt es ein: 1. Seine Kleider ꝛc.
2. Wo er hingegangen. 3. Wer mit ihm vorher zusammen
gewesen.

Die Polizei sucht die Spur eines Diebstahls oder anderen
Verbrechens. Es ist ein körperliches Kennzeichen vorhanden.
Falsche Edelsteine.

Zeit und Ort sind bestimmt, wo es geschehen. Werkzeuge.

Man hält Nachsuchung an den Orten, wo das Ge=
stohlene verkauft werden konnte. Man erkundigt sich da,
wo das Gefundene gemacht worden sein konnte. Man unter=
sucht, wer zu einer bestimmten Stunde an einem bestimmten
Ort erblickt wurde.

Polizei hat schon lange ihre Augen auf gewisse ver=
dächtige Personen und Häuser.

Ein Frauenzimmer ist an einem Ort versteckt, wo die
Polizei Haussuchung thun läßt.

Man findet eine Strickleiter in der Tasche eines jungen
Herrn, oder auch ein Brecheisen.

Der Betrug oder Diebstahl, dessen Spur gesucht wird,
kann als etwas Unschuldiges befunden werden.

Alle Stände müssen in die Handlung verwickelt werden.

Es kommt bei dieser Gelegenheit heraus, wie ein Auf=
schneider oder ein sich für vornehm ausgebender Mensch
arm und dürftig ist.

1. Ein Liebhaber hat eine nächtliche Zusammenkunft.
   Strickleiter.
2. Eine Frau betrügt ihren Mann und hält es mit
   einem anderen.
   Eine Spielergesellschaft. Eine verbotene Gesell=
   schaft. Eine Verschwörung. Falschmünzer. Ver=
   käufer und Käufer gestohlener Waren.
3. Ein unschuldiges liebenswürdiges Paar, von harten
   Verwandten eingeschränkt.
   Eine Entführung oder Flucht.
4. Frau oder Tochter des Polizeioffiziers ist selbst
   darein verwickelt.
   Polizei wirkt auch etwas Gutes, löst einen Knoten.
5. Ein Freudenmädchen, welches von einem Heuchler
   besucht wird. Dieser Heuchler ist streng gegen ein
   unschuldiges Paar.
   Ein Eifersüchtiger.

Ein paar lustige Weiber, die durch ihren Leichtsinn
und Humor Irrungen veranlassen.

Eine Privatkomödie. Ein Privatball.

Das Verbrechen, welches gesucht wird, ist gerade nichts
und löst sich unschuldig. Es kommt durch einen Umweg
durch die ganze Stadt in das Haus des Klägers selbst zu=
rück, auf seine Frau oder Tochter, und löst sich als eine
unschuldige, wenigstens verzeihliche Handlung auf.

Alle eingezogenen Personen sind im Hause der Polizei, und eine vollkommene Auflösung geschieht in der Stube des Polizeikommissärs. Dieses kann den ganzen fünften Akt ausfüllen. Der Polizeikommissär ist ein feiner, geistvoller und jovialer Mann, der Lebensart und Gefühl hat, zugleich aber gewandt, listig und, sobald er will, imposant ist. Es wird im Stücke nichts bestraft als durch die natürlichen Folgen der Handlung selbst. Polizeikommissär kann selbst verliebt worden sein und als Freier auftreten.

Ein Vornehmer ist auch dárein verwickelt, der einen falschen Namen führt, aber von dem Polizeikommissär recht gut gekannt wird.

———

Entwickelung der dramatischen Fabel.

Es kommt ein Kästchen mit Pretiosen weg, welches einem Kaufmann in Depot gegeben worden. Er klagt den Dieb= stahl bei der Polizei ein, das Kästchen nebst seinem Inhalt werden beschrieben, auch die Tagesstunde, wo es ungefähr mußte geschehen sein, das Lokal, wo es gestanden, das Personal des Hauses 2c. werden ad protocollum genommen. Der Polizeikommissär instruiert also seine Untergebenen, auf das Kistchen Jagd zu machen: 1. Außenseite des Kistchens. 2. Tagesstunde. 3. Inhalt. 4. Fußstapfen und etwas Verlorenes, welches der Dieb dagelassen. 5. Not= wendigkeit eines Einbruchs entweder durch einen Passepartout oder auf einer Leiter durchs Fenster. 6. Anstalten zu einer heimlichen Flucht. 7. Einer, der plötzlich Geld zeigt und Schulden bezahlt. 8. Einer, der die Haussuchung verweigert. 9. Einer, der in der Nähe des Hauses, wo der Diebstahl geschah, unter verdächtigen Umständen gesehen worden. 10. Ein Bedienter oder sonst jemand vom Hause ist un= sichtbar geworden. 11. Ein liederliches Haus, worin wirklich einer gefunden wird, der etwas Verdächtiges bei sich führt.

Die Nichte des Kaufmanns war entschlossen, in dieser Nacht mit einem jungen Menschen durchzugehen und hat deswegen ihre Hardes in einem Kistchen zusammengepackt, welches sie ihrem Mädchen zu bestellen auftrug, die es auch zu besorgen geht. Nun hatte der Kaufmann an demselben Tag ein Kistchen von einem Korrespondenten zur Spedition erhalten, welches à peu près ebenso aussah, und dieses

Kistchen ließ er in dasselbe Zimmer setzen, wo das andere gestanden. Bald darauf kommt die Nichte, im Gespräch mit dem Bedienten ihres Liebhabers, in dasselbe Zimmer, sieht ein Kistchen dastehen und sendet es dem Liebhaber durch den Bedienten zu.

Das Kammermädchen hat auch einen Liebhaber. Auf dem Weg zu dem Liebhaber ihrer Herrschaft begegnet sie diesem.

Es muß motiviert werden, daß Henriette nichts von einer Verwechselung argwohnt. Entweder dadurch, daß ihr das Wegkommen des Pretiosenkistchens gar nicht bekannt wird, oder dadurch, daß sie, wenn sie auch von dem vermißten Kästchen gehört hat, keine Verwechselung vermuten kann.

Der Kaufmann, ihr Vormund, ist's, der sie durch einen ihr aufgedrungenen fatalen Freier aus dem Hause treibt. Dieser fatale Freier ist ein Heuchler, und die Polizei ent= larvt ihn an diesem Tage.

Das Kistchen mit Hauben und dergl. kommt in andere Hände auch durch ein Versehen.

Ein Offizier muß der Polizei sein Ehrenwort geben.

Der Kaufmann, welcher den Diebstahl einklagt, hat auf eine gewisse Person Verdacht, oder dieser Verdacht wird doch natürlich auf sie geleitet.

Es ist in der Stadt eine zweideutige Person, eine Art von Avanturier, welchen die Polizei sich schon gemerkt hat.

Bei Gelegenheit jener Nachsuchungen kommen allerlei Existenzen und Haushaltungen an den Tag. Poeten= und Schriftstellerwirtschaft — akademische und andere Orden — pretia affectionis und andere Empfindsamkeiten — eine Privatkomödie — geheimgehaltene Barschaften.

Es sind in dem Stücke noch andere Sachen verloren gegangen, welche nicht eingeklagt wurden und bei dieser Gelegenheit aufgefunden werden.

Ein eben ankommender Fremder im Gasthof. Es kann derselbe sein, an den das Kästchen spediert werden sollte, und durch ein Quiproquo wird es ihm zugestellt.

Ein Ehepaar, das auf dem Punkt war, sich zu scheiden, wird wieder vereinigt.

Ein Paar wird getrennt, das vereinigt werden sollte.

Ein vornehmer Liederlicher wird ertappt bei einer Dame.

Einer hat einen falschen Namen, und dies setzt ihn bei den Polizeiuntersuchungen in Verlegenheiten.

Ein anderer hat wegen einer anderen Sache ein bös Gewissen und nachdem er arretiert worden, wird er sein eigener Verräter.

Die Frage entsteht, wie werden mehrere voneinander unabhängige Handlungen, die in einem gemeinschaftlichen Dénouement zuletzt verbunden werden, in der Exposition eingeleitet und fortgeführt, ohne daß zu große Zerstreuung entsteht?

1. Ein gemeinschaftliches Haus *). 2. Reciproke Familien= verhältnisse. 3. Domestikenverbindung. 4. Nachbarschaft der Häuser.

Teilnehmer. Hehler. Konterbandiers. Giftpulver. Eine angesetzte Leiter. Ein durchsägtes Gitter. Angelegtes Feuer.

Man findet einen Dolch bei einer Person, die Komödie damit spielte oder die Empfindsame machte.

Zwei lustige Frauen, die einen necken und dadurch selbst genect werden.

_____

Versuch einer Ausgestaltung des dramatischen Plans.

Es werden drei, anfangs voneinander unabhängige Geschichten im ersten Akt eingeführt. An diese knüpfen sich noch drei oder vier andere natürlich, und sowohl diese neue als die Polizeiuntersuchungen verknüpfen alle und lösen sie zusammen auf.

1. Ein schönes, liebenswürdiges Mädchen, Sophie, durch ihren Vormund**) genötigt, einen fatalen Kerl zu heiraten, will mit ihrem Geliebten durchgehen. Das Plänchen wird entdeckt, zugleich aber entdeckt sich auch die Nichts= würdigkeit des anderen Freiers und der Reichtum ihres wahren Geliebten.

2. Eine liebenswürdige Frau ***) hat einen Eifersüchtigen zum Mann, der sie sehr quält, besonders mit einem jungen Menschen, dem sie doch keinen Zutritt gibt. Um ihre Treue auf die Probe zu setzen, verkleidet er sich, und diese Ver= kleidung bringt ihn in die Hände der Polizei.

3. Sophiens Freier hat den Geliebten Sophiens ver=

_____

*) Gasthof. Reiches Privathaus. Armes Bürgerhaus. Junggesellen=Haus= ball. Witwe. Polizeiwohnung.
**) Charakter des Vormunds: er ist ein eigensinniger, wiewohl braver Mann, der eine Grille hat.
***) Diese Frau ist eine Freundin Sophiens.

leumdet, für den Verfasser eines Pasquills und für einen liederlichen Menschen ausgegeben. Das Pasquill aber hat er durch einen elenden Poeten anfertigen lassen, und lieder= lich ist er selbst mit einer verrufenen Person. Beides wird durch die Polizei entdeckt.

4. Sophiens Liebhaber wohnt in einem Gasthof, wo sich auch ein Avanturier aufhält, der in der Stadt viel Wind macht. Er ist's, den zwei lustige Weiber necken, und dadurch sie selbst in Verlegenheit kommen.

5. In demselben Gasthofe befindet sich auch eine Person oder ein Paar, die Ursache haben, unbekannt zu sein, die Nachsetzung zu fürchten haben. Ihre Geschichte ist mit der übrigen verschlungen und hilft sie auflösen.

6. Ein alter, mürrischer Herr wird auch beunruhigt.

7. Der Befehl an den Thoren, daß jeder angehalten werden soll, erschreckt zwei bis drei Parteien. Anstalten zu heimlicher Flucht.

8. Nachricht, daß sich eine Gaunerbande in der Stadt befinde *).

9. Eine Person wird verdächtig, weil sie sich unsichtbar gemacht. Sie ist aber ganz gegen ihren Wunsch irgendwo versteckt worden.

10. Die Polizei wird ersucht, jemand beobachten zu lassen, daß er nicht entwische, weil er Schulden hat.

11. Spur einer Kindesmörderin oder eines anderen Mords.

12. Zwei Duellanten.

13.

---

*) Falsche Namen. Pistolen — Duellanten. Strickleiter — Liebhaber. Brech= eisen. Verkleidung — Eifersüchtiger. Chiffern oder sonst ein Brief. Versuch, zu entfliehen oder sich zu verbergen. Corpus delicti. Siegel. Handschrift.

Die Kinder des Hauses.

Narbonne.

Louis Narbonne hat seinen Bruder Pierre vergiften lassen und die Schuld des Mordes auf den eigenen Sohn des Ermordeten zu lenken gewußt, dessen Aufführung ihm dabei sekundierte. Er wußte es zu machen, daß dieser an demselben Tag entfloh, vielleicht aus Desperation über ein anderes Vergehen, und so wurde er für den Mörder ge= halten, indem der wahre Mörder in den Besitz aller seiner Rechte trat und nach sechs oder acht Jahren um die Braut warb, welche jenem Unglücklichen bestimmt war.

An dem Tage, da er sie heiraten sollte, kommt der Sohn verborgen zurück, auch der Gehilfe der Mordthat muß durch ein Verhängnis da sein, und Narbonne muß bei den Gerichten selbst den Anlaß geben, die Entdeckung herbeizuführen.

Alles muß zusammenkommen, den Vatermord evident zu machen und auch die Flucht des Mörders zu erklären.

Alles muß zusammenkommen, den wahren Mörder außer alles entfernten Verdachts zu setzen.

Philippe Narbonne kann eines Duells wegen entflohen sein, er glaubt seinen Gegner ermordet zu haben. Er ist nach den Inseln gegangen und kommt zurück, teils durch die Macht der Liebe zu seiner Braut, teils aus kindlicher Pietät, um seine Eltern zu sehen. Er hält sich verborgen, verborgen sieht er seine Braut, eine schreckliche Scene, weil sie einen Vatermörder in ihm zu erblicken für möglich hält, obgleich sie nie davon überzeugt wurde. Scene mit einem alten Diener des Hauses, der auch an seine Unschuld glaubte. Was er erfährt, nimmt ihm allen Mut, Gerechtigkeit zu suchen; er ist entschlossen, wieder zu gehen.

Und so würde er wirklich gegangen sein, wenn nicht Ludwig Narbonne selbst, durch etwas anderes dazu veranlaßt, die Gerichte in Bewegung gesetzt hätte. Dieser hält sich nämlich für ganz sicher, ja er hat an demselben Tag den Totenschein des einzigen, den er fürchtete, erhalten ꝛc. Nun mußte es sich fügen, daß er eines Diebstahls wegen die Polizei in Bewegung setzte. Diese findet den Sohn auf dem Grabe des Vaters.

Philippe Narbonne kommt mit dem Handlanger des Louis zusammen, den dieser letztere an diesem Tage zu einer heimlichen Zusammenkunft herbeibeschieden hatte, in der Absicht, ihn zu ermorden. Er führt wirklich die That aus, aber durch ein eigenes Verhängnis muß Philippe in der Nähe sein, ihm zu Hilfe eilen, die Entdeckung geschieht — — —

Zweiter Plan:

Die Kinder des Hauses.

Ein Schauspiel.

Vorgeschichte.

Narbonne ist ein reicher, angesehener, mächtiger Partikulier in einer französischen Provinzialstadt (Bordeaux, Lyon oder Nantes), dabei ein Mann in seinen besten Jahren, zwischen vierzig und fünfzig. Er steht in allgemeiner öffentlicher Achtung durch seinen Charakter und sein rechtliches Betragen; die Neigung, die man zu seinem verstorbenen Bruder Pierre Narbonne gehabt, hat sich schon auf seinen Namen fortgeerbt, er ist der einzige übrige dieses Hauses, weil sein Bruder keine Erben hinterließ; denn zwei Kinder, welche Frau von Narbonne geboren, verbrannten bei einer Feuersbrunst (oder ertranken) durch Sorglosigkeit der Bedienten. Nach dem Tode Pierres war Louis der einzige Erbe, er war damals abwesend und kam zurück, die große Erbschaft anzutreten und seinen beständigen Aufenthalt in derselben Stadt zu nehmen.

Seit dieser Zeit sind zehn Jahre verflossen*), und

---

*) In anderen Entwürfen nimmt Schiller einen Zwischenraum von zwölf und sechzehn Jahren an. (A. d. H.)

Narbonne ist nun im Begriff, eine Heirat zu thun und sein Geschlecht fortzupflanzen. Er hat eine Neigung zu einem schönen, edlen und reichen Fräulein Victoire von Pontis, deren Eltern sich durch seine Anträge geehrt finden und mit Freuden ihre Tochter zusagen.

Nun ist zu bemerken, daß vor ungefähr sechs Jahren ein junger Mann, Namens Saintfoir, in Narbonnes Haus als Waise aufgenommen worden, viele Wohlthaten von ihm erhalten und wohl erzogen worden. Der junge Mensch, damals vierzehn Jahre, war sehr liebenswürdig und durch seine Hilflosigkeit ein Gegenstand des Mitleids für die ganze Stadt. Narbonne öffnete ihm sein Haus und übernahm es, für sein Wohl zu sorgen. Er lebte bei ihm, nicht auf dem Fuß eines Hausbedienten, sondern eines armen Verwandten, und die ganze Stadt bewunderte die Großmut Narbonnes gegen diesen jungen Menschen, den man schon zu beneiden anfing.

Saintfoir machte schnell große Fortschritte in der Bildung, die ihm Narbonne geben ließ. Er zeigte ein treffliches Naturell des Kopfes und Herzens, zugleich aber auch einen gewissen Adel und Stolz, der ihm wie angeboren ließ und dem armen, aufgegriffenen Waisen, der von Wohlthaten lebte, nicht recht zuzukommen schien. Er war voll dankbarer Ehrfurcht gegen seinen Wohlthäter, aber sonst zeigte er nichts Gedrücktes noch Erniedrigtes, er schien, indem er Narbonnes Wohlthaten empfing, sich nur seines Rechtes zu bedienen. Sein Mut schien oft an Uebermut, eine gewisse Naivetät und Fröhlichkeit an Leichtsinn zu grenzen. Er war verschwenderisch, frei, fier und eifersüchtig auf seine Ehre.

Victoire hatte öfters Gelegenheit gehabt, diesen Saintfoir zu sehen, bald empfand sie eine Neigung für ihn, welche aber hoffnungslos schien; die Bewerbungen Narbonnes um ihre Hand, vor denen sie ein sonderbares Grauen hatte, verstärkten ihre Gefühle für Saintfoir um so mehr, da dieser von Narbonne selbst bei dieser Gelegenheit öfter an sie geschickt wurde. Saintfoir betete Victoire von dem ersten Augenblick an, als er sie kennen lernte, aber seine Wünsche wagten sich nicht zu ihr hinauf.

Er hatte ein anderes Mädchen kennen gelernt, welches so wie er selbst elternlos war, und dem er einen großen Dienst geleistet hatte. Für diese hatte er eine zärtliche

Freundschaft; Leidenschaft und Anbetung hatte ihm Victoire eingeflößt. Zwischen beiden war sein Herz geteilt, aber ohne daß er seine Gefühle konfundiert hätte.

Louis war etwa ein Jahr vor dem Verschwinden der Kinder auf einen Besuch dagewesen und hatte in dieser Zeit mit der **Madelon**, die damals ein junges Frauenzimmer war, verbotenen Umgang gehabt und die Beiseitbringung der Kinder mit ihr verabredet.

Motive, wodurch sie zu diesem Verbrechen verleitet wird: Aussicht, etwas in diesem Hause zu bedeuten; Neigung zu Louis.

Madelon hatte die zwei Kinder einer Zigeunerin verkauft oder übergeben und ausgesprengt, daß sie bei einem Brand umgekommen. Adelaide war bis in ihr zwölftes Jahr bei der Zigeunerin, Saintfoix aber entlief ihr schon in seinem zehnten Jahr, nachdem er fünf Jahre bei ihr zugebracht. Art, wie er in die Vaterstadt und zu Narbonne kam. Er ist damals gerade vierzehn Jahre alt, also neun Jahre älter, als er sich daraus verloren. Er kann also den Ort nicht, ihn selbst kann niemand erkennen.

Adelaide wurde von ihrem Bruder gleich getrennt und blieb so lange bei einer Zigeunerin, bis sie anfing, in die mannbaren Jahre zu treten. Da trieben die Verfolgungen, die sie von den Männern auszustehen hatte, sie zur Flucht. Wie sie in die Vaterstadt und zur Kenntnis Saintfoix' kam. — Ein Liedchen.

Der Aufenthalt unter den Zigeunern hat Saintfoix ein gewisses unstetes Wesen gegeben, besonders haßt er die Ruhe im Hause und liebt sich ein freies Wandern. Auch hat er vom Mein und Dein unschuldigere Begriffe.

Narbonne läßt seinen Bruder ermorden*), eben da dieser eine neue Heirat thun wollte. Weil er aber sehr behutsam ist, so richtet er es so ein, daß die Entdeckung unmöglich wird. Entweder muß Pierres Tod natürlich

----

*) Durch den Kapitän Raoul. (A. d. H.)

erscheinen und die Spur der Gewalt von außen entfernt
werden: ein glühend Eisen in den Schlund. Oder der Verdacht der Gewaltthat muß anderswohin geleitet werden.

Erster Akt.

Madelon, Haushälterin des Herrn von Narbonne,
kommt von einer kleinen Wallfahrt zurück, wo sie für ihre
Unruhe Trost gesucht. Ein begangenes Unrecht quält sie,
sie bringt keinen Trost zurück. Sie findet Narbonne zufrieden, mutig und sicher; alles scheint ihm nach Wunsch zu
gehen. Nur ist er ärgerlich über einen weggekommenen
Schmuck, den er seiner Braut hatte verehren wollen, und
er will die Gerichte deswegen in Bewegung setzen.

Madelon erschrickt. „Lasset die Gerichte ruhen,“ sagt
sie. „Nehmt das kleine Unglück willig hin!“ — „Es ist kein
kleines Unglück.“ — „Nehmet's an als eine Buße. Schon
lang' hat mich die ununterbrochene Dauer Eures Wohl-
standes bekümmert.“ — „Ich will aber mein Recht verfolgen.“ — „Euer Recht!“ seufzt Madelon.

Noch größere Unruhe zeigt Madelon, wie sie hört, daß
eine Zigeunerin im Haus gewesen, welche man des Schmuckes
wegen in Verdacht habe. Sie beklagt sehr, daß sie nicht
hier gewesen. „Ach, vielleicht, indem ich meine fruchtlose
Wallfahrt anstellte, um mein Herz zu beruhigen, habe ich
die einzige Gelegenheit verfehlt, meines langen Grams los
zu werden.“

Ihr Gemütszustand ist bang und ängstlich und spannt
die Furcht. Damit steht Narbonnes Sicherheit und Ruhe
in einem interessanten Kontrast*).

Madelon scheint von dem Bewußtsein eines Verbrechens

----

*) (Aus früheren Entwürfen:)
„Laßt den Arm der Gerichte ruhen. Mir graut, wenn ich daran denke.“
Dieses kleine Unglück schickt Euch der Himmel zu, wir wollen es schweigend ertragen.“
„Es ist kein kleines Unglück.“
„Es ist ein kleiner Teil Eures Glücks — und Ihr wißt selbst, Ihr könntet
Euch nicht über Unglück beklagen, wenn Euch das Ganze entrissen würde.“
Bei eben dieser Unterredung kommt etwas vor, welches die nachherige Er-
scheinung des Hauptzeugen vorbereitet.
Narbonne schilt ihre grillenhafte Andacht und erklärt, daß er für seine
Person ein zufriedener Mann sei, daß er jetzt nichts mehr fürchte, indem er des
einzigen, der sein Geheimnis noch in der Gewalt gehabt, entledigt zu sein hoffen
dürfe. (Er habe zum erstenmal aufgehört, sein jährliches Geld zu empfangen,
wahrscheinlich sei er tot ꝛc.

gepeinigt, dessen Mitschuldiger Narbonne ist. Dieses Ver=
brechen ist zwar noch nicht ganz deutlich, es besteht aber in
dem unrechtmäßigen Besitz des Narbonnischen Erbes.

Narbonne tröstet die Madelon mit seiner guten Ver=
wendung dieses Erbes, wie er sagt. Seine Anfrage bei
ihr, ob sie keine Ansprüche auf seine Hand mache, deutet
auf ihr früheres Liebesverständnis. Sie entläßt ihn aller
Verpflichtung und will ihr Leben der Reue widmen für ihn
und sich selbst.

Herr von Pontis, Bailli des Orts und sein künftiger
Schwiegervater, kommt, wegen des weggekommenen Schmucks
die nötigen Erkundigungen einzuziehen. Dies kann mit
einiger Förmlichkeit geschehen und mit Zuziehung eines
Gerichtsschreibers. Der Schmuck wird beschrieben, die Haus=
genossen werden aufgezählt, und bei dieser Gelegenheit expo=
niert sich ein Teil der Geschichte. Besonders ist die Rede
von Saintfoir, dem jungen Menschen, welchen Narbonne
vor fünf Jahren ins Haus genommen. Diese Geschichte
wird erzählt und zeigt den Narbonne im Licht eines Wohl=
thäters. Er scheint keinem Verdacht gegen denselben Raum
zu geben.

Nach diesen offiziellen Dingen ist die Rede von der
Heirat. Pontis zeigt, wie sehr er und die ganze Stadt den
Narbonne verehre, und ist glücklich in dem Gedanken einer
Verbindung mit ihm.

Saintfoir im Gespräch mit dem alten Thierry. Der
junge Mensch zeigt die leidenschaftlichste Unruhe, es ist ihm
zu eng in dem Hause, er strebt ins Weite fort*), seine
Agitation ist die heftigste. Dabei hat er etwas Geheimnis=
volles, Unsicheres, Scheues, Gewaltsames, was aussieht wie
Gewissensangst. Besonders scheint er sich eines großen Un=
danks gegen Narbonne anzuklagen. Wie von der Heirat
desselben die Rede ist, steigt seine Unruhe aufs höchste.
Seine Scene mit Thierry sieht völlig aus, wie ein ewiger
Abschied, er nimmt auch Abschied von den leblosen Gegen=
ständen, und so reißt er sich los in der gewaltsamsten Stim=
mung. Thierry schüttelt das Haupt und scheint sich mit
Macht gegen einen aufsteigenden Verdacht zu wehren. In
seinem Monolog spricht sich's aus, wie es in alten Zeiten

---

*) Er hält sich für den Sohn schlechter Eltern. Das Heimatlose schildert
sich auf eine rührende Art in dieser Scene. Saintfoir hat die ganze Erde frei vor
sich liegen

hier war, und wie es jetzt ist. Er und Madelon sind die einzigen Reste des alten Hauses.

(Das Haus im Walde.)*)

Adelaide ist einer gefährlichen Zigeunerin entsprungen, von der sie tyrannisiert und zum Bösen verleitet worden. Saintfoir hat sie in einer hilflosen Lage gefunden und zu guten Leuten gebracht, bei denen sie sich noch heimlich aufhält. Sie hält die Zigeunerin, wo nicht für ihre Mutter, doch für ihre Tante. Saintfoir ist ihr einziger Schutz, aus Furcht entweder vor der Zigeunerin oder vor mächtigen Personen will sie sich niemand anderem anvertrauen. Zu Saintfoir zieht sie eine starke Sympathie, die aber entschieden nicht Liebe ist. (Darf sie wissen, daß er schon liebt?) Sie hat eine Kostbarkeit bei sich, ihr einziger Reichtum; diese entschließt sie sich zu verkaufen und gibt sie zu dem Ende ihrer Wirtin, um damit nach der Stadt zu gehen.

Indem sie die Zurückkunft dieser Frau erwartet, kommt Saintfoir um ihr anzukündigen, daß sie miteinander entfliehen müssen **). Sie ist dazu bereit und erwartet bloß die Zurückkunft der Frau, welche ihr Kleinod zu Geld machen sollte. „Laß sie fahren,“ sagte er „ich besitze, was wir brauchen.“

Die Polizei kommt, Adelaiden mit fort zu nehmen. Saintfoir macht sich durch ihre Verteidigung höchst verdächtig und folgt ihr zu dem Richter.

Zweiter Akt.

(Im Hause des Bailli.)

Victoire von Pontis mit einer vertrauten Person***). Das Fräulein hat ein geheimes Grauen vor dem ihr bestimmten Gatten, den alle Welt verehrt. Sie hat eine lebhafte Neigung zu Saintfoir, wiewohl ohne Hoffnung. Ihr Zustand ist also peinlich, wiewohl sie das Härteste noch nicht kennt, nämlich in ihrer Liebe selbst gekränkt zu sein.

----

*) Schiller erwog auch eine Umstellung dieser Scene an den Schluß des zweiten Aktes mit folgender Verknüpfung: „Der Goldschmied, dem das Kleinod gebracht wird, erkennt es für eine Arbeit, die er selbst der Frau von Narbonne gefertigt, gibt es an, und dies veranlaßt die Einziehung Adelaidens.“ (A. d. H.)
**) (Aelterer Entwurf:) Sie erzählt ihre Schicksale, er die seinigen.
***) (Früherer Entwurf:) ihrer Mutter.

Sie verrät ihre Abneigung gegen die Heirat mit Narbonne durch die Freude, die sie über den verloren gegangenen Schmuck äußert.

Herr von Pontis kommt und meldet, mit heftigen Aus= brüchen über den Undank, die Flucht des Saintfoix und seinen wahrscheinlichen Anteil an dem entwendeten Schmuck *). Victoire verteidigt ihn mit leidenschaftlicher Wärme.

Goldschmied bringt die Kostbarkeit, welche Adelaide hatte verkaufen wollen, er hat sie für Narbonnischen Schmuck erkannt **). Victoire triumphiert über diese Entdeckung, durch welche Saintfoix scheint gerechtfertigt zu werden.

Dritter Akt.

Adelaide ist zum Bailli gebracht. Saintfoix hat diesen vergebens um Gehör gebeten. Er kommt zu Victoire und bittet sie um ihr Fürwort für Adelaiden. Victoire ist über= rascht, Eifersucht und Zärtlichkeit entreißen ihr deutlichere Aeußerungen ihrer Leidenschaft, es kommt zu einer positiven Erklärung, auch von seiner Seite. Im Moment der Passion tritt Narbonne ein, er ist Zeuge der Scene, und Saintfoix muß als ein Undankbarer und als ein Impius gegen seinen Wohlthäter erscheinen.

Nun kommt Pontis nach geendigtem Verhör mit dem Kleinod der Adelaide. Wie Narbonne diesen Schmuck sieht, gerät er in große Bestürzung. (Narbonne erhält also zwei Schläge auf einmal, in seiner Liebe und in seinem Gewissen.)

Scene zwischen ihm und Pontis; er macht den Groß= mütigen und will die Untersuchung fallen lassen. Pontis be= steht auf der strengsten Untersuchung und will dem Narbonne eine vollständige Genugthuung leisten. Zugleich treibt ihn sein Amtseifer dazu, die fehlenden Stücke auszukundschaften.

Saintfoix wird von Pontis in Adelaidens Sache ver= wickelt.

Victoire entdeckt in Narbonnes Beisein ihre Liebe zu Saintfoix ihrem Vater.

---

*) (Motivierung in einem älteren Entwurf:) Pontis meldet, daß man dem Dieb auf der Spur sei. Man habe die Gänge des Saintfoix ausgekundschaftet, er sei liederlich, habe mit einer hergelaufenen Frauensperson heimliche Zusammen= künfte, es sei schon Befehl gegeben, sie auszuheben.
**) (Motivierung in einem älteren Entwurf:) Die fromme Mutter hat ihrer Tochter ein goldenes Kreuz oder sonst etwas auf Religion sich Beziehendes um= gebunden. Kurz, die Andacht ist im Spiel, die Entdeckung herbeizuführen.

Wie sie noch beisammen sind, wird dem Bailli gemeldet, daß man die Zigeunerin aufgebracht habe, und daß Adelaide bei Erblickung derselben in Schrecken geraten sei. Madelon hat die Zigeunerin erblickt, als man sie hinbrachte; ihre Gemütsbewegung bei diesem Anblick, nebenher erwähnt, ist ein Dolchstich für Narbonne. Er bittet den Pontis vergebens, die Untersuchung einzustellen und die bösen Sujets baldmöglichst nach den Inseln zu schicken.

Narbonne verlangt ein Gespräch mit Adelaiden und mit Saintfoir. Die Folge davon ist, daß er ihnen seine Hilfe zu einer heimlichen Flucht anbietet. Sie versichern ihre Unschuld und schlagen es aus. Adelaides Furcht vor der Zigeunerin. Narbonne erhält Botschaften*).

Die Zigeunerin wird mit Adelaiden konfrontiert.

Adelaide thut einen Fußfall vor Pontis und fleht ihn, sie von dieser fürchterlichen Frau, der Zigeunerin, zu trennen, die sich für ihre Mutter ausgebe — Sie wolle lieber ins Gefängnis und in den Tod.

Man fragt die Zigeunerin, ob das ihre Tochter sei. Sie erwidert: nein. Das Kind sei ihr nebst noch einem anderen übergeben worden. Wo das andere hingekommen? Das habe ihr Bruder nach Spanien mitgenommen. Wie sie aber höre, so sei er in Biscaya gestorben. Saintfoir stutzt und fragt weiter. Es entdeckt sich, daß er es sei. Erkennung des Bruders und der Schwester.

Narbonne will nun dazwischen treten und das Ganze zudecken. Pontis aber will die Eltern der Kinder entdeckt haben, er erinnert sich an den Schmuck.

Narbonne wird abgerufen, Madelon sei in Todesnöten.

Vierter Akt.

Madelon allein. Sie hat die Zigeunerin gesehen und für dieselbe erkannt, der sie die Kinder übergeben. Angst und Freude bestürmen sie, noch weiß sie nicht, daß die Kinder sich gefunden

Madelon und Narbonne. Madelon hat Gewissensbisse. Sie entdeckt ihm, daß sie die Zigeunerin für dieselbe erkannt, die sie längst gesucht, daß sie ihr Kundschaft von

---

*) Hierher gehört wohl die Notiz eines früheren Entwurfs: „Ein Brief des Kapitäns, der seine unglückliche Ankunft meldet."

den Narbonnischen Kindern geben müsse u. s. f. Sie bringt in ihn, sie anzuerkennen oder doch als Erben einzusetzen. Dies erscheint ihr wie ein himmlischer Ausweg. Narbonne ist in großer Verlegenheit. Er muß alles versprechen und ist entschlossen, nichts zu halten. In der großen Verlegenheit verfällt er darauf, die Madelon zu ermorden.

Die Kinder sind unterdessen erkannt*), die ganze Stadt weiß es; man**) führt sie im Triumph zu Narbonne, gerade im Augenblick, da der Mord geschehen. Kluges Betragen des letzteren, in dessen Busen Wut und Verzweiflung toben. Er muß die Kinder anerkennen; sie sind aber großmütig und bestehen darauf, daß er im Besitze, sie selbst aber seine Erben bleiben. Es scheint einen heiteren Ausgang zu nehmen. Madelons Tod kann als Selbstmord erscheinen.

Fünfter Akt.

Narbonne auf seinem Zimmer findet die Spuren des Mörders***).

Pontis meldet triumphierend den gefundenen Schmuck.

Narbonne sucht umsonst zu entfliehen†).

Man bringt den Kapitän ein. Narbonne und der Mörder konfrontiert.

Madelons und sein Liebesverständnis entdeckt sich.

Narbonne macht einen vergeblichen Versuch, sich zu töten.

Er wird ganz entlarvt und dem Gericht übergeben.

Adelaide, Saintfoix und Viktoire machen den Schluß.

Unwahrscheinlichkeiten.

1. Wie Saintfoix ins Narbonnische Haus kam, ohne daß Narbonne oder Madelon etwas von seiner Geburt ver-

---

*) Die Familienähnlichkeit thut auch das Ihrige, den Glauben an die Herkunft der Kinder zu begründen. (Aus einem anderen Entwurf.)

**) Pontis und Gefolge bringen die Kinder im Triumphe zu Narbonne. (Aus einem anderen Entwurf.)

***) Der Mörder kennt eine geheime Thür zu Narbonnes Zimmer. (Er ist auf diesem Weg heimlich hereingekommen, hat den Schmuck liegen sehen und ist mit demselben davongegangen. Dem Narbonne ließ er ein paar Zeilen zurück, wo er ihm anzeigt, daß er nun in die weite Welt ginge, denn er müsse einer Mordthat wegen fliehen. Auf dieser Flucht wird er angehalten, welches wieder eine Folge der Polizeigeschäftigkeit ist.) (Aus einem anderen Entwurf.)

†) (Aelterer Entwurf:) Narbonne versucht, sich heimlich zu entfernen. Polizeianstalten, die er selbst veranlaßte, entdecken und verhindern seine Flucht. — Murmeln der Bedienten. — Erscheinung des Kapitäns. Entdeckung des Ganzen. Narbonne tötet sich.

Schillers Dram. Entwürfe u. Fragmente. 18

mutet. 2. Warum Saintfoix Adelaiden verbirgt und diese
Sache allein auf sich nimmt. 3. Wie ein kleines Mädchen
in dem Alter, worin Adelaide bei dem Kinderraub war,
eine Kostbarkeit bei sich haben und trotz den Zigeunern
behalten konnte. 4. Was die Zigeunerin veranlassen kann,
die Person, von der sie die Kinder empfing, zu verschweigen,
oder, wenn sie die Madelon angab, was 5. verhindern kann,
daß man gar nicht auf Narbonne verfällt. 6. Wie Madelon
von Pierre Narbonnes Ermordung wissen kann, ohne den
Urheber zu erraten.

Dramatische Idee und Charakter des Haupthelden.

Die Nemesis treibt einen, Untersuchungen gegen einen
Feind anzustellen und hitzig zu verfolgen, bis dadurch sein
eigenes, längst veraltetes Verbrechen ans Licht kommt.

Durch die Aufrufung der Polizei befruchtet Narbonne
gleichsam das Schicksal, daß es von der schrecklichen Entdeckung entbunden wird. Er gibt selbst den Anstoß, daß
sich die bereitliegenden Umstände wie ein Räderwerk in Bewegung setzen und den furchtbaren Aufschluß herbeiführen,
daß er selbst ihn nicht mehr hemmen kann.

Es muß also dargestellt und motiviert werden: 1. daß
alles schon verhängnisvoll bereit liegt und nur auf den
Anstoß wartet, 2. daß gerade diese Aufrufung der gerichtlichen Macht diesen Anstoß gibt, jene Ereignisse herbeiführen
konnte.

Seine Sicherheit führt ihn zum Fall. Aber sein Ruf
ist so fest gegründet, daß selbst die Nemesis daran zu scheitern
scheint. Die Kinder sind gefunden, seine Vertraute ist von
seiner Hand ermordet, er selbst ist mit blutigem Messer gefunden, und noch fällt es keiner Seele ein, ihn zu bearg-
wohnen. Die Kinder verehren ihn, er soll sogar im Besitz
ihres Erbteils bleiben ꝛc. Bis sich, durch das nämliche ver-
hängnisvolle Triebwerk, welches er anregte, die ganze Wahrheit entfaltet, und er sein furchtbares Los zieht.

Daß das einmal in Lauf gekommene Triebwerk wider

seinen Willen, und wenn er es gern wieder aufhalten möchte, fortgeht, ist von tragischem Effekt. Er selbst holt sich das Haupt der Gorgone herauf. Der Schmuck, den er vermißt und suchen läßt, ist gleichsam ein abgeschossener Pfeil, der die vorigen Pfeile findet. Er sucht seinen Schmuck und findet etwas, das er nicht sucht, eins nach dem anderen. Endlich findet er auch den Schmuck, aber zu seinem Verderben.

Es ist von tragischer Kraft, daß etwas Furchtbares, was man nicht erwartet, etwas noch viel Schlimmeres, als was man weiß, noch zurück ist und ans Licht kommt. Der Raub der Kinder und die Usurpation ihres Erbteils ist das bekannte Unrecht, es ist der Stoff der Handlung, es scheint daß dies alles ist, und Madelon hat an diesem Verbrechen schwer genug zu tragen; aber ein noch fürchterlicheres Faktum, um welches selbst Madelon nicht weiß, liegt im Hinterhalt, und dieses, durch die Schmuckuntersuchung an den Tag gebracht, dient zur Enthüllung aller übrigen. Dieses noch Fürchterlichere, welches nicht eigentlich erwartet wird, wird dadurch angekündigt, daß wenn doch schon alles aufgelöst ist, der Schmuck noch immer fehlt.

––––––––

Die Polizeiforschungen sind es auch, die den Mörder aufjagen und an dem verhängnisvollen Tag herbeibringen. Dies muß aber sehr motiviert sein, man muß die Nähe dieser Person erfahren, ehe sie der Polizei in die Hände fällt, und der Grund ihrer unzeitigen Ankunft muß einleuchtend sein.

––––––––

Und nun erst kommt der wahre Dieb des Schmucks ans Licht, es ist die Person, die Narbonnes Verbrechen in der Gewalt hat.

––––––––

Alles muß gerade in den unglücklichsten Moment für Narbonne fallen, daß es aussieht, als wenn das Schicksal unmittelbar es dirigierte, obgleich das Zutreffen jedes einzelnen Umstands hinreichend motiviert sein muß.

––

Es ist nur nötig, daß in der Exposition dem Zuschauer alles verraten werde, damit die Furcht immer herrsche.

Der Held der Tragödie muß ein sicherer, verständiger, sich immer besitzender, sogar zufriedener Bösewicht sein, den die Reue und Gewissensbisse nie anwandeln; zugleich ist er geehrt, durchaus nicht beargwohnt, wird für einen exemplarischen Mann gehalten.

— — —

Die Heuchelei ist nicht bloß eine dünne Schminke, der angenommene Charakter ist ihm habituell, ja gewissermaßen natürlich geworden, und die Sicherheit, in der er sich wähnt, läßt ihn sogar Großmut und Menschlichkeit zeigen.

— — —

Gerade die Achtung, die man vor ihm hat, erhitzt nachher die Untersuchungen und macht sein Verderben unvermeidlich.

Es erscheint eine unglückliche Unschuld*), welche durch ihn beraubt und unterdrückt worden und nun Gerechtigkeit erhält**).

— —

*) Neben ihm steht eine leichtsinnige und immer Blößen gebende, aber reine Natur.

**) Er ist, in den Augen der Welt, der Wohlthäter eines unwürdig scheinenden Menschen, man tadelt sogar seine Nachsicht und Milde gegen diesen. Aber eben dieser Mensch ist es, den er beraubt und ins Elend gestürzt hat durch ein Verbrechen; er ist der geborene Eigentümer des Besitzes, den jener frevelhafterweise usurpiert, kurz er ist der Sohn des rechtmäßigen Besitzers, dem jener die Eltern ermordet hat, und in dem Hause, worin er Wohlthaten empfängt, sollte er regieren.

Die Braut in Trauer

oder

Zweiter Teil der Räuber.

Eine Tragödie in fünf Akten.

Personen:

Graf Julian.
Xaver, sein Sohn.
Mathilde, seine Tochter.
Graf von Dissentis, bestimmter Bräutigam Mathildens.
Georg, Jäger des Grafen Julian.
Der Geist des Franz Moor.
Kosinsky, ein böhmischer Edelmann.
Die Scene ist auf dem Schloß des Grafen Julian in Savoyen.

Karl Moor hält den Himmel für versöhnt, er ist endlich in eine gewisse Sicherheit eingewiegt worden, ein zwanzigjähriges Glück läßt ihn keinen Umschlag mehr fürchten. Er hat in dieser Zeit Gutes gestiftet, er hat Unglückliche getröstet, er hat eine wohlthätige Rolle gespielt. Er lebt in einem fremden Land und sieht in die frühere Zeit nur wie in einen schweren Traum zurück. Nichts ist ihm in dieser ganzen Zwischenzeit aus der vorigen Epoche mehr erschienen.

Darüber spricht er mit seinem Freund Schweizer und reizt die Nemesis. Schweizer hat unterdessen schon Ursache gehabt, eine Peripetie zu fürchten und läßt daher ein Wort der Warnung fallen, welches aber nicht geachtet wird. Schweizer liebt ihn noch immer wie in alten Zeiten und möchte ihm gern jedes Unangenehme ersparen.

Die Vermählung seiner Tochter mit dem Grafen Dissentis ist jetzt seine wichtigste Angelegenheit *).

---

*) (Ansatz zu einem anderen Entwurf:) Karl Moor ist selbst Bräutigam, er soll die einzige Tochter des Grafen Dissentis ehelichen, der ihm die höchste Ver-

Ein Parricide muß begangen werden; fragt sich, von
welcher Art? Vater tötet den Sohn oder die Tochter. Bruder
liebt und tötet die Schwester, Vater tötet ihn. Vater liebt
die Braut des Sohns. Bruder tötet den Bräutigam der
Schwester. Sohn verrät oder tötet den Vater.

Eine Gespenstererscheinung und eine Vermählungsfeier
eröffnen die Handlung.

Graf Julian (Karl Moor) will seine Tochter Mathilde vermählen. Der Bräutigam ist aus einer Familie, gegen
die der Graf etwas Schweres gut zu machen hat, oder er
hat sonst ein dringendes Interesse, diese Heirat zu schließen.
Mathilde liebt ihren Bräutigam zwar nicht, aber sie hat auch
nichts gegen ihn, ihr Herz ist ohne Leidenschaft, und sie
unterwirft sich gern dem Wunsch ihres Vaters, der in dieser
Heirat eine ihr nicht begreifliche Befriedigung findet.

Unter Julians Hausgesinde ist ein Jäger (Schweizer),
auf den er sehr viel hält, der um seine geheimsten Gedanken
weiß und an seine Person höchst attachiert ist. Der Jäger
ist voll Herzhaftigkeit, ein trefflicher Schütze und hat gleichsam die oberste Aufsicht über alle Diener des Grafen. Er
ist mehr der Aufseher und Ratgeber als der Knecht seiner
jungen Herrschaft.

Julian hat einen Sohn Xaver, der ins neunzehnte
Jahr geht, Mathilde wird achtzehn Jahr alt. — Xaver
ist ein leidenschaftlicher und unregiersamer Jüngling, der
von seinem Vater kurz gehalten und ihm deswegen aufsätzig
wird. Er geht seinen Weg allein, ohne alle kindliche Neigung, nur Furcht fühlt er vor seinem Vater. Er liebt die
Jagd und ist ein wilder, trotziger Weidmann. Niemand ist
im stand, dies wilde Gemüt zu bändigen, als Mathilde, seine
Schwester. Für diese fühlt er eine unglückliche, fatale Liebe,
welche aber bis jetzt dem Vater verborgen blieb. Doch Mathilde ist mehrmals durch seine Aufwallung geängstigt worden,
und Georg, der Jäger, hat eine böse Ahnung davon. Eben
darum treibt er den Grafen, die Vermählung zu beschleunigen.

Diese nahe bevorstehende Vermählung beginnt aber unter

---

pflichtung hat. Einige Jahre, die zwischen seiner alten Lebensart und seiner jetzigen
verflossen, eine heitere Gegenwart, die Macht der Schönheit und Liebe haben den
Frieden in sein Herz gerufen, er fängt an zu glauben, daß er doch noch glücklich
werden könne.
Alles liebt ihn im Hause des Grafen, nur der Sohn des Grafen — — —

den finisterſten Anzeichen. Die Bewohner des Schloſſes wer=
den durch ſeltſame Ereigniſſe beunruhigt. Einem unter ihnen
iſt eine Erſcheinung begegnet, als es — — —

Dieſe Vorfälle werden anfangs vor dem Grafen Julian
geheim gehalten, und ihm ſelbſt iſt noch nichts dergleichen
begegnet. Aber Graf Xaver erfährt davon, und ſeine natür=
liche Wildheit treibt ihn, die Sache zu erforſchen. Er wacht
in der gefährlichen Stunde und an dem bezeichneten Ort und
erblickt auch wirklich die Geſtalt unter furchtbaren Neben=
umſtänden. Doch hat er wilden Mut genug, ihr zu Leibe
zu rücken und ſie anzureden, worauf ſie verſchwindet. Er
ahnt ein Geheimnis, das ſeinen Vater betreffe, und bringt
in den Jäger, es zu erforſchen. Georg, der Jäger, iſt Ur=
ſache, daß man dem Grafen noch nichts von der Sache ent=
deckt hat. Xaver iſt ungeachtet der ſchreckenvollen Viſion
nicht zahmer geworden. Seine wilde Seele fürchtet ſelbſt
das Totenreich nicht; er glaubt, es werde jemand aus der
Familie ſterben und — — —

Eine Nonne kommt zu der jüngeren Gräfin und bezeugt
ſich liebkoſend gegen ſie, doch ſpricht ſie nicht. Sie hat ihr
zuerſt in der Kapelle des Nonnenkloſters begegnet, wo ſie oft
hinzugehen pflegte. Sie hat neben ihr niedergekniet und ge=
betet und iſt oft ſtill an ihrer Seite gegangen; doch hat ſie
nie ein Wort aus ihr herausbringen können. Es ſchien aber,
ſie wollte, daß Mathilde den Schleier anzöge. Dieſe liebte
die ſtumme Freundin innig, und ohne im geringſten etwas
Arges dabei zu haben, unterhielt ſie den Umgang mit ihr*).

Einsmals tritt ſie in das Zimmer ihres Vaters und
findet dort ein Bild liegen. Wie ſie es näher anſieht, iſt es
die Nonne, ſie kann es nicht leugnen. Ihr Vater kommt
dazu und findet ſie das Bild küſſend. Wie er ſie darüber
befragt, ſo erfährt er mit Erſtaunen, daß ſie das Original
zu dem Bilde zu kennen glaube. Seine Neugier wird erregt,
er will die Nonne kennen lernen, die ſeiner Amalie ſo gleich
ſein ſoll; denn dieſes Bildnis iſt Amaliens.

Die Frage entſteht: dürfen die zwei Geiſter einmal zu=
ſammen ſich finden, und wie werden ſie ſich da verhalten?
Wenn es iſt, ſo iſt es in Gegenwart des Grafen, und der
Geiſt der Nonne — — —

*) Ja die Nonne kommt heimlich zu ihr auf das Schloß und gibt ihr durch
Winke zu verſtehen, daß ſie das Kloſter anſtatt des Brautkranzes erwählen ſolle.
Wie die Nonne einmal wiederkommt, wird ſie durch etwas gehindert, ſich zu nähern.

Rosamund

oder

Die Braut der Hölle.

*) Ein junger, schöner, zärtlicher Ritter hat Rosamunden lange geliebt, alles an sie verschwendet, ihr alles geopfert mit treuer, redlicher Zärtlichkeit; sie hat ihn anfangs aufgemuntert, ihm Gegenliebe gezeigt, Hoffnung gemacht, sie zu besitzen. Aber ihr Herz ist eitel, lieblos, gefühllos, sie liebt nichts als sich selbst, sie will nur glänzen, nur verehrt sein, und weiß ein treues Herz nicht zu schätzen. Sie hat schon viele Männer hintergangen und zur Verzweiflung gebracht. Man haßt sie, aber die Männer können ihrer Schönheit nicht widerstehen. Ihr Sinn ist grausam aus eitler Selbstsucht. Kein Opfer rührt sie, kein noch so edles großmütiges Betragen; um ihre Eitelkeit zu vergnügen, kann sie Blut fließen sehen, wenn nur ihren Reizen gehuldigt wird. Die Unglücklichen, die sie gemacht, zieren nur ihren Triumphwagen.

Famagusta — Majorca.

Es muß etwas ausgedacht werden, wodurch Rosamunds Rolle die Gunst gewinnen kann. Als Sängerin kann es durch Gesang geschehen, als Schauspielerin — —

Der Unwille gegen Rosamund muß durch ihre kalte

---

*) Rosamund. — Agnes. — Mathilde — Roger. — Florisel. — Grimoald. — Der Baumeister mit der Leier — Der Gärtner. — Der Schatzmeister. — Der Stallmeister. — Der Marschall, Truchseß, Mundschenk. — Der Admiral.

Handlung: Der sterbende Ritter. — Die entzweiten Freunde. — Die getrennten Liebenden. — Die Botschaft des Dämons. — Die Ankunft desselben. — Die Warnung. — Die Künste des Dämons. — Die Katastrophe. — Die böse Ratgeberin. — Der Engel.

Sie gerät durch die Schmeicheleien des Dämons in eine wahre Trunkenheit, daß sie ganz schwindelt und blind und dumm wird und alle die groben, sichtbaren Schlingen nicht sieht.

Grausamkeit gegen einen liebenswürdigen Ritter*) durch seinen schmerzhaften, verzweiflungsvollen Untergang und ihre Fühllosigkeit dabei aufs höchste gereizt werden**).

Aufs äußerste von ihr verhöhnt und verraten liebt er sie dennoch und stirbt liebend, obgleich sein Tod ihr Werk ist.

Dies ist der Eingang in die Ballade. Unmittelbar von seinem Tode kommt man in das taumelnde Brautfest, wo alles glänzt und prangt und sich tobend erfreuet.

***) Nachdem sie unzählige Liebhaber getäuscht hat, tritt endlich ein Prinz auf, reich, schön, mächtig, kurz mit allem ausgerüstet, was ihre Eitelkeit reizen kann. Er zeigt ihr weder Liebe noch sonst irgend eine liebenswürdige Eigen= schaft; er gewinnt bloß ihre eiteln Sinne durch Schmeichelei, durch seine äußeren Vorzüge, keine Spur eines fühlenden Herzens. Er will sie bloß besitzen. Diesem gibt sie den Vorzug. Er befriedigt ihre ungeheuersten Wünsche; sie kann nichts so Phantastisches ersinnen, das er nicht gleich ins Werk setzte; er hat einen ungeheuren Komitat, Juwelen, Gold, kunst= reiche Tänzer, Baumeister; der Betrug ist so grob, daß alle ihre Diener Böses ahnen, aber ihre Eitelkeit macht sie so verstockt, daß sie alles glaubt. Sie fragt ihn nach seinem Königreich†), er beschreibt ihr verdeckt die Hölle, sie merkt es nicht. Seine Antworten sind rätselhaft, aber ahnungs= voll, daß sie Schrecken erregen; alles wird durch Schmeichelei wieder zugedeckt.

Mitten in ihrem höchsten Taumel, den Augenblick vor= her, ehe die Ringe gewechselt werden (das durch eine furcht= bare Formel geschieht), wird sie von einem himmlischen Geist, dem ihres kurz zuvor abgeschiedenen Liebhabers, gewarnt. Sie kann gradatim gewarnt werden und immer vergebens, weil der höllische Freier immer etwas ausfindet, wodurch ihre Eitelkeit geblendet wird.

Der Bräutigam macht solche Bedingungen, die nur durch Verleugnung alles menschlichen Gefühls erfüllt werden können.

*) Wenn der Ritter, welcher ihr seine eigene Geliebte aufgeopfert, nun kommt, um von ihr den Lohn zu erhalten, ist sie schon gleichgültig gegen ihn geworden und von dem Glanz des neuen Freiers geblendet.

**) Durch die Gefühle, die sie einflößt, wird sie immer wieder interessant ge= macht; bei allem Empörenden ihrer Selbstsucht bleibt doch das Schöne lieblich - der Zauber ihrer Person säugt immer von neuem an. Der treue Ritter, den sie seiner Geliebten entführen will, hält sich von ihr gehebt. Ihre Schönheit hat nicht auf ihn gewirkt, aber ihre Empfindung. So wie er Hoffnung hat, liebt er sie.

***) Sie hört, daß es irgendwo eine größere Schönheit gebe, das bringt sie zur Verzweiflung.

†) Welche Ströme darin fließen, wie groß es sei, wo es liege.

Sie erfüllt fie, die Natur empörend. Mit kaltem Herzen
fieht fie zwei Ritter *) um ihretwillen auf Leben und Tod
kämpfen. Ein anderer ift bei einer gefährlichen Unternehmung
umgekommen, die fie ihm auftrug. Sie fordert etwas Un=
mögliches von ihren Freiern, bloß um eine Kaprice zu be=
friedigen; ein Traum gab es ihr ein.

Gefchichte mit dem Spiegel.

Alle, die im Gefolg des Bräutigams find, haben ein
bedenkliches Abzeichen.

Die Ballade handelt von dem prägnanten Moment
der Kataftrophe, und das Vorhergehende muß daraus wider=
fcheinen.

Der fterbende Ritter und fein treuer Knappe. Diefer
letzte verflucht die Schöne und nennt ihre Graufamkeiten **).

Darf noch ein zärtliches Weib eingemifcht werden, das
mit ihr kontraftiert? Eine von ihren Fräulein, deren Lieb=
haber für die Tigerin entbrennt und feiner treuen Geliebten
untreu wird.

Rofamund ift n u r e i t e l, aber fie ift es fo ganz, daß
diefe Selbftfucht a l l e anderen Empfindungen in ihr ertötet
und a l l e Greuel erzeugt ***). Diefe Einheit der Quelle und
diefe Allheit der daraus entfpringenden Lafter zu zeigen, ift
die Aufgabe. Leben und Tod der Menfchen ift ihr nichts,
wenn es auch nur das kleinfte Opfer ihrer Eitelkeit koftet.
Ein Fräulein, dem fie den Liebhaber raubte, thut einen Fuß=
fall vor ihr, um nur eine geringe Gunft für den fterbenden
Geliebten von ihr zu erhalten, aber vergeblich, denn fie
müßte fich einen Genuß ihrer Eitelkeit verfagen.

Rofamund hat noch einen Vater†), der die Eitelkeit
feiner Tochter verabfcheut. Auch an ihm frevelt fie, gleich=
falls nur aus Eitelkeit, und tritt die Gefühle der Natur,
die kindliche Pflicht mit Füßen.

Sie ift Zufchauerin eines blutigen Zweikampfs††), den

---

*) Welche Freunde oder Brüder find.
**) Ein Fräulein, das den Ritter liebte und um der Graufamen willen von
ihm verfchmäht war, erweift ihm die letzten treuen Dienfte.
***) Es muß eine Gradation der Unmenfchlichkeiten fein, und das Maß muß
fich ftufenweife vollenden. Eine fehr tragifche Gefchichte ift als Epifode eingewebt;
fie rührt das Herz mit fchönen Empfindungen und erfüllt die poetifche Forderung,
das Ganze des Gemüts zu bewegen.
†) Sie hat Schweftern; ihre Familie. Sie wird zu einer Wahl gedrängt.
Was ift fie? Wo geht die Handlung vor?
††) Einer kommt ihretwegen um, den fie verfchmähte. Einer wird von ihr
verlaffen, um des Ritters willen. Der Ritter wird von ihr feiner Geliebten untreu

zwei Freunde um ihretwillen miteinander halten. Der Sieger
ermordet sich selbst mit Verwünschungen ihrer Schönheit.

Sie ist neidisch über eine glückliche Liebe, es ist ihr
unerträglich, daß ein Ritter ihren Reizen widersteht und
eine andere ihn erobert. Alle Lockungen versucht sie*),
diesen zu fangen, es gelingt ihr, ihn untreu zu machen,
seine Geliebte kommt dadurch in Verzweiflung, aber wie sie
ihren Zweck erreicht hat, täuscht sie ihn und verhöhnt seine
Liebe.

Gespräch der Grausamen mit ihrer Zofe. Sie weint
für Zorn, daß ein Mann ihr widerstehen kann. Auch gegen
ihre treue Dienerin hat sie kein Herz.

———

**) Alles in dem Stück muß leidenschaftlich sein, man muß
nie zur Reflexion kommen. Es muß sich, gleich wie der
Don Juan, mit einem Letzten und Höchsten eröffnen.

Rosamund muß bei ihrer ersten Erscheinung Gunst gewinnen.

Die Zwergin oder die Mohrin. Sie ist ein Dämon und
verführt die Rosamund. Sie hat aber auch einen guten
Engel, der ihr aber durch seine Wahrheit verhaßt wird und
unermüdlich zurückkommt, bis er sie ganz verläßt.

Wenn Rosamunds Schicksal entschieden ist, so folgt noch
etwas Liebliches, Schönes, Reines, und der Zuschauer wird
mit einem erfreulichen Eindruck entlassen. Eine gefühlvolle
Schönheit, ein gutes Mädchen, auf welche Rosamund eifersüchtig war, und der sie den Tod bereitet hatte, bleibt übrig
und erhält den Lohn ihrer Unschuld.

Der Sänger.

———

gemacht. Der Ritter verläßt sie um des fremden Freiers willen, der sich schon
angemeldet.

Um den fremden Freier zu gewinnen, opfert sie noch das Heiligste und tritt
alle Gefühle der Natur mit Füßen.

Sie nötigt einen Freund den andern zu töten.

*) Sie entschleiert in dem entscheidenden Augenblick ihre ganze Schönheit.

**) Eine Jagd. — Ein Einsiedler. — Wilde Tiere. — Das wütende Heer. —
Der Riese. — Die Bildsäule. — Die Harpyien, die Vögel. — Die heranfahrenden
Flammen. — Wolkenwagen. — Illumination und Transparent. — Versenkungen.
— Tempel, Gärten, Paläste. — Meereswogen und Wasserwerke. — Farbenerschei-
nungen. — Gespenster. Larven.

Das Schiff.

Erster Entwurf.

Die Aufgabe ist ein Drama, worin alle interessanten Motive der Seereisen, der außereuropäischen Zustände und Sitten, der damit verknüpften Schicksale und Zufälle geschickt verbunden werden. Aufzufinden ist ein punctum saliens, aus dem alle sich entwickeln, um welches sich alle natürlich anknüpfen lassen, ein Punkt also, wo sich Europa, Indien, Handel, Seefahrten, Schiff und Land, Wildheit und Kultur, Kunst und Natur 2c. darstellen läßt. Auch die Schiffsdisziplin und Schiffsregierung, der Charakter des Seemanns, des Kaufmanns, des Abenteurers, des Pflanzers, des Indianers, des Kreolen müssen bestimmt und lebhaft erscheinen*).

Das Lokal, wo das Stück spielt. Eine Eingeborene liebt den Europäer und beweint ihn nach seiner Abfahrt. Ein Weltumsegler. Ein Eingeborener, der ihn nach Europa begleitet.

Jennys Patron wird für den Verlust seines Lieblings durch etwas anderes entschädigt.

Ein Wegsegeln und Dableiben muß zugleich vorkommen. Beides hat etwas Trauriges, aber das Freudige ist überwiegend. Es könnte so gefügt werden, daß die Person, die sich wegsehnt, bleibt, und die, welche zu bleiben gedachte, wegsegelt, oder unter den Dableibenden ist ein Europäer, der sich mit Freude und Hoffnung ansiedelt, oder einer, dem

---

*) Landen und Absegeln. Sturm. Seetreffen. Meuterei auf dem Schiff. Schiffsjustiz. Begegnung zweier Schiffe. Scheiterndes Schiff. Ausgesetzte Mannschaft. Proviant. Wassereinnehmen. Handel. Seekarten, Kompaß, Längenuhr. Wilde Tiere, wilde Menschen.

Europa fremd war und der hier sein Vaterland findet. Er hat die Schrecknisse der europäischen Sitten hassen gelernt, und weil er alles in Europa verloren, was ihm teuer war, so umfaßt er mit Hoffnung das neue Vaterland. Zwischen beiden steht der Seemann, der überall und nirgends zu Hause ist und auf dem Meere wohnt.

Der sich expatriierende Europäer redet die fremde Erde an; Jenny hat sich zuvor an das Meer gewendet.

Schiffe sind selten auf dieser Küste, nur ruhige Pflanzer, nicht Kaufleute leben hier.

Es erscheint also im Stück: ein Pflanzer, der anlandende Kaufmann, der Seemann, der Inder, der Europäer, der Halbeuropäer, außer diesen die Hauptpersonen*).

Was bringt das Schiff mit, um Jennys Schicksal zu verändern? Entweder seinen Freund oder seine Geliebte oder seine Zurückberufung oder seinen Vater.

Ein entscheidendes Motiv, warum er nach Europa geht. Darf die Revolution mit eingeflochten werden?

Jennys Geliebte hat ihren Bruder oder Oheim begleitet. Ein reicher Kaufmann ist der Vater von seiner Geliebten. Dieser ist ganz arm geworden und hat sich deswegen aufs Meer begeben, um außer Europa sein Glück zu verbessern. Er ist's, der mit dem Schiff anlangt, er und seine Tochter steigen allein ans Land, sein Bruder ist der Patron Jennys.

————

Ein Europäer hat sich in Indien etabliert und durch Fleiß und Treue die Neigung seines Patrons in solchem Grade erworben, daß dieser ihn zu seinem Eidam wählt. Seine Tochter aber liebt schon einen anderen, dem aber der Vater nicht hold ist. An demselben Tag, wo der Kaufmann sich gegen den Europäer erklären will, langt ein Ostindienfahrer auf der Reede an. Der junge Europäer hat in Europa etwas Geliebtes verlassen**), sein ganzes Herz ist dahin gewendet, er ist nie glücklich gewesen; seine einzige Freude ist, Schiffe aus Europa, aus dem Land seiner Liebe, ankommen zu sehen und Nachrichten zu empfangen. Auch heute treibt ihn diese Begierde, da er von dem Schiffe gehört, an das

———

*) Fremde Nationen erscheinen im Stück: Chinesen, Eingeborene, Mohren.
**) Eine unglückliche, auf einem Irrtum beruhende Geschichte hat ihn von Europa exiliert.

Ufer*). Auf dasselbe Schiff hat auch die Tochter des Kauf=
manns ihr Absehen gerichtet, um mit ihrem Liebhaber nach
Europa zu fliehen, weil sie den Vater nicht zu erweichen
hofft**).

Gespräch zwischen der Tochter und dem jungen Jenny.
Ihre Fragen nach Europa, seine wehmütige Schilderung der
Heimat. Tochter erklärt ihm ihren Entschluß. Vater hat
ihr zuvor den seinigen erklärt.

Jenny erhält aus Europa keine Nachrichten und ist sehr
traurig. Er schlägt die Tochter des Kaufmanns aus. Er
will selbst nach Europa.

Zweiter Entwurf.

Personen:

Eduard, der junge Mann.	Kapitän des Schiffs.
Jenny, seine Geliebte.	Neger in Löhrs Diensten.
Löhr, Patron Eduards.	Wally, Löhrs Tochter.
Olof, dessen Bruder, Jennys Vater.	Riouff, ihr Liebhaber.
Parsen.	Matrosen des Schiffs.

Ort der Handlung: Madras in Bengalen. Surinam. Timor.

England strickt ein Netz von Entdeckungsfahrten um den
Globus, womit es alle Meere umfängt.

Das Schiff muß ein lebhaftes Interesse erregen; es ist
das einzige Instrument des Zusammenhangs, es ist ein Sym=
bol der europäischen Verbreitung der ganzen Schiffahrt und
Weltumsegelung. Episode vom Schiffskapitän, Matrosen und
Passagiers.

Ein Kapitän, der von einer rebellischen Mannschaft aus=
gesetzt wird oder geworden ist. (Ein wegen eines Mordes
nach Botanybai Geschaffter; sein junger Sohn teilt freiwillig
sein Schicksal; dieser ist zum Jüngling herangewachsen.

Das Schiff, welches auf der Reede liegt, ist von der
aufrührerischen Mannschaft in Besitz genommen. Vergebens

---

*) Jenny ist allen teuer, er ist ein Engel der Unterdrückten.
**) Sie versieht sich mit Juwelen und Gold. Eine gewisse Härte des Vaters
und die Heftigkeit ihrer Liebe entschuldigt ihren Entschluß. Der Liebhaber kämpft
mit sich selbst, er verschmäht den Reichtum der Tochter.

hat Eduard seine Hoffnung auf dieses Schiff gesetzt; er glaubt, jede Aussicht sei ihm nun zur Rückkehr verloren, als sich alles aufs freudigste für ihn entwickelt.

Das Schiff, auf welches man alle Hoffnung setzt, kann entweder untergehen oder verschlagen werden, oder eine Meuterei kann auf demselben ausbrechen. Gefangene auf dem Schiff. Wie kommt es in dieses Gewässer?*).

Die Handlung kann auf einer Insel, etwa Isle Bourbon oder einer ähnlichen selten besuchten Station sein.
Wie ist Eduard hierher gekommen?
Eduard hat mehrere Jahre vergebens die Wirkungen seiner nach Europa geschickten Briefe und der Versprechung eines Freundes erwartet; er ist auf dem Punkt, die Hoffnung aufzugeben und sich auf der Insel zu binden, wo ihm der Pflanzer seine Tochter anträgt. Dieser Pflanzer ist auch ein Europäer und durch Schicksale hierher gekommen. Seine Tochter — — —

Das Stück kann so endigen, daß Eduard in dem gefangenen Hauptmann des Schiffs seinen Freund entdeckt, daß er ihm sein Schiff wieder erobern hilft, und daß die Aufrührer statt der vorigen Bewohner auf der Insel zurückbleiben.

*) Die spurlose Bahn des Schiffs. Die Korallen. Die Seevögel. Das Seergras.

Die Flibustier.

Namen von Seeräubern: Philipps, Martel, Anna Bonni, Marie Read, Mönbars, Eisenarm, Jones.

Die schwarze Flagge. (Roter Tod auf derselben.)

Auf der See geboren, in der See begraben.

Das Frauenzimmer ein Seeräuber.

Lotsen.

Teilung der Beute. Jeder muß schwören, daß er nichts beiseite gebracht. Alles Gewonnene wird gleich verschwelgt. Ungeheure Verschwendung und größter Mangel wechseln schnell aufeinander.

Unmenschlichkeit der Flibustier, sie ist eine Folge ihrer Desperation, weil sie keine Gnade zu hoffen haben.

Einer von den Seeräubern fällt den Karaiben in die Hände und wird gefressen.

Unsicherheit eines solchen Räuberchefs vor seiner eigenen Mannschaft.

Das Theater kann das Schiff selbst sein, es ist ein Kriegsschiff. — Man ist bald auf dem Verdeck, bald im Raum, bald in der Kajüte. Das Boot auf dem Verdeck. Der Schiffsgottesdienst. Die Schiffsstrafe. Die Taufe unter der Linie. Die Anstalten zu einem Seetreffen. Das Entern. Das Schiffsbegräbnis.

Wilde und ungeheure Naturen sind der Gegenstand, eine abgeschlossene Existenz unter eigenen strengen Notgesetzen, Gerechtigkeit, Gleichheit. Unter diesen steckt ein edler und feiner Gefühle fähiger Mann, den seine Schicksale und Leidenschaften in dieses Gewerb geschleudert, der es im Grunde verabscheut, ohne sich losreißen zu können. Ein weibliches Geschöpf steckt auch darunter, die als Mann verkleidet und einer der tapfersten ist.

Das Charakteristische einer Schiffsverschwörung. Man
hat Mißtrauen gegen den Anführer, daß er die gemeine
Sache verraten wolle. Befehl des Anführers, mit brennender
Lunte an der Pulverkammer zu warten.

Die Neger auf dem Schiff oder die Türkensklaven.

Trostloser Zustand auf dem Schiffe.

Matrose im Mastkorb entdeckt Land oder ein Schiff.

Ein Korsar Jones rettet eine Schöne aus der Gewalt
seines wütenden Kameraden und imponiert diesem durch
seinen Mut und Anstand. Er wird von der Liebe gerührt
und flößt Liebe ein. Diese Person ist von dem ersten Adel
und findet Rächer. Man verfolgt den Korsaren, der sie
weggeraubt. Jones kommt in den Fall, das Korsarenschiff
zu kommandieren, wenn es angegriffen wird.

Zwei heftige Leidenschaften, Haß und Liebe, beherrschen
den Korsaren. Interessante Schilderung der Liebe, die sich
durch Dienste und Attentionen äußert, ohne sich zu erklären.
Die rohe Güte.

———

Das Seestück.

Qualität des Schiffs. Ist's ein Kauffahrer, ein Korsar, ein Entdecker, ein Transportschiff?

Eine furchtbare Schar von Seeräubern; ihr Anführer ein ehemals edler Mensch; ihre strenge Justiz, rohe Güte.

Es erklärt sich ein Schiff für einen Seeräuber und steckt die schwarze Flagge auf. — Diese Handlung ist bedeutend und verhängnisvoll. Die schwarze Flagge kann von einem Trauerflor genommen sein, den eine geliebte Person besaß.

Ein Schiffer sprengt sich in die Luft. — Der Korsar entert ein anderes Schiff und macht sich davon Meister. Dieses geht auf der Scene vor.

Hinaufsteigen der Küste kann vorgestellt werden.

Entschluß des Korsaren mitten auf der See bekannt gemacht. Er verändert seinen Lauf. — Passagiere auf dem Schiff in das ungeheure Schicksal verflochten. — Ein Befehlshaber wird ausgesetzt, wenn das Schiff rebelliert hat.

Eine große Leidenschaft ist Ursache an dem Schritt des Korsaren. Er hat seine Geliebte durch eine Ungerechtigkeit verloren, er ist bitter gekränkt durch die Gesetze und kündigt darum der gesellschaftlichen Einrichtung den unversöhnlichen Krieg an. Seine Natur ist durch dieses Unglück verändert, sein Herz erbittert. Wütende Rachsucht gegen eine bestimmte Nation, gegen einen besonderen Stand (die Mönche) und Neid gegen die ganze zivilisierte Gesellschaft beseelt ihn. Oder er erwählt auch den Stand des Korsaren aus Notwendigkeit, weil er nicht mehr zu den Europäern zurück kann.

Die Handlung eröffnet sich mit einer Schiffsverschwörung. Ein Schiff nach Jamaika bestimmt. Ein Teil der Mannschaft ist unzufrieden. Kühner Anführer beredet sie, sich

des Schiffs zu bemächtigen. Am Lande ſetzen ſie den Kapitän, und wer ihm ſonſt noch folgen will, aus und ſegeln
nun als Korſaren nach einem anderen Weltteil.

Die Scene iſt in einem anderen Weltteil, aber zwiſchen
Europäern. Es iſt eine Inſel oder eine Küſte, wo Schiffe
anlanden. Alles muß ſich in einem Tag begeben, die Nacht
mit eingeſchloſſen.

Europäer, die in ihr Vaterland heimſtreben. Andere
Europäer, die es verließen und das Glück unter einem
anderen Himmel aufſuchen. Ankommende und Abgehende,
auch beſtändig Bleibende, die hier zu Hauſe ſind.

Die unglückliche Liebe, die ſtrafbare That, der Ent-
ſchluß der Verzweiflung.

Europa und die neue Welt ſtehen gegeneinander.

Ein Akt, der letzte, kann in Europa ſpielen, wenn vorher in einem Zwiſchenakt der Oceanus aufgetreten und
dieſen ungeheuren Sprung launig entſchuldigt hat.

Chor der Matroſen, ein Schifflied.

Der Bootsmann und die Schiffregierung.

Alle Hauptmotive, die in dieſem Stoffe liegen, müſſen
herbeigebracht werden. Auch eine Meuterei auf dem Schiff.

Brand im Waſſer. Verlorener Anker. Seebegräbnis.
Seegefecht, Seeraub. Tauſchhandel mit Wilden. Geo-
graphiſche Entdeckungen. Mitreiſende Gelehrte. Trans-
portierte Verbrecher.

Charakter eines großen Seemanns, der auf dem Meer
alt geworden, die Welt durchſegelt und alles erlebt hat.

Der Held des Stücks ein junger werdender Seeheld.

Das Schiff als eine Heimat, eine eigene Welt. Seine
ſpurloſe Bahn.

Es geht einmal verloren.

Abſchied des Seemanns von ſeinen Gefährten oder doch
ſonſt ein höchſt rührender Abſchied. Eine rührende Ankunft.

Seelenverkäufer ſchaffen einen ordentlichen Menſchen
durch Zwang nach Indien.

Die neue Natur, Bäume, Luftton, Gebäude, Tiere,
Kleidertrachten.

Das Prägnante kommt zu dem Prägnanten, eine wich-
tige Stellung der Dinge auf dem Schiff, eine ähnliche auf
dem Lande.

Matrosen fangen gleich einen Handel an, wenn sie ge-
landet.

Ein Schiff ist von seinem Gefährten getrennt worden
und findet sich in demselben Hafen nun mit ihm wieder
zusammen.

Notschüsse auf einem bedrängten Schiff.

Krieg in Europa macht Krieg in Indien, hier weiß
man noch nichts.

Scenen für die Augen, voll Handlung und Bewegung,
auch neuer Gegenstände: 1. Regsames Gewühl eines See-
hafens. 2. Matrosengesang. 3. Die neue Landschaft und
Sitten. 4. Die Ankunft. 5. Der Abschied. 6. Die Flucht
und Verbergung. 7. Der Streit. 8. Die Verzweiflung
oder der Sklave. 9. — — —

Entwurf eines Lustspiels im Geschmack von Goethes „Bürgergeneral".

Personen:

Schnaps.	Schulmeister.
Christinchen, Tochter.	Schulknaben.
Röschen, Mutter.	Jäger.
Görge, Vater.	Tafeldecker.
Edelmann.	Andere Bediente des Edelmanns.
Baronesse.	Der Baron.
Christinchens Liebhaber.	Jagdgesellschaft.
Junker.	

Erster Akt.

1. Sonnenaufgang; im Dorf. Schnaps, nüchtern, sieht sich nach einem Branntweinladen um, der noch nicht auf ist.

2. Christinchen macht den Laden auf. Exposition. Verhältnis der Mutter zum Vater, Christinchens zu zwei Liebhabern. Schnaps begünstigt den Junker.

3. Röschen. Verlegenheit wegen der Kasse — trägt ihm auf, das Kreuz zu versetzen.

4. Görge kommt von dem vierten Hochzeittag zurück. Beschreibung des Gastmahls und der Gastfreiheit. Schnaps von der Idee begeistert, ein splendider Wirt zu sein.

5. Schnaps' Monolog — hungert und entschließt sich, zu traktieren.

6. Edelmann ist früh auf, da er seiner Tochter ein ländliches Fest geben will. Schnaps kann die Gelegenheit nicht vorbeilassen, sich zu signalisieren, und bittet sich aus, zu traktieren — gibt noch Hoffnung, den Junker zu Erben einzusetzen.

7. Zum Edelmann kommt seine Tochter. Exposition ihres Charakters und ihrer Lage, findet ihr Glück darin, wohlthätig zu sein.

8. Christinchens Liebhaber entdeckt sich der Baroneß; sie ab.

9. Schnaps kommt zu ihm und beredet ihn, eine Laube zu bauen und ein ländliches Frühstück hinzubringen. Verspricht ihm, das Liebchen hinzuschaffen.

10. Schnaps und der Junker. Aehnlicher Vorschlag, mit einem galanteren Frühstück. Gleiches Versprechen.

11. Scene mit dem Schulmeister, der die Bänke abschlägt.

12. Schnaps und Görge. Dieser wird in die Stadt mit dem Kreuz geschickt, das Dessert zu bezahlen.

13. Schnaps und die Baroneß. Er benutzt ihre Wohlthätigkeit, um Geld von ihr zu kriegen und durch sie den Schulmeister über Land zu schicken.

14. Schnaps allein. Hierauf die Schuljungen, die ihm Tisch und Bänke fortschaffen müssen.

Zweiter Akt.

1. Töffel mit Maien, eine Laube zu bauen.

2. Junker und ein Jäger mit Maien in gleicher Absicht. Töffel bleibt. Beide haben mehr gebracht, als sie Schnapsen versprochen. Versuch beider Parteien, einander wechselseitig wegzubringen. Da es nicht gelingt, gehen beide Parteien weg.

3. Christinchen allein, die auch den Baron eingeladen, bringt den Käse.

4. Beide Liebhaber und Christelchen. Jeder stellt sich, als ob ihn Christelchen nichts anginge.

5. Endlich arrangieren sich beide Liebhaber, eine Partie zu drei zu machen. Schulknaben kommen mit Tisch und Bänken.

6. Die drei erklären sich's aus einer ungeschickten Bestellung, fangen an, den Tisch zu decken und aufzustellen, aber nur auf drei Personen eingerichtet.

7. Bediente vom Edelhof arrangieren eine Tafel und bringen Essen, zur Verwunderung der vorhandenen Gäste.

8. Röschen kommt mit einem Braten. Von der anderen Seite ein anderer Braten vom Edelmann.

9. Görge aus der Stadt mit dem Deffert. Schnaps mit den Schülern, bezeugt seine Zufriedenheit, ordnet das übrige noch an und macht die Krüppel.

10. Edelmann mit der Baroneß. Man setzt sich. Schnaps macht den Wirt. Krüppel warten auf. Baroneß ergreift diese Gelegenheit, eine Wohlthat auszuüben, krönt Röschen zu Rosine. Krüppel singen Chorus. Man sieht einer Verheiratung Töffels mit Christinchen entgegen.

11. Baron und Jagdgesellschaft kommen unerwartet dazu. Schnaps glänzt, fährt fort den Wirt zu machen. Neues Arrangement des Sitzens, Tableau.

Körners Vormittag.

Schiller:

1. als **Schiller.** (Sommermanchester. Gelbe Pantoffel. Tabak.)
2. als **Seifenbekannter.** (Schuh und Strümpfe. Noten. Hut.)
3. als **Wolsin.** (Weiberrock. Salope. Haube.)
4. **Schuhmacher.** (Mantel. Stiefel. Schuhe.)
5. **Kandidat.** (Schwarze Weste. Dissertation. Schuhe und Strümpfe. Schwarzer Rock.)

Körners Studierzimmer.

Ein Schreibtisch. Einige Sessel. Bücher. Alte Kleider. Wäsche.

Körner (im Schlafrock und Pantoffel, stehend vor einem Tische schreibend, dann aufstehend). Endlich doch ein Vormittag, der mein ist. Ich will ihn auch benutzen. (Ruft.) Gottlieb!

Gottlieb (tritt auf). Herr Doktor!

Körner (fortschreibend). Rasieren!

(Gottlieb setzt einen Stuhl, zieht Messer ab, macht Seife an u. s. f.)

Schiller (tritt auf). Guten Morgen, Körner!

Körner. Guten Morgen — Nun?

Schiller. Schreibst du an Göschen heute?

Körner. Natur! du schickst Manuskript fort?

Schiller. Ich komme eben, deinen Raphael abzuholen.

Körner. Ja. Ja. Wir wollen sehen.

Schiller. Du hast ihn doch fertig, Körner?

Körner. Auf meinem Schreibtisch liegt, was ich gemacht habe.

Schiller (sucht, liest). „Ein Glück wie das unsrige, Julius, ohne Unterbrechung, wäre zu viel für ein menschliches"*) — — Wo geht's denn fort?

Körner. Das ist alles.

Schiller. Ach du lieber Gott! — Da bin ich wieder angeführt.

---

*) Anfangsworte des ersten Briefs Raphaels an Julius (Bd. 12, S. 177), der also, wenigstens zum Teil, von Körner verfaßt ist. (A. d. H.)

Körner. Laß nur gut sein. Ich habe noch Zeit bis zum Konsistorium.

Schiller. Den Augenblick schlägt's neun Uhr.

Körner. Mach Er, Gottlieb! Mach Er! —

Minna (tritt auf). Da steht Er wieder und hält meinen Mann auf. Sieht Er denn nicht, daß er ins Konsistorium muß? — Hanswurst!

Schiller. Nu! nu! Ich sage nur —

Minna (steht lange in einer arbeitenden Stellung, endlich mit schrecklichem Durchbruch). Allzeit! —

Körner. Sei ruhig, Miezchen. Ich habe noch Zeit genug.

Gottlieb. Es klopft jemand.

Körner. Gottlieb, seh' Er nach! (Gottlieb hinaus.)

Gottlieb (kommt gleich wieder). Der Seifenbekannte, Herr Doktor! (Minna und Schiller ab.)

Körner. Muß mir denn der just jetzt über den Hals kommen! Laß Er ihn 'rein.

Seifenbekannter (tritt auf). Ich mache dem Herrn Oberkonsistorialrat meine unterthänige Empfehlung! — Da bring' ich Musikalien.

Körner. Dank Ihnen, Herr — — Mein Herr! Wollen Sie es nur dorthin legen.

Seifenbekannter. Eine Symphonie von Hall ist darunter, die dem Herrn Oberkonsistorialrat gewiß gefallen wird.

Körner. So! So!

Seifenbekannter. Wenn der Herr Oberkonsistorialrat etwas von Sonaten brauchen? Ich habe eine prächtige von Gluck!

Körner. Sehr obligiert! — Ich habe Ihnen auch noch einen Akt von Carlos zu bezahlen.

Seifenbekannter. Nach Bequemlichkeit, Herr Doktor, nach Bequemlichkeit!

Körner. Ich bin jetzt nur ein wenig pressiert.

Seifenbekannter (empfiehlt sich). Ich will nicht inkommodieren, Herr Oberkonsistorialrat. Es kann anstehen bis morgen. Empfehle mich ganz ergebenst.

Professor Becker tritt auf.

Becker (mit einem Kupferstich). Schönen guten Morgen!

Körner. Bon jour, Professor! Was bringen Sie da Neues?

Becker. Einen . . . . Ein vortreffliches Blatt!

Körner. Ein braves Blatt!

Becker. Ich und die russische Kaiserin sind jetzt die einzigen in Europa, die noch Abdrücke davon haben.

Körner. Ein tüchtiges Blatt!

Becker. Das meinige aber ist das beste.

Körner. Ja, ja.

Minna (tritt auf). Mach, daß du fertig wirst, Körner! Neun Uhr ist vorbei.

Körner. Gleich! gleich!

Minna. Guten Morgen, Professor! Wie steht's mit der Gesundheit?

Becker. Passiert. Diesen Morgen hab' ich mir ein Geschwür aufschneiden lassen. (Minna freut sich und läuft davon.)

Körner. Nichts Neues, Professor?

Becker. Nichts, als daß wir Adelung hieher bekommen!

Körner. Ist's richtig? — Da ist eine scharmante Acquisition!

Becker. Die ganze Sache ist durch mich gegangen. Ich war zum Diner beim Minister Gutschmidt, wo wir langes und breites darüber sprachen.

Körner. A propos, lieber Becker. Ich habe da von Leipzig einen raren Elefantenzahn überschickt bekommen —

Gottlieb. Es pocht jemand, Herr Doktor! (Hinaus.)

Becker. Die Stelle ist mir angetragen worden, aber was sollst du einem andern das Brot nehmen, dacht' ich. Adelung verdient Aufmunterung —

Gottlieb (kommt zurück). Ihr Bedienter, Herr Professor. (Becker ab.) Die Journale für Neumann.

Körner. Dort unterm Tisch — in der Wäsche. Such' Er sie zusammen.

Dorchen (tritt auf). Das Wirtschaftsgeld ist alle, Körner. Du mußt mir neues geben.

Körner. Wie viel brauchst du?

Dorchen. Drei Thaler für den Buttermann. Sechs für den Fleischer.

Körner. Donner auch! — Was ist heute?

Dorchen. Montag.

Körner. Da muß ein Brief kommen von Weber!

Gottlieb. Mlle., der Zeitungsmann! (Dorchen eilt hinaus.)

Körner. Wer pocht schon wieder?

Gottlieb. Der Schuhmacher und Schneider Miller!

Körner. Just zur Unzeit. Sollen 'rein kommen!

Schneider Miller, Schuster treten auf.

Beide. Schönen guten Morgen, Herr Oberkonsistorialrat ꝛc.

Körner. Schönen Dank!

Schuster. Ich möchte gern das Maß nehmen zu den Stiefeln.

Schneider. Und ich die Weste anprobieren.

Körner. Ja! Gleich!

Minna (tritt auf). Mach'! Mach', Körner, daß du in die Session kommst! Eben hat's zehn nur*) geschlagen.

Körner. Ich bin auch gleich fertig. Gib mir einen Kuß, kleine Maus!

Minna. Willst du noch eine Tasse, Körner!

Körner. Gib mir noch eine Tasse, Miezchen!

Huber (tritt auf). Ich bringe dir den Rienzi, Körner. Hast du Zeit, so will ich ihn vorlesen.

Körner. Schicke! (Schuster kniet und mißt Stiefel an, Gottlieb rasiert, Minna bringt eine Tasse, Huber geht auf und ab, liest.)

Huber. „Rom ist zweimal der Sitz einer Universal — —"

Schuhmacher. Hohe oder niedre Absätze, Herr Oberkonsistorialrat?

Körner. Mittel —

Huber. — „einer Universalmonarchie gewesen."

Minna. Ist der Kaffee auch süß genug, Körner?

Körner. Ja, kleine Maus.

Huber. „Rom ist zweimal der Sitz einer Universalmonarchie gewesen."

Minna (gibt ihm eine Ohrfeige ab). Pack' Er ein mit seinem Wisch — Esel!

Haase tritt auf.

Haase. Guten Morgen, Körnerscher!

Körner. Gott grüße, Haase! Wie geht's?

Haase. Schleicht.

Körner. Was Neues in der Welt?

Haase. Nichts. Daß die La Motte**) echappiert ist, weißt du?

Körner. Ja. Das freut mich.

Haase. Du hast zu thun. Ich will einstweilen in eine andre Gasse gehen. (Ab.)

Dorchen (tritt auf). Der Stadtrichter, Körner.

---

*) „nur" verstärkt hier das vorhergehende „eben", ein Gebrauch, der sich auch sonst bei temporalen Adverbien findet. (A. d. H.)

**) Die durch den Halsbandprozeß berüchtigte Lamothe war am 5. Juni 1787 entflohen. (A. d. H.)

Körner. Schaff' ihn fort! Ich bin nicht zu Hause.

Dorchen. Ja! Da liegt er nun mir auf dem Halse.

Baffenge (tritt auf). Guten Morgen! Guten Morgen!

Körner. Ah, guten Tag, Herr Baffenge!

Baffenge. Ich komme, Sie zu meinem Kinde zu Gevatter zu bitten.

Körner. Gehorsamer Diener! Gehorsamer Diener! — Ein Junge oder ein Mädchen?

Baffenge. Ein Mädchen vor diesmal.

Körner. Meine Frau ist drinnen. Ich bin gleich fertig.

Baffenge. Will nicht inkommodieren. (Ab.)

Wolfin (ftreckt den Kopf zur Thüre herein). Darf man herein, Herr Doktor?

Körner. Wird mir eine Ehre sein — Schönen Tag, Madame Wolfin.

Wolfin. Ich schere mich gleich wieder. Ich wollte Ihnen nur einen guten Morgen geben.

Körner. Ich schönen Dank!

Wolfin. Ich sehe, daß Sie zu thun haben. Ich geniere Sie doch nicht?

Körner. Nicht im geringsten, Madame Wolfin.

Wolfin. Sonst geh' ich gleich wieder. (Sett ſich)

Körner. Herrliches Wetter, Madame Wolfin.

Wolfin. Sie haben da eine scharmante Leinwand. Was gilt die Elle?

Körner. Das kann Ihnen meine Frau sagen.

Wolfin. Die Sessel sind recht hübsch überzogen. Wo haben Sie den Zeug her? Gewiß aus Leipzig?

Körner. Fragen Sie meine Frau!

Wolfin. A propos. Wie steht's mit dem Weine?

Körner. Die Proben haben wir ausgetrunken. Er ist recht gut.

Wolfin. Wieviel befehlen Sie?

Körner. Vorderhand nichts. Ich bin noch versehen.

Dorchen (kommt). Graf Schönburg!

Körner. Hol' ihn der Teufel! — Es wird mir eine Ehre sein!

Wolfin (ab mit Dorchen). Da muß ich mich trollen.

Schönburg tritt auf.

Körner. Bon jour, Msr. le Comte! Willkommen!

Schönburg. Ich habe einen herrlichen Schimmel zu verkaufen. Wissen Sie mir einen Liebhaber?

Körner. Wie teuer?

Schönburg. Eine Lumperei. Sechzig Louisdors.

Körner. Ich wüßte niemand.

Schönburg. Sie haben eine gute Erbschaft gethan, wie ich höre?

Körner. Geht mit.

Schönburg. Ich habe Kommission, für einen guten Freund Geld aufzunehmen.

Körner. So. So.

Schönburg. Der Mann ist sicher wie Gold. Auf mein Wort!

Körner. Zweifle gar nicht.

Schönburg. Hätten Sie vielleicht einiges vorrätig —

Körner. Wir wollen ein andermal davon reden.

Schönburg (knallt mit der Peitsche). Wo sind Ihre Weiber!

Körner. Vorn. Lassen sich frisieren. (Schönburg ab.)

Köchin (tritt auf). Der Meier vom Weinberg.

Körner. Hab' jetzt keine Zeit. Soll nach dem Essen wiederkommen

Bellmann (tritt auf). Kann ich die Klaviere stimmen, Herr Oberkonsistorialrat?

Körner. Gehen Sie nur hinein, Herr Bellmann!

Dorchen (tritt auf). Der Tischler, Körner.

Körner. Was will er?

Dorchen. Er bringt eine Rechnung.

Körner. Hol' ihn der Teufel! Er kann nach dem Essen wiederkommen. Noch kein Briefträger dagewesen?

Dorchen. Nein! (Ab.)

Minna. Mach', mach', Körner! Den Augenblick schlägt's zwölf Uhr.

Körner. Donner auch! — Ich eile, was ich kann, aber ich kann doch nicht hexen.

Minna (empfindlich). Ich bin ja nicht schuld daran. Brauchst du mich denn so anzufahren?

Körner. Bis nicht böse, kleine Maus! Hab's nicht gern gethan.

Minna. Allzeit muß ich's entgelten! (Ab. Man pocht.)

Körner. Wer pocht schon wieder? Will das währen bis an den jüngsten Tag?*)

Gottlieb (hinaus, kommt wieder). Ein Kandidat, Herr Doktor!

---

*) Shakespeares Macbeth Akt 4 Scene 1 der Schillerschen Uebersetzung. (A d H.)

Körner (steht erbost auf). Daß dich alle Teufel —

Kandidat (demütig). Ich gebe mir die Ehre, dem Herrn Oberkonsistorialrat meine Dissertation de Transsubstantiatione zu überreichen.

Körner. Er kann mich .... (Kandidat geht stumm ab.)

Körner. Was hab' ich gesagt? — Ich glaube, der Mann ist beleidigt. Lauf' Er ihm nach, Gottlieb! Ich laß ihn zum Essen bitten. (Gottlieb ab.)

Minna, Schiller, Huber (rennen ins Zimmer. Alle zugleich). Kunze ist hier aus Leipzig! — Körner! Kunze ist hier! (Rennen fort.)

Körners Monolog. So muß ich eilen und meine Hosen anziehen. Endlich bin ich allein! Mein schöner Vormittag! O mein herrlicher Vormittag! (Er zieht seine Hosen an.)

Dorchen (rennt hinein) Körner, Kunze ist — (sie erblickt seine Hosen und flieht mit einem Schrei fort). O Himmel und Erde!

Gottlieb. Ein Brief aus Leipzig, Herr Doktor!

Körner. Endlich! Gott sei Lob und Dank!

Schiller, Huber, Minna, Dorchen (eilig). Du hast Briefe, Körner! Von Weber?

Körner (erbricht ihn, wirft ihn trostlos von sich). Vom Vetter aus Weimar! (Alle stehen starr.)

Gottlieb. Es schlägt ein Uhr, Herr Doktor.

Körner. Da ist's zu spät ins Konsistorium! Lauf' Er hinein, Gottlieb! Ich lasse mich für heute entschuldigen!

Dorchen, Schiller, Minna, Huber. Aber lieber Gott! Wie hast du den ganzen Vormittag hingebracht?

Körner (in wichtiger Stellung). Ich habe mich rasieren lassen!

(Der Vorhang fällt.)

———

Anhang.

Bruchstück einer Uebersetzung des Britannikus von Racine.

Erster Akt. Erster Auftritt.

Agrippina. Albina.

Albina.

Was muß ich sehn? Indes daß Nero schläft,
Erwartest du hier einsam sein Erwachen?
Die Mutter Cäsars irret unbegleitet
Durch den Palast, an seiner Thür zu lauern?
Augusta, geh' in dein Gemach zurück!

Agripptna.

Ich darf mich keinen Augenblick von hier
Entfernen — Hier erwart' ich ihn, Albina!
Der Kummer, den er auf mich häuft, gibt mir
Beschäftigung genug, solang' er schläft.
Was ich vorher gesagt, trifft ein, Albina!
Nero erklärt Britannikus die Fehde;
Nicht mehr geliebt — er will gefürchtet sein!
Britannikus drückt seinen stolzen Geist!
Ich selbst, ich fühl's, daß ich ihm lästig werde!

Albina.

Ihm lästig du? die ihm das Leben gab,
Den Thron ihm gab, den er nicht hoffen konnte?
Du, die den Sohn des Klaudius enterbt,
Und ihn, den glücklichen Domitius,

Zum Reich berief? Alles, alles spricht
Für dich; ist er nicht schuldig, dich zu lieben?

Agrippina.

Wohl ist er das, Albina! Alles schreibt
Ihm diese — — — — wenn er edel denkt;
Doch ist er undankbar, verdammt mich alles.

Albina.

Er undankbar? Wie? Zeigt nicht sein Betragen,
Wie tief er seine Pflichten fühlt und kennt?
Seit dreien Jahren, daß er Rom beherrscht,
Was hat er nicht geäußert und gethan,
Das einen großen Kaiser nicht verspräche?
In den drei Jahren, daß er herrscht, sah Rom
Die alte Zeit der Konsuln wiederkehren!
Denn wie ein Vater herrschet er! Ein Jüngling,
Zeigt er — — — mit der August geendet!

Agrippina.

Ich will nicht blind sein gegen sein Verdienst.
Wohl fängt er an, so wie August geendet —
Verleih'n die Götter, daß die Zukunft nicht
Die glückliche Vergangenheit zerstöre,
Daß er nicht ende, wie August begann!
Umsonst verbirgt er sich, in seinen Zügen
Les' ich den Stolz, den wilden düstern Sinn
Der — — — Domitier! Und mit
Dem Stolz, den er aus ihrem Blut geschöpft,
Paart er den ganzen Hochsinn der Neronen,
Den er an meinen Brüsten eingesogen.
Stets glücklich ist der Anfang der Tyrannen,
Auch Cajus war zuerst die Freude Roms,
Eh' er in seinen Schrecken sich verwandelt.
Und kümmert's mich, ob Nero längre Zeit,
Sich selbst getreu, der Welt ein Muster gebe?
Gab ich das Steuer Roms in seine Hand,
Es nach des Volks und des Senats — — —
Zu lenken? Sei er Vater seine[s Landes,]
Gefällt's ihm so, doch denk' er etwas mehr
Daran, daß Agrippina seine Mutter.
— Mit welchem Namen aber nennen wir
Die Frevelthat, die dieser Tag beleuchtet?

Er weiß — wer wüßt' es nicht? — daß Junia
Geliebt wird von Britannikus —
Und dieser Nero, den die Tugend leitet,
Läßt Junien in dieser Nacht entführen!
Was soll das? Ist's die Liebe? Ist's der Haß,
Der ihn beseelt? Ist's bloß die Freude, sie
Zu quälen? Oder straft er sie darum,
— — — — — — — weil ich sie schütze?

Albina.

Du schützest sie?

Agrippina.

        Vollende nicht, Albina!
Wohl weiß ich's, daß ich selbst sie untergrub,
Daß von dem Thron, auf den Geburt ihn rief,
Britannikus durch mich verdränget ward;
Durch mich Silan, der Bruder Juniens,
Dem Claudius die Herrschaft zugedacht,
Silan, der — — — — — —
Oktaviens Hand und — — — — —
Nero genießt die Frucht von diesem allem,
Und ich, zum Lohn dafür, muß zwischen ihn
Und jene treten,
Auf daß Britannikus einst zwischen mir
Und meinem Sohn das Gleiche mir erzeige!

Albina.

Welch ein — — —

Agrippina.

        Mein Hafen in dem Sturm!
Hält dies ihn nicht, ist Nero mir verloren!

Albina.

S — — — — — — gegen deinen Sohn?

Agrippina.

Er fürchte mich, damit ich ihn nicht fürchte!

Albina.

Dich schreckt vielleicht — — — — —
Doch ist dir Nero nicht mehr, was er soll,
So ist dies ein Geheimnis zwischen dir
Und Cäsarn und verlautet nicht zu uns.

Schillers Dram. Entwürfe u. Fragmente.   20

Was Rom an neuen Würden ihm verleiht,
Mit seiner Mutter eilt er es zu teilen.
Nichts — — — — — — —
Dein Name ist so heilig als der seine;
Der traurigen Oktavia wird kaum
Gedacht; so hoch hat euer Ahnherr selbst,
Augustus, niemals Livien geehrt!
Nero zuerst erlaubte, seiner Mutter
Lorbeerbekränzt die Fasces vorzutragen:
Wie kann er mehr sein kindlich Herz dir zeigen?
Welch andres Pfand verlangst du seiner Liebe?

Agrippina.

Der Ehrfurcht weniger, des Vertrauens mehr!
All diese Gnaden, die er auf mich häufte,
Sie reizen nur, Albina, meinen Schmerz!
Die Ehren wachsen, und mein Ansehn sinkt!
Nein, nein, sie ist verschwunden, jene Zeit,
Da Nero, noch ein Jüngling, die Huldigungen
Des Hofs, der ihn vergöttert, an mich wies;
Der Staatsregierung sich bei mir entlud,
Da mein Befehl den Rat versammeln durfte,
Da hinter einem Vorhang, ungesehn,
Ich dieses Körpers mächt'ge Seele — — —
Denn Nero war, der Volksgunst ungewiß,
Damals von seiner Macht noch nicht berauscht!
Noch jetzt ergreift mich jenes Tages Bild:
Ein trauriger Tag! da Nero selbst zuerst
Geblendet ward von seiner Größe Glanz,
Da ihn von zehen Königen der Welt
Die Abgesandten zu verehren kamen —
Ich nahte mich, mich neben ihn zu setzen
Auf seinen Thron! — doch welcher böse Rat
Sein Herz von mir entwendet, weiß ich nicht —
Denn kurz, als er von weitem mich ersah,
Entstellte finstrer Unmut sein Gesicht,
Und mich ergriff das böse Zeichen gleich!
Der Undankbare! Mit verstellter Demut
Hub er sich schnell, und mir entgegen eilend,
Mich zu umarmen, schob er listig mich
Vom Thron hinweg, den ich besteigen wollte.
Seit diesem Unfall neigt sich meine Macht

Mit jedem Tage ihrem Falle zu.
Mir blieb der Schatten nur der alten Gunst,
— — Burrhus — — — und Seneka die Welt!

Albina.

Gebieterin, wenn du so Arges wähnst,
Warum dies Gift in deinem Herzen nähren?
So schnell du kannst, erkläre dich mit Cäsarn!

Agrippina.

Cäsar sieht ohne Zeugen mich nicht mehr,
Albina! Oeffentlich, trifft mich die Reihe,
Gelang' ich zum Gehör; was er mir sagt,
Und was er nicht sagt, ist ihm vorgeschrieben
Von zwei — — — — die er sich und mir
Zu Herren gab, ist einer stets zugegen.
Doch wie er mich auch meide, ich verfolg' ihn,
Ich dränge mich ihm auf, und
Aus seinem Frevel muß ich Vorteil ziehn.
Horch! ein Geräusch! Man öffnet! Auf der Stelle
Geh ich — — — — — — und
Ist's möglich, überrasch' ich sein Geheimnis.

Druck der Union Deutsche Verlagsgesellschaft in Stuttgart.

Schillers

Dramatische Entwürfe und Fragmente.

Aus dem Nachlaß zusammengestellt

von

Gustav Kettner.

Ergänzungsband zu Schillers Werken.

Stuttgart 1899.

Verlag der J. G. Cotta'schen Buchhandlung

Nachfolger.